KB152206

NCS

NCS를 활용한 두피모발관리학

사단법인 국제두피모발협회

KAT 한국두피모발관리사협회
Korea Association of Trichologists

NCS를 활용한 두피모발관리학

첫째판 1쇄 인쇄 | 2011년 3월 2일
첫째판 1쇄 발행 | 2011년 3월 10일
둘째판 1쇄 발행 | 2016년 8월 18일
둘째판 2쇄 발행 | 2017년 6월 16일
둘째판 3쇄 발행 | 2019년 2월 27일
둘째판 4쇄 발행 | 2021년 9월 10일
둘째판 5쇄 발행 | 2023년 9월 12일

지 은 이 (KAT) 한국두피모발관리사협회/사단법인 국제두피모발협회
김영배, 리순화, 문지선, 심선녀, 이진희, 조지훈, 주은령
발 행 인 장주연
출 판 기 획 군자기획부
편집디자인 군자편집부
표지디자인 군자표지부
발 행 처 군자출판사(주)
등록 제4-139호(1991. 6. 24)
본사 (10881) **파주출판단지** 경기도 파주시 회동길 338(서패동 474-1)
전화 (031) 943-1888 팩스 (031) 955-9545
홈페이지 | www.koonja.co.kr

ISBN 979-11-5955-064-5
정가 21,000원

저자소개

김영배 사단법인 국제두피모발협회
KAT 한국두피모발관리사협회 이사장

리순화 건국대학교 대학원 향장학과
사단법인 국제두피모발협회 / KAT 한국두피모발관리사협회 부회장

문지선 중원대학교 뷰티헬스학과
사단법인 국제두피모발협회 / KAT한국두피모발관리사협회 간행위원

심선녀 경복대학교 뷰티아트과
사단법인 국제두피모발협회/KAT한국두피모발관리사협회 부회장

이진희 상명대학교 뷰티예술경영학과
사단법인 국제두피모발협회 / KAT한국두피모발관리사협회 교육위원

조지훈 광주여자대학교 미용과학과
사단법인 국제두피모발협회 / KAT한국두피모발관리사협회 부회장

주은령 경인여자대학교 피부미용과
사단법인 국제두피모발협회 / KAT한국두피모발관리사협회 학술위원

(저자는 가, 나, 다 순으로 정렬되었습니다.)

Part 1 이론편

Part 2 실전편

목차

머리말

Trichologist는 누구나 될 수 있지만 어디서나 양성할 수는 없습니다. 쉴 새 없이 변화되는 화 속에 다양해지는 인간들의 삶처럼 미를 추구하는 욕망과 외모의 아름다움을 유지하려 욕구는 미용산업을 더욱 부각시켜주고 있습니다. 생활수준의 향상에 따라 미용에 관심이 대되고, 그 관심을 충족하려는 수요자가 늘어나므로 미용에 관한 인식 또한 많이 달라지고 습니다. 두피모발 관련 분야의 미용산업시장이 매우 빠르게 변화하고 있으며, 각 교육기관 두피모발 관련 커리큘럼이 지속적으로 개설되고 발전되고 있습니다.

자격증 제도는 미용산업발전에 따른 다양한 기술 방향을 통일하고, 개인의 직무수행 능력 객관적으로 평가하여 그에 상응한 자격을 부여 인증해 주고, 소비자들에게 신뢰성을 줌으 써 기술자격취득자의 권익보호와 우대 등의 관리행사를 할 수 있도록 하는데 있습니다.

본 협회는 Trichologist 인력을 양성하는 전문기관으로 교육의 질적 발전을 위해 두피모발 관한 지식 습득에 도움을 얻기 위한 목적으로 이 책을 완성하게 되었습니다.

두피, 모발에 관한 전문적인 지식을 갖추어 숙련된 기술을 가지고 이에 관한 업무를 전문적 로 분석하여 성분학, 영양학적 관리시스템으로 고객 시술 관리 방식을 작성하는 관리사 역 에 필요한 지식과 정보를 토대로 현장관리에 도움이 되고자 합니다.

부족한 내용과 필요한 자료는 계속해서 수정·보완하여 도움이 될 수 있도록 약속드리며, 또 이 책을 활용하시는 모든 분들의 끊임 없는 조언을 부탁드리며, 물심양면으로 많은 도움을 신 여러분들께 깊이 감사를 드립니다.

사단법인 국제두피모발협
KAT한국두피모발관리사협
사단법인 한국가발협
이사장 김영

(KAT) 사단법인 국제두피모발협회 민간자격 지정교육기관

(KAT) (사)국제두피모발협회는 미용산업에 전문인력양성을 위한 새로운 패러다임을 만들갑니다.

KAT 지정 교육기관 인증제도

(사)국제두피모발협회는 미용산업발전에 따른 시대변화에 부흥하기 위하여 두피모발관리사의 양성, 검정, 기능장려, 취업 알선 등을 보다 전문적이고, 체계적으로 시행하기 위한 전문기관으로써 두피모발관리사의 직업능력 향상을 위한 기회제공과 경쟁력을 강화시키고 준비된 인재의 성장을 뒷받침해 주는 실질적이고, 효과적인 미용경제효과를 창출하기 위한 곳입니다.

(사)국제두피모발협회 민간인증제도는 한국미용산업에 또 다른 직업창출을 끌어내고, 두피모발관리산업의 올바른 성장을 유도하고 교육생들에게 안정된 교육시스템을 제공하는 교육기관으로, 제도나 교육환경 및 인증된 두피모발관리사, 전문교육강사, 인적구성사항 및 서비스 시스템으로 규정된 요구사항을 만족하고 있는지 여부를 객관적으로 평가, 인증해 주는 제도입니다.

KTA 인증심사 준비서류

1. (KAT) (사)국제두피모발협회 회원가입신청서
2. 인증학원 등록신청서
3. 학원의 위치도
4. 사업자등록증&학원설립 운영등록증 사본

문의 : 사단법인 국제두피모발협회
Address_ 서울시 용산구 동자동 30-8 서울버스조합 3층
Tel_ 02) 525-5875
Fax_ 02) 525-5879
E-mail_ kat5875@hanmail.net
www.Trichology.org

사단법인 국제두피모발협회
이사장 김영배

K.A.T.(Korea Association of Trichologists) 소개

(KAT) (사)국제두피모발협회는 한국인의 두피모발관리분야의 독창적인 기술을 개발, 두피모발학을 발전시켜 학문적 · 교육적으로 개발한다. 이에 진취적이고 도전적이며 창의력이 뛰어난 사고를 가진 인재를 발굴 · 육성함으로써 미용산업의 전문직종으로 자리매김을 꾀하는 동시에 두피 · 모발관리의 권익보장을 위해 힘쓰고 있다.

또한 (KAT) (사)국제두피모발협회는 새로운 기술과 내용을 교육받을 수 있는 여건을 제공하여 한국 미용인의 창의적 사고능력과 국제적인 감각을 갖춘 Trichologist를 육성하여 미용산업의 전문인력으로써 고부가 가치의 산업대열에 합류할 수 있게 하기 위하여 설립되었다.

Trichologist 양성 교육프로그램은 21세기 급변하는 전문자격증 시대에 수준 높은 미용문화를 향상시킬 목적으로 전문 인력을 양성하는 국내 최초로 시작된 사회미용교육 프로그램이며, 이과정은 각 분야의 전문 교수진으로 이루어졌으며, 미용학교(원) 및 일반교육기관이나 미용관련 업체를 대상으로 강좌를 개설하고 있다.

- Trichologist 양성을 위한 교육과정을 마련하고 민간자격제도를 운영한다.
- 교육과정과 민간자격제도의 전문성과 권위를 높이기 위하여 산, 학, 관, 연 등으로 학술교육위원회를 구성한다.
- KAT 경영교육기관 각 지회 및 지정교육기관과 연계하여 교육과정 자격시험제도를 운영한다.
- 교육기관과 미용 산업 현장과의 산학협동의 일환으로 현장실습, 취업지도, 기술지도, 제품개발, 창업경영 지도 등에 힘쓴다.
- 학술교육위원회는 두피모발관리의 학술적 · 기술적 · 경영적인 지식을 총망라하여 공급하는 중심적 역할을 한다.

사단법인 국제두피모발협회
KAT한국두피모발관리사협회 자격검정관리 시스템

1. KAT 자격검증관리위원회 구성

(상임이사, 운영이사, 기술이사, 학술교육위원)

- 자격공고 · 자격시험 실시에 대한 홍보
- 자격시험 대비 세미나 준비 · 출제 및 평가기준 마련

2. 응시원서 교부 및 접수

- 전형료 · 자격시험 대비 세미나(재교육)

3. 자격시험 실기(필기 · 실기)

- 전형료 · 자격시험 대비 세미나(재교육)

4. 자격시험 평가 및 심사(중앙회)

- 자격등록 신청 · 등록표

5. 민간 자격증 수여

- 자격등록 신청 · 등록표

6. 사후관리(취업 · 창업지도 · 재교육)

사단법인 국제두피모발협회

사단법인 국제두피모발협회
KAT한국두피모발관리사협회에서 하는 일

Trichologist 전문교육기관 육성 및 사후관리

- 전문교육기관 육성
- 교육환경 개선 지도
- 커리큘럼 개발

Trichologist 자격검정 및 기술자격 취득자의 관리

- 기술 자격검정 집행(출제관리, 시행, 채점)
- 자격 취득자의 자격증 교부 및 사후관리

Trichologist 교육강사의 양성 관리

- 강사양성
- 강사재교육
- 강사자격과정 운영

취업알선 등 고용촉진

- 국내 · 외 취업알선
- 구인 · 구직 정보제공
- 대국민 홍보를 통한 고용촉진

기술검정평가원 양성

- 자격검정 평가 수행 업무교육
- 시스템 · 공정 · 제품에 대한 교육
- 기술지도 및 개발업무 등

사단법인 국제두피모발협회
KAT한국두피모발관리사협회 자격증 교부제도 안내

1. Trichologist(두피모발정보관리사) 자격증 교부 목적

사단법인 국제두피모발협회의 자격증 발급 목적은 산업 발전에 따른 다양한 기술 방향을 통일하고 개인의 직무수행 능력을 객관적으로 평가하여 그에 상응한 자격을 부여 인증하고, 서비스를 받는 소비자에게 신뢰성을 줌으로써 기술자격취득자의 권익보호 및 우대 등의 권리행사를 할 수 있도록 하는 데 있다.

2. Trichologist(두피모발정보관리사) 자격취득자 관리

두피모발정보관리사 자격 취득자에 대하여 자격증 등록원부에 의하여 성명, 주민등록번호, 주소, 자격등급 등을 전산입력 작성하여 관리하고 기술발전에 따른 보수교육 및 홍보를 통하여 자격취득자의 사회적 지위향상을 위하여 체계적인 관리를 목적으로 한다.

3. Trichologist(두피모발정보관리사) 자격증 발급대상

신규발급: 최종 합격한 자에게 처음으로 자격증을 교부
재 교 부: 자격증을 발급받은 자가 자격증을 분실하였거나 훼손하였을 경우 동일한 자격증을 다시 교부

4. Trichologist(두피모발정보관리사) 자격증 취득사항 확인서 발급

자격증 취득자가 자격취득 사실 확인이 필요한 경우 기술자격 취득사항 확인서를 발급하여 준다.

사단법인 국제두피모발협회
KAT한국두피모발관리사협회 자격검정업무

1. Trichologist 기술검정 업무처리 절차

21세기 미용문화 선진화에 기여할 수 있는 두피모발정보관리사 기술자격제도를 시행하여 개인의 재능과 능력 그리고 전문성을 인정받아 두피모발관리사의 지위를 향상하는데 그 목적을 둔다.

2. 자격검정 업무처리 절차

- 시험문제의 출제 및 관리
- 자격검정 시행
- 기술자격 취득자의 자격증교부 및 사후관리

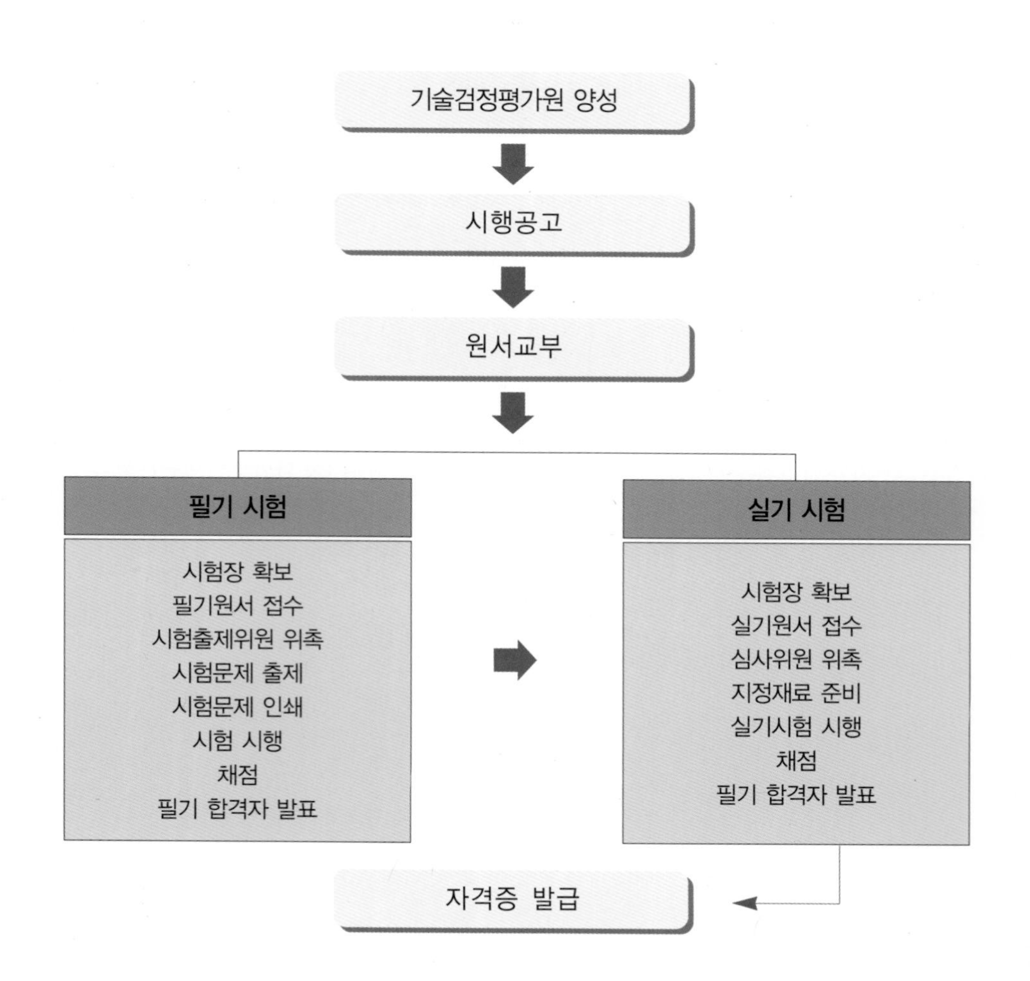

Trichologist(두피모발정보관리사) 자격검정 시험규정

▶ 자격검정 시험기준 및 응시자격

등급	검정기준	자 격
2급 Trichologist (두피모발정보관리사)	모발에관한 전문적인 지식을 갖추어 숙련기술을 가지고 이에 관한 업무를 전문적으로 수행할 수 있는 능력의 유무	• 관련분야의 교육기관에서 정규과정을 수료한 자 • 관련분야 고등학교 졸업예정 후 두피교육을 이수한 자 • 동일 직무 분야의 전문대학 이상의 졸업 또는 졸업예정자
1급 Trichologist	전문적인 지식과 숙련기술을 가지고 이에 관한 전문적인 업무를 수행할 수 있는 능력으로 습득한 지식을 지도 및 감독, 현장훈련 업무를 수행 할 수 있는 능력의 유무, 교육을 이수한 자	• 2급 자격증을 취득한 후 동일 직무 분야에서 3개월 이상 실무에 종사한 자 • 2급 자격증을 취득한 자로 교육기관이나 사이버 강의를 이수한 자 • 1급 자격검정 인증 기관에서 일정기간 세미나 • 온라인, 오프라인 강의
전문강사	모발두피의 관리 자격에 관한전문적인 학과목 이론과 실기를 습득하여 과정을 지도할 수 있는 능력의 유무	• 교육기관에서 관련된 교육을 2년 이상 경력이 있는 자 • 대학 졸업자나 동등한 학력이 있는 자로 자격을 지도할 수 있는 자
최고전문가	지식과 숙련된 현장기술 능력과 경험을 갖추어 과정을 지도할 수 있는 능력 유무	• 2급, 1급 과정을 이수하고 교육기관이나 관련된 실무가 5년 이상인 교육 경험이 있는 자 • 인증강사를 이수하고 관련된 기관의 상담에 관련된 현장 실무 3년 이상 경력이 있는 자(교육경험) • 이수한 과목중 규정된 과목 규정에 의해 과목 Test

Trichologist(두피모발정보관리사) 2급 자격시험 이론 및 실기 시험방법

검정시험분류	필기시험	실기시험
응시자격	관련기관에서 정규과정을 수료한 자 제한 없음	2급 필기시험 합격자 필기시험 합격 후 1년 동안 자격유효
원서교부	협회 중앙 사무국 각 지회 및 지역 접수처 인터넷 사이트 직접 접수	협회 중앙 사무국 각 지회 및 지역 접수처
접수준비물	필기 응시원서(소정양식) 사진 1매 신분증	실기 응시원서(소정양식) 사진 2매 신분증
전형료	불합격자 재 접수	불합격자 재 접수
시험지참물	수험표(고사장에서 배부) 신분증 필기도구(검정색 싸인펜)	수험표(고사장에서 배부) 신분증 실기에 필요한 준비물 응시번호표(고사장 배부)
시험과목	고객상담 및 매뉴얼테크닉 모발학 두피모발 진단 및 관리학 화장품학 영양학 두피모발 관리용 기자재 및 제품	서술시험 및 차트작성법 (두피판독 및 관리방법) 시술테크닉(스틱면봉, 브러쉬, 스케일링, 매뉴얼테크닉, 샴푸, 영양공급, 트리트먼트, 마무리순으로)
출제 및 심사방법	객관식 60문항 100점 만점/70점이상	1차 – 서술형시험(30점) 2차 – 실기테크닉(70점)/ 70점이상 평균
시험시간	60분	1차: 20분 2차: 60분

Part 1
이론편

Chapter 1

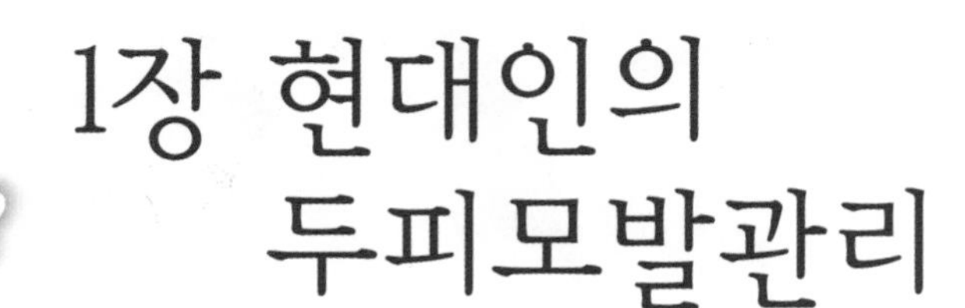

1장 현대인의 두피모발관리

1. 두피모발관리사trichologist의 개요

트리콜로지스트란?

- Trichology(모발학) – 모발과 두피의 생리적 이론과 발생 가능한 문제들을 분석하고 관리하는 학문
- Trichologist – Trichology의 지식과 관리방법을 습득하여 건강한 두피와 모발을 유지하도록 도움을 주는 두피모발관리사

1) 두피모발관리사trichologist란?

모발학은 모발과 두피에 대한 과학적인 연구로서 모발이라는 그리스어 Trikhos에서 이름이 유래되었다. 모발학(Trichology)은 모발(hairs)과 두피(scalp)의 생리적 이론과 모발에 발생 가능한 문제들을 분석하고 다루는 과학이며, 모발에 대한 기초지식과 그 관리 방법을 습득하여 건강한 두피와 모발을 유지하도록 도움 주는 사람을 두피모발관리사(Trichologist)라 한다.

모발과 두피는 분리된 것이 아니라 많은 인체 기능 시스템과 유관하며 내부 생체리듬의 상태를 반영해 주고 있으므로 모발 전문가들은 인체생리, 영양학, 화학, 모발과 피부의 생리학 등의 학문을 공부해야 한다. 이 뿐만 아니라 모발진단 및 분석을 위해 전기이론 및 전문 전기기구, 컴퓨터 첨단장비 등의 원리와 사용법에 대한 지식도 겸비하고 있어야 한다.

전문 두피모발관리사는 고객 상담을 통해 모발 진단 및 분석을 하여 보다 건강한 아름다움을 유지 · 증진시키고 모발학에 대한 체계적인 이론을 바탕으로 한 두피 매뉴얼테크닉도 갖추고 있어야 한다. 또한 친절한 고객서비스를 제공하기 위해서는 상담학이나 서비스 마케팅, 효율적인 고객정보관리 방법에 대한 정보도 파악하여야 한다.

사진제공_(KAT) (사)한국두피모발관리사협회

그림 1-1 전문자격증(두피모발관리사 자격증 시험장에서 응시자들이 매뉴얼테크닉 실습 시험을 치르고 있다. 두피모발관리사는 각종 두피질환을 앓는 사람들을 대상으로 상담과 관리하는 일을 한다.

2) 두피모발관리사의 역할 및 교육과정

(1) 전문가로서의 역할

① 두피모발 생리학에 대한 개요
② 인체의 구조
③ 모발 화학 및 제품사용법
④ 영양학
⑤ 두피 진단법
⑥ 기기학

(2) 상담자로서 역할

① 고객 상담 기법
② 성격 유형 진단법
③ 심리학

(3) 서비스인으로서 역할

① 서비스 이론 및 서비스 테크닉
② 이미지 메이킹 기법
③ 고객 관리법

3) 두피모발관리사의 진로

현재 양성 중인 두피모발관리사(Trichologist)를 단계별로 살펴보면 실제적 고객관리를 위주로 하게 되는 두피관리사 과정과 실전관리를 바탕으로 고객 상담 업무를 맡게 될 두피상담사 과정, 그리고 모든 과정을 총괄할 수 있는 두피모발(인증강사, 최고전문가) 과정으로 나눌 수 있다.

현재 두피모발관리사는 두피모발관리실에서 진단을 통해 내려진 시술 절차를 그에 맞도록 적응하는 역할을 하게 된다.

이는 두피모발관리사의 진단을 이행하는 단계로써 고객과의 접촉시간이 가장 길며, 상담이나 진단 중 놓칠 수 있는 점들을 체크할 수 있는 역할을 담당해야 한다.

두피모발관리사 과정 이수 후 6개월 이상의 실무 경력이 있으면 두피상담사 과정을 응시할 수 있으며 두피상담사 과정의 경우 이론과 상담교육을 중점적으로 받게 된다. 이에 고객을 상담하고 진단하며 고객의 라이프사이클까지 고려할 수 있는 안목이 요구된다. 이런 면에서 볼 때, 두피모발관리사(두피상담사)는 향후 두피관리 시장의 교육자와 사업의 경영자로서의 활동을 모두 기대할 수 있다. 이미 일본을 비롯하여 우리나라에서도 두피모발관리사 자격증을 이수한 인력들이 높은 연봉과 만족스런 근무조건으로 전문가로서의 자리매김을 하고 있다.

2. 미용시장의 변화

1) 고객 니즈[needs]의 변화

고도화된 사회일수록 현대인들에게 외적 아름다움은 젊은 여성들은 물론 남녀노소를 가리지 않고 중요하게 인식되고 있다. 그러나 현대인의 인식 속에서 외적 아름다움에 대한 개념이 그동안 보여지는 화려함에 치중되었다면 이제는 건강한 아름다움의 개념으로 새롭게 인식되고 있다. 이제 미용 산업에서 추구하는 아름다움은 메이크업이 건강한 피부에서 시작하는 것처럼 헤어 스타일링을 위해서는 건강한 모발과 그 모발이 뿌리를 내리고 있는 두피를 관리해야 하는 필요성이 대두되고 있는 것이다.

고객이 느끼는 건강한 아름다움의 필요성은 다양한 각도에서 일어나고 있는 환경으로부터의 역습과 그에 따르는 웰빙(well-being) 추구와 맞물려 있다. 이는 자신의 건강한 아름다움을 위한 금전적 시간적 투자가 날로 증가하고 있는 현대인의 소비 성향과도 일치하고 있다. 미용시장의 확대는 더욱 적극적이다.

여성의 경우 각 세대별 확산으로 10대 시장이 늘고 있으며, 남성 역시 이 · 미용 산업의 성장 고객으로 등장하였다. 남성들의 미에 대한 관심도가 높아지고 있는 것은 두피시장에 대한 가능성을 더욱 크게 해준다. 남성 고객의 경우 청년에서 중장년에 이르기까지 각종 피부 · 헤어 · 두피관리 등 다양한 미용 서비스를 생활화하고 있다. 전국 미혼 남성을 대상으로 조사한 리서치를 살펴보면 그 현상을 쉽게 이해할 수 있다. 남성들의 경우 자신의 외모가 사회생활에 영향을 미친다고 응답한 경우가 60% 이상으로 나타났으며, 외모를 가꾸기 위해 비만 관리, 피부 관리 그리고 탈모관리 등 미용 서비스에 투자하겠다는 남성들이 늘고 있다. 그러한 인식에 발맞춰 최근 다양하게 출시되고 있는 남성 화장품의 시장과 남성전용 피부 관리실, 탈모관리센터의 확대 역시 남성 미용시장으로의 가능성을 더욱 밝게 하고 있다.

최근 미용실마다 '두피 케어 룸' 설치가 붐을 이루고 있다. 두피 스켈링으로 묵은 각질을 벗겨내는 것은 물론 대부분의 두피모발관리 고객들은 두피 매뉴얼테크닉을 받고 나면 스트레스 해소에도 도움이 된다는 것을 인지하고 있다.

2) 미용시장의 변화

미용시장은 우리나라 뿐 아니라 세계적으로 증가하는 추세이다. 이에 다국적 기업들의 공략이 해마다 강세를 더하고 있으며 소규모 미용실들이 대규모나 체인의 형식 또는 소수 고급 미용실의 차별화로 형성되고 있다.

우리나라에서 미용실은 1970년대와 80년대를 기점으로 빠른 성장세를 보였으며 1990년대에 이르러 서서히 성숙기의 단계로 접어들었다. 2000년대에 들어서면서 이미 포화상태에 이른 미용시장과 경기침체로 인해 각 분야의 미용인들은 새로운 수요창출에 필요성을 공감하고 있고 이미 곳곳에서 발 빠른 변화를 실행하는 곳도 늘어나고 있다.

미용실의 고급화와 전문화를 꾀하는 전략으로 헤어케어를 한 분야가 아닌 세분화된 전문적인 분야로 인식되고 있다. 이에 펌 리스트, 컬러리스트에 이어 클리닉 리스트 또는 헤어케어리스트, 두피 · 모발 관리사 등의 전문가로 분류하여 '건강을 바탕으로 한 아름다움' 이라는 컨셉으로 토탈 개념의 미용실 이미지로 가고 있는 추세이다.

또한 미용인이라면 미용실에서의 고객 클레임 방지를 위해 케어에 대한 분야를 인지해야 한다. 최근 들어 펌이나 염색이 두피나 모발을 손상시키는 부작용 사례가 다양한 매체들을 통해 공개적으로 소개되는 추세이며, 그 사례도 늘어나고 있다. 이러한 경우 미용실에서의 대처는 케어를 통한 것으로 사전 · 사후 관리를 통해 고객의 클레임을 예방하거나 복원하는 데 한 몫을 할 것이다.

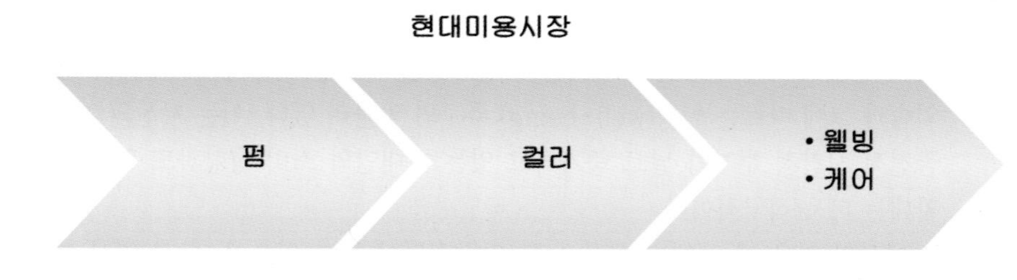

그림 1-2 미용실에서 새로운 수용창출의 변화

3) 대중시장의 변화

미용산업에서 두피와 모발에 대한 관리는 다국적기업의 가세에서 그 성장세를 쉽게 볼 수 있다. 시장성을 인지한 다국적기업들의 투자와 유입은 탈모 관리 전문점을 중심으로 성장하고 있으며, 발모제나 육모제 시장 역시 확장세에 있다. 특히 전문 탈모관리전문점의 경우, 시술비가 고가임에도 불구하고 해마다 성장하고 있으며 여성고객과 젊은 층의 비율도 늘어나고 있다.

사람들은 찰랑거리는 머릿결을 요즘 미인들의 기본 요건으로 인식하고 있다. 긴 생머리와 윤기나는 머리카락은 생기 있는 젊음의 상징이며 여성들은 이제 얼굴 뿐 아니라 헤어케어에도 관심과 투자를 아끼지 않는다. 즉 두피와 모발도 얼굴 피부처럼 가꾸고 관리해야할 분야로 인지하고 있는 것이다. 이미 백화점에서 고급 헤어케어 브랜드가 많은 인기를 얻고 있으며 고급 모발관리 센터, 두피 및 탈모 전문 피부과도 많이 생겨났다. 르네휘테르, J · F 라자르띠끄, 키엘, 라우쉬 등 해외 유명 헤어 바디케어 브랜드에서 허브, 식물추출물, 천연오일을 넣은 각종 기능성 두피모발관리 제품으로 일반인들에게 두피모발화장품을 다양하게 소개하고 있다.

문제성 두피에 관한 관심은 더욱 구체적이며 적극적이다. 비듬을 위한 두피 전용 샴푸의 경우 신제품 출시와 대대적인 홍보 마케팅은 물론 그동안 모발 샴푸가 주류를 이루던 시장에 '두피케어용 샴푸', '모발케어용 린스', '탈모방지용 샴푸' 등 두피모발관리의 개념이 자연스럽게 등장하였다. 이것은 일반인들이 모발과 두피에 대한 세분화되고 전문적인 케어를 원한다는 것을 의미한다.

3. 두피모발관리 시장의 현황과 전망

우리나라에서 두피관리센터는 까망, 다모코스메틱, 닥터스칼프, 두미래, 르네휘테르, 스칼프랜드, 스펠라랜드, 아미치, 웰킨, WT메소드 등이 있으며 해마다 늘어나는 추세이다. 두피관리센터는 주로 탈모에 초점이 맞추어져 있으나 최근 들어 두피관리의 필요성을 자각한 고객들이 예방 차원에서 관리를 받기도 하며, 휴식과 치유의 컨셉으로 운영되는 센터, 살롱들로 양분화되고 있다.

형태는 직영으로만 운영하는 곳도 있으며 프렌차이즈의 형태이거나 미용실, 피부관리실에 숍인숍의 형태로 운영되기도 한다.

최근 들어서는 병원과 연계해 '숍인숍' 형태로 운영되는 업체들도 있으며 아마추어 수준에 머물러 있던 미용실에서도 전문적으로 두피, 탈모 관련 기술을 배우려는 원장들이 늘어나고 있다.

병원이 전문가적 시술이나 의학적 치료에 장점을 가진 반면, 뷰티살롱의 경우 미용적 측면이 강하기 때문에 젊은 층과 여성들이 부담 없이 찾을 수 있다는 것이 장점이다. 지점마다 차이가 있지만 20~30대가 절반이 넘고 고객들 중 여성의 비율이 40% 정도에 이른다. 또한 중년 남성들은 탈모관리에 대해 포기하는 비율이 높은데 반해, 청년이나 여성 탈모인들은 치료를 하겠다는 의지

그림 1-3 두피모발관리센터

가 강한 것도 장점이라고 할 수 있다. 이러한 청년과 여성 탈모 인구의 증가로 두피모발관리프로그램을 도입하는 미용실과 전문 관리 업체도 큰 성장세를 보이고 있다.

두피모발관리업체들은 두피 스케일링, 모공활성화 작업 등에 집중하고 있으며 두피 클렌징, 트리트먼트, 모근에 영양공급 단계를 거치는 것이 공통적이다.

이들은 대부분 자연친화적인 제품을 선호하고 있으며, 그 외에 보조적으로 제품의 흡수를 돕거나 두피운동을 촉진시키는 기기를 하고 있다. 두피모발관리사의 경우 고객의 상태를 진단하고 그에 맞는 프로그램을 선택하여 관리의 진행 및 두피 매뉴얼테크닉 등 전문 카운슬링을 통해 두피모발문제 고객의 문제해결과 사전예방을 돕는다.

Chapter 2

Scalp structure

2장 두피모발생리학

1. 두피scalp의 정의와 기능

1) 두피의 정의

피부는 신체의 외부를 덮고 있는 하나의 막으로서 여러 외부 환경요소로부터 신체를 보호해 주는 중요한 기관이다. 다양한 생리적 기능을 수행하며 내부 장기와 그 밖의 체내기관을 보호해 주는 역할을 한다. 피부조직은 각 부위에 따라 얼굴, 손등, 손바닥 등과 같이 다양한 명칭으로 구분되어지며 그 중 두부(頭部)를 보호하고 있는 부분의 피부조직을 두피라 한다. 두피는 모근부와 한선이 발달되어 있으며 인체 내의 중금속, 노폐물, 독소 등을 밖으로 배출하고 외부공격으로부터 뇌를 보호한다.

두피조직은 모발생성과 뇌의 보호기능에 관여하는 중요한 역할과 함께 다른 부위의 피부조직에 비하여 펌, 염색, 탈색, 샴푸 등의 화학적 작용이나 내적 이상에 대하여 민감하게 작용하는 것이 특징이다. 두피조직에는 신체를 감싸고 있는 다른 어떤 부분보다도 모낭과 혈관이 풍부하고 신경분포도 매우 조밀하다. 그러므로 두피 관리는 다른 부위의 피부조직에 대한 관리와는 차별화를 두어야 한다.

2) 두피의 기능

(1) 보호의 기능

두피는 뇌를 중심으로 근육, 뼈 조직 등을 외부의 충격으로부터 보호하며 각종 박테리아나 세균의 감염, 상처, 해로운 화학물질 등으로부터 뇌를 보호하는 기능을 가지고 있다.

(2) 흡수의 기능

두피조직은 모발성장 및 두피의 영양에 필요한 영양분을 외부로부터 흡수하는 기능을 가지고 있다. 영양분의 두피 속 흡수는 표피세포를 통하여 흡수되는 것보다는 모공을 통하여 흡수될 경우 흡수율이 더욱 높다. 그러므로 모공 주위의 청결이 매우 중요하다.

(3) 분비의 기능

두피조직에는 피지를 분비하는 피지선, 땀을 분비하는 한선이 존재하고 있다. 피지선에서의 피지분비와 한선에서의 땀 분비를 통하여 생성된 피지막은 두피의 세균감염에 대한 방어 능력과 살균능력, 보습기능, 비타민D 생성의 기능을 하고 있다.

(4) 호흡의 기능

인체는 폐를 통한 호흡이 97% 정도 이루어지지만 피부조직을 통한 외부로부터의 산소 공급 또한 전체 호흡량의 1~3% 정도를 한다. 피부조직의 하나인 두피 또한 이러한 피부호흡 기능에 관여하고 있으며, 이는 피부 신진대사 기능에 있어 중요한 부분이다.

(5) 체온 유지의 기능

인체는 항상 36.5℃를 유지하는 항상성을 지니며, 이는 인체의 신진대사 기능의 정상화를 위해 매우 중요하다. 두피에서 분비되는 땀은 인체의 체온유지에 도움을 주고 있으며, 두피조직의 모세혈관은 수축과 이완을 통하여 혈류량을 조절하고 발한작용을 통하여 체온을 일정하게 유지하려고 한다.

(6) 배설의 기능

인체는 신진대사기능을 하고 남은 잔여물을 신장이나 항문, 폐 등을 통하여 체외로 배출하고 있으며, 인체의 일부인 모발은 중금속 등의 유해물질을 체외로 배설하는 기능을 한다.

(7) 감각 전달의 기능

피부에는 1 cm^2 당 촉각점 25개, 압각점 6~8개, 통각점 100~200개, 온각점 1~2개, 냉각점 12개의 비율로 분포되어 있다. 이러한 감각은 인체의 방어기능으로서의 역할을 하여 다가오는 위험에 대처하게 한다. 특히 두피조직은 다른 부위의 피부조직에 비해 예민하여 자극에 대한 신경반응이 빠르게 전달되어 나타난다.

2. 두피의 구조

피부는 인체의 16%를 차지하는 가장 넓고 특별한 조직으로 인체의 내부기관과 외부환경 간의 주요 완충제 역할을 한다. 피부는 아주 복잡한 생리기능을 갖고 있으며, 표면에서부터 표피, 진피, 피하조직의 3층으로 형성되어 있고 피부 부속 기관으로 한선, 피지선, 모발, 손·발톱이 있다.

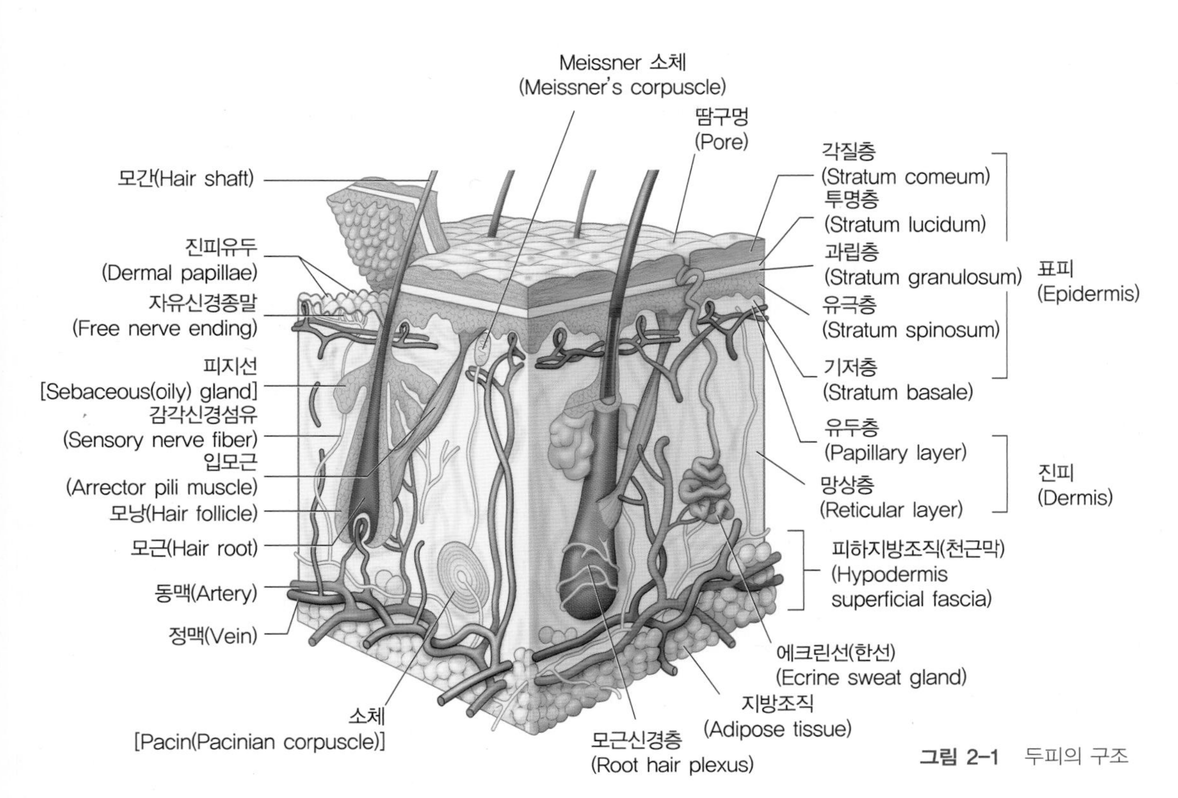

그림 2-1 두피의 구조

1) 표피epidermis

표피는 피부의 맨 바깥에 위치하는 부분으로 중층편평상피로 구성된다. 모든 상피 조직과 마찬가지로 표피에는 혈관이 없고 자체의 혈류공급이 없다. 그러나 진피층의 풍부한 혈액공급으로부터 산소와 영양물질이 하부 표피층으로 확산되어 들어온다. 표피는 다시 5개 층으로 나뉘며 표면에서부터 각질층, 투명층, 과립층, 유극층, 기저층의 순서로 층을 구분한다.
표피의 주요역할은 신체 내부를 보호해 주는 보호막 기능으로 외부로부터의 세균 등 유해물질과 자외선의 침입을 막아준다.

(1) 각질층

피부의 가장 바깥쪽에 있는 무핵의 세포층으로 10~20층의 각 세포들이 편평한 기와 모양의 얇은 각질판으로 서로 엇갈려 맞물려 있으며, 세포와 세포간은 지질로 구성된 접착물질에 의해 연결된다. 각질층의 구성성분은 각질단백질인 케라틴(keratin) 약 58%, 각질세포 간 지질(lipid) 약 11%, 천연보습인자(natural moisturizing factor) 약 31%가 함유되어 있다. 10~20%의 수분을 함유하고 있기 때문에 수분량이 10% 이하가 되면 건조화로 인해 두피의 건성화, 각질 이상 현상이 나타나게 된다.

(2) 투명층

각질층 바로 밑에 위치하며 생명력이 없는 무색 · 무핵 세포의 밝고 투명한 층으로 손바닥과 발바닥 층에서만 보이고 다른 부위에는 존재하지 않는다.

(3) 과립층

작은 과립 모양의 세포로 2~5층으로 이루어져 있으며, 표피세포가 퇴화되어 각질화되는 과정의 1단계이다. 각질세포퇴화의 첫 징조로 세포질 내부에 케라틴 전구물질인 각질유리과립(keratohyalin)이 형성되며, 수분의 침투와 증발을 막아주는 수분증발 저지막(rein membrane)을 함유하고 있다.

(4) 유극층

표피 중 가장 두꺼운 층이며 70%의 수분을 함유하고 있고, 표피 전체의 영양을 관장하며 노화가 진행될수록 얇아진다. 유핵세포로 구성되어 있으며 세포간교를 형성하며 교소체(desmosome)를 이용하여 세포 사이를 연결하고 물질대사가 이루어진다. 또한, 랑게르한스 세포(Langerhans cell)가 존재하여 피부의 면역기능을 담당한다.

(5) 기저층

표피의 가장 아래쪽에 있어 진피와 접촉하며 한 줄로 된 기저세포로 이루어져 있다. 이 기저세포가 연속적으로 변화되어 위쪽으로 점차 이동하면서 유극세포, 과립세포, 투명세포가 되며, 각질세포의 최상부는 최종적으로 떨어져 나간다. 이와 같이 기저세포에서 각질세포로 변화되는 현상을 각화작용이라 한다. 단층의 원추형 세포로 배열되어 있으며, 평균 수분 함량은 70%이고, 각질형성세포(Keratinocyte)와 색소형성세포(Melanocyte)가 존재하는 층이다.

2) 진피dermis, cutis

진피는 표피 밑에 있는 가장 두꺼운 층으로 유두층과 망상층의 2개의 층으로 구별되나 그 경계가 뚜렷하지는 않다. 피부의 90% 이상을 차지하고 표피를 지지하는 결합조직으로 콜라겐섬유(collagen fiber), 엘라스틴 섬유(elastin fiber)로 구성되어 있다. 이 섬유들은 그물모양을 이루어 피부에 탄력성과 신축성을 부여하는 층으로써, 표피에 영양분을 공급하고 기계적 자극으로부터 보호 작용을 하기도 한다. 진피층에는 혈관계, 신경계, 림프계 등이 복잡하게 얽혀 있으며, 이들의 구조를 지탱하는 역할을 한다. 또한 모발의 근원이 되는 모낭이 바로 여기에서 발생하여 성장하기 때문에 진피층은 문제성 두피와 탈모의 원인을 이해하는 데 아주 중요하다.

(1) 유두층

진피에서 표피쪽으로 돌출된 부분을 유두라고 하며 그 높은 부분이 유두층이다. 진피의 성분과 수분이 가장 많은 주요 부분으로 모세혈관, 림프관 그리고 많은 신경말단들이 있다.
유두층 밑에 형태와 역할이 같은 유두하층이 있는데, 이 층은 망상층까지 이른다.

(2) 망상층

유두층 아래에 위치하며 진피의 대부분을 차지하고 있다. 굵은 교원섬유와 탄력섬유가 피부 표면과 평행으로 밀집하게 채워져 있어 피부를 지지해 주며 피부의 탄력성을 유지시켜 준다. 유두층과 달리 모세혈관이 거의 없으며 혈관, 피지선, 감각신경, 한선 등이 분포되어 있다.

- 교원섬유(collagen fiber): 콜라겐은 진피성분의 90%를 차지, 피부에 장력을 제공한다.
- 탄력섬유(elastin fiber): 진피에 있는 섬유 성분 중 비교적 적은 부분을 차지하나 변형된 모습을 원래의 모습으로 되돌아오도록 하는 탄력성과 신축성을 제공한다.
- 기질(ground substance): 진피 내의 섬유성분과 세포 사이를 채우고 있는 물질을 기질이라 하며, 점다당질(무코다당질, mucopolysaccharide)이 주성분이다.

3) 피하조직

진피와 근육 사이에 위치하며 다량의 지방을 포함한 지방세포가 있어서 지방을 만들거나 세포 내에 저장하는 역할을 한다. 피하조직은 지방세포로 되어 있어 탄력성이 매우 좋아 충격흡수장치와 같은 역할을 하여 근육을 보호하고 피부를 통하여 체온이 손실되는 것을 막는다. 그러나 나이가 들면서 두피의 피하조직 층이 얇아져 모근을 유지하기가 힘들어지며 자연탈모 현상이 나타나게 된다.

4) 피부 부속기관 skin appendage

피부 부속기관은 피지선, 한선, 모발, 손 · 발톱으로 구분한다.

(1) 피지선과 피지

피지선은 피지를 분비하는 선으로 모낭의 입모근 위쪽에 붙어 있는 분비선이다. 피지선은 신경의 지배를 받지 않으며 피지라는 일종의 기름을 털 또는 모낭의 벽을 따라 피부 표면으로 손바닥과 발바닥을 제외한 몸 전체에 분비하여 피부나 털에 기름을 공급하는 역할을 한다.
피지선 중에는 털과 관계없이 독립하여 존재하는 것을 독립 피지선이라 하며 입과 입술, 구강점막, 눈과 눈꺼풀, 젖꼭지 등에서 볼 수 있다.

(2) 한선(땀샘)

한선(땀샘)은 소한선(작은 땀샘 - 에크린선)과 대한선(큰 땀샘 - 아포크린선)의 두 종류가 있으며 그 크기, 부피, 분비되는 땀의 성질은 각각 다르다.

① 소한선eccrine gland

소한선은 에크린선이라고도 하며, 진피의 깊은 곳에 마치 실밥을 둥글게 만 것 같은 모양을 하고 있다. 소한선은 태어날 때부터 입과 입술의 일부를 제외하고는 거의 전신에 분포되어 있으며, 그 수는 전부 200만개 이상이다. 손바닥과 발바닥에 많고 등에 가장 많으며, 체온 유지의 기능을 하며 피지선과 다른 점은 땀을 계속적으로 분비하여 피부의 건조를 방지한다는 점이다.

② 대한선apocrine giand

대한선은 아포크린선이라고도 하며 소한선보다 크고 귀 언저리, 겨드랑이, 젖꼭지, 배꼽, 음부 등 몸의 일부분에만 한정되어 있다. 대한선에서 분비되는 땀은 소한선에서 나는 땀보다 농도가 짙고 독특한 냄새가 난다. 겨드랑이에서 악취가 나는 것을 '액취증' 또는 '암내'라고 한다.

(3) 손 · 발톱

손 · 발톱은 표피의 각질층이 변형된 것으로 그 성분은 케라틴이다. 손 · 발톱의 경도는 함유된 수분의 함량이나 각질의 조성에 따라 좌우된다.

3. 두개골skull

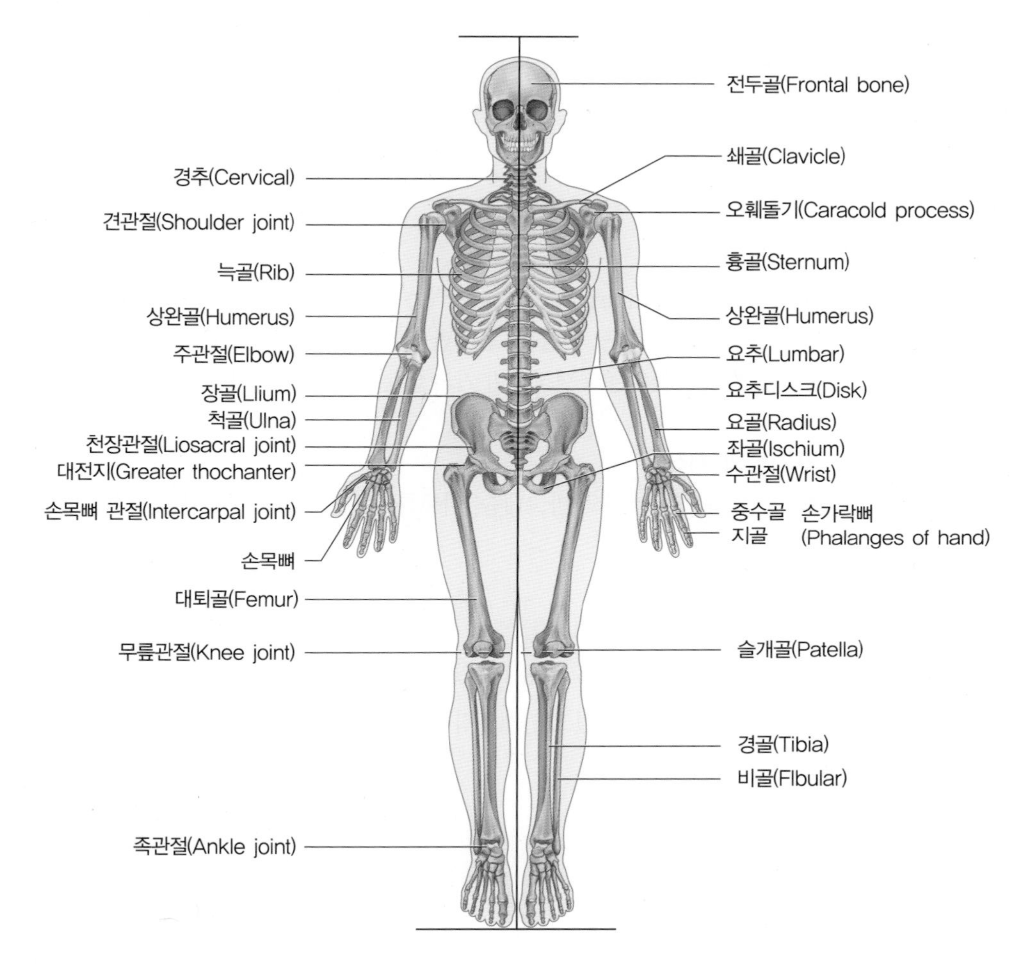

그림 2-2 골격계

인체는 약 206개의 뼈와 이와 관련된 연골로 구성되어 있다. 뼈는 살아있고, 신진대사 활동을 하고 있으나 칼슘과 인과 같은 물질이 활동하지 않으면 뼈는 죽거나 건조해진다. 뼈는 인체의 지주 역할을 하며 몸의 형태를 유지하고, 중요한 장기를 외부의 충격으로부터 보호하며 칼슘, 인과 같은 무기질을 저장하고 근육의 도움으로 인체를 움직이게 한다

1) 뼈의 기능

(1) 신체의 지지

성인은 206개의 크고 작은 다양한 뼈가 연골 및 인대와 함께 일정한 방식으로 연결되어 인체의 가장 기본적인 형태를 이루고 체중을 지지한다.

(2) 내부장기 보호

인체 내의 골격은 신체 내부 장기를 보호한다.

(3) 근육의 운동

뼈에는 골격구성을 위하여 근육이 붙어 있으며, 그 수축에 의해 뼈의 위치, 상호관계가 변화하여 운동발생에 따라서 골격계통은 수동적 운동기관이다.

(4) 조혈작용

뼈 속에는 골수강(marrow cavity)이라는 골수가 차있는 공간이 있으며, 골수는 조혈기관으로서 혈액세포인 적혈구, 백혈구, 혈소판을 생성한다. 적골수와 황골수로 나뉘며 적골수는 조혈작용을 하고 황골수는 조혈작용이 거의 없는 지방 저장소이다.

(5) 무기질의 저장

뼈에는 칼슘, 인, 소량의 마그네슘, 나트륨, 칼륨과 같은 무기질을 저장하고, 혈액의 무기질 농도를 조절한다.

2) 뼈의 구조

골막, 골질, 골수강, 골단으로 이루어져 있으며 무기질(칼슘, 인) 45%, 유기질(대부분 콜라겐) 35%, 물 20%로 구성되어 있고 인체조직 중 수분함량이 가장 적다.

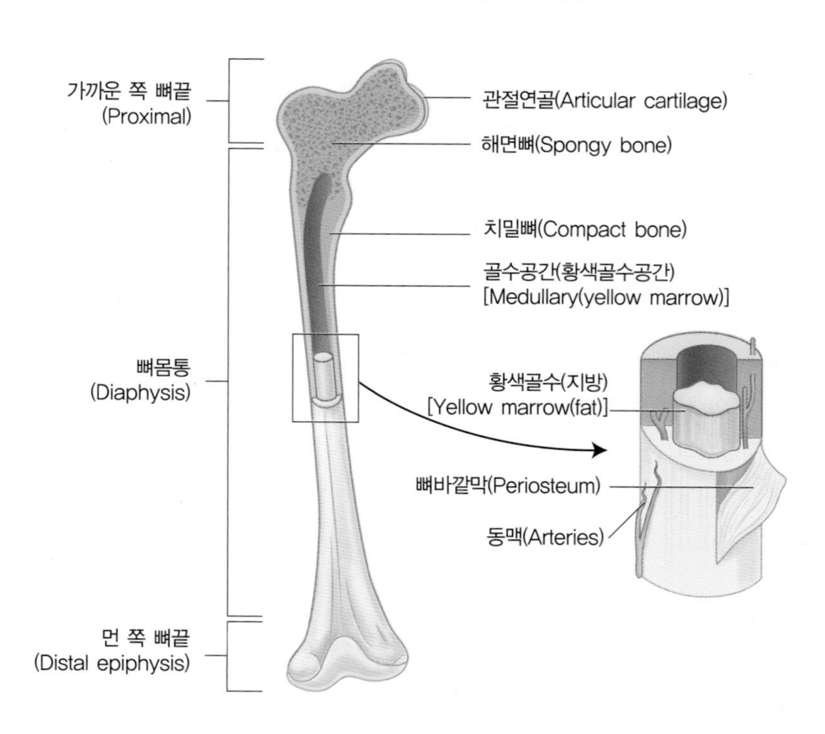

그림 2-3 뼈의구조

3) 두개골skull의 구조

두개골은 하나의 뼈로 보이나 실질적으로 22개의 뼈로 구성되어 있다. 두개골에는 뇌를 둘러싸는 뇌두개골 8개와 얼굴의 기초를 만드는 안면두개골 14개로 구성되어 있다.

이러한 두개골은 뇌, 시각기관, 평형청각기관 등을 보호하며 생명유지에 필요한 소화와 호흡에 관련된 구강 및 비강 내의 구조물들도 보호한다.

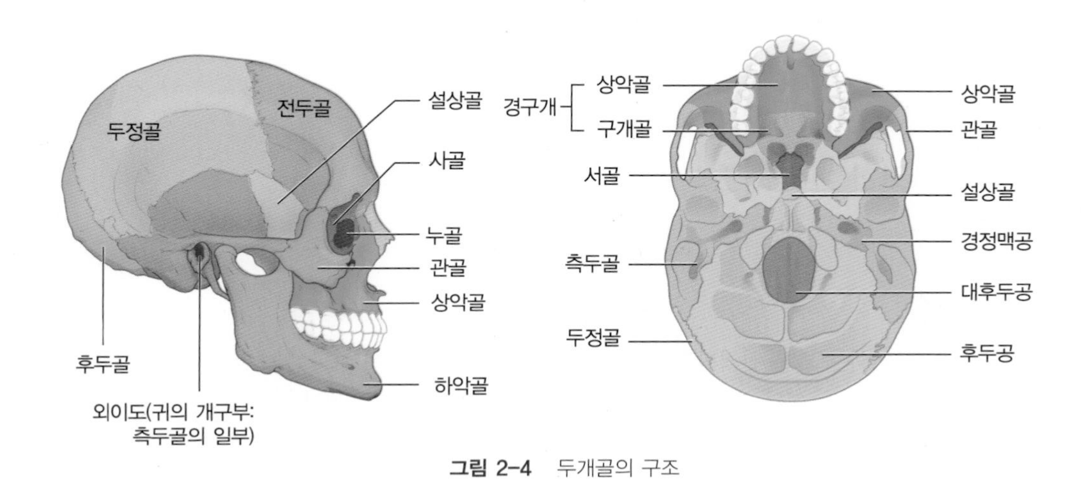

그림 2-4 두개골의 구조

4) 두개골의 종류

(1) 전두골(Frontal bone, 1개)

전두골은 앞이마를 형성하는 뼈로서 두개바닥의 앞부분과 안와의 천정을 형성하며 본래 1쌍의 뼈로 전두봉합에 의해 연결 되어 있지만 출생 후 1~2년 내에 봉합선이 소실되어 하나의 뼈가 된 것이다.

(2) 접형골(Sphenoid bone, 1개)

나비모양의 골격으로 말안장 모양의 터키안에 뇌하수체를 수용하며, 다른 두개골과 함께 관절을 형성하고 유지한다.

(3) 두정골(Parietal bone, 1쌍)

사각모양의 편평골로 시상봉합을 이루며 두개골의 지붕을 형성한다. 앞쪽은 전두골과 관절하고 뒤쪽은 후두골과 관절하여 ㅅ(시옷)자 봉합을 형성하며 아래쪽은 측두골 및 접형골의 큰 날개와 연결되어 있다.

(4) 후두골(Occipital bone, 1개)

뇌두개골의 가장 뒤쪽을 형성하고 두개골의 기반을 이룬다. 척수는 후두골 안의 큰 구멍인 대후두공을 통과하여 뇌와 만난다.

(5) 측두골(Temporal bone, 1쌍)

두개골 옆면 좌우 한 쌍으로 청각과 평형감각기가 있는 함기골이다.

(6) 사골(Ethmoid bone, 1개)

눈의 푹 파진 부분의 일부를 형성하며 코를 지탱하는 데 도움을 준다.

4. 두피신경과 스트레스

1) 두피신경

두피와 모발은 신경말단이 많이 제공되는 곳으로, 특히 보고에 대한 감각정보가 많은 곳이다. 감각과 자극은 이마, 뺨, 턱과 두개골에 있는 작은 구멍을 통해서 뇌신경부터 제공되고, 접촉 수용체는 표피의 유두층 바로 아래에 있으며, 진피 깊은 곳에는 온도와 통증에 대한 수용체가 있다.

2) 스트레스

스트레스는 자율신경계에 영향을 주며 피부에 노르아드레날린의 생성을 증가시킨다. 이는 대머리, 건선과 같은 증상을 발생시키는 자가면역 반응 정도에 영향을 준다. 현대인이 경험하는 모든 질병의 70~90%가 스트레스에 의한 발생으로 추정되어진다.

도움 우리 몸은 스트레스에 어떻게 반응하는가?

- 모근에 영양을 주는 혈관을 싸고 있는 것이 자율신경이다.
- 스트레스가 누적되면 자율신경이 균형을 잃고, 혈관에 악영향을 주게 된다.
- 스트레스를 받았을 때, 오감을 통해 두뇌에서 시상하부를 자극하게 된다.
  뇌하수체 선 → 내분비선 조직을 지배 → 몸이 싸우거나 도망가기 위한 반응을 준비 → 아드레날린을 분비 → 몸의 일반적인 기능은 붕괴된다.
- 아드레날린은 혈압을 높이거나 근육을 뭉치게 하고, 호흡이 빨라지게 된다.
  성적욕구와 배고픔을 없애고, 소화를 멈추게 하는 등 뇌를 아주 예민해지게 만든다.
- 만약 이 긴장이 풀어지지 않는 상황이 길어진다면, 심장 박동수와 혈압상승과 함께 신체는 면역계의 필수요소들을 다른 곳으로 보내고 콜레스테롤 수치도 높아진다.
- 장기간 스트레스는 피로, 두통, 가슴앓이, 소화불량, 탈모, 불감증, 우울증을 가져오고 모근 주변의 혈행이 악화되고 영양이 도달하지 않으면 탈모로 연결되게 된다.

5. 모발의 정의와 기원

모발은 손바닥, 발바닥, 입술, 유두를 제외한 전신에 있는 일종의 피부 부속기관이다. 즉 모발은 피부의 각질층이 변화해서 생긴 섬유성 단백질인 케라틴으로 구성된 죽은 세포를 말하며, 촉각이나 통각을 전달하고 외부의 화학적 · 기계적 자극으로부터 신체를 보호하는 기관이다.

1) 모발의 정의

(1) 분포

모발은 포유동물만이 가지고 있는 단단하게 밀착되고 각화된 상피세포로 이루어진 고형의 원추섬유(Cylindrical Fiber)로 손바닥, 발바닥, 손가락 및 발가락의 말단부, 점막의 경계부, 귀두부를 제외한 몸 전체에 분포되어 있다.

(2) 모발의 수

모발의 수는 전신에 약 130~140만개이며, 이 중 두피모발이 약 10만개 정도이다. 또한 출생 시 결정되며 출생 후에는 모낭이 새로 생기지 않는다.

인종, 색, 모질 등에 따라 개인차가 있고 남성보다 여성이 모발의 수가 많으며, 평균적인 모발의 수는 금발(14만개), 옅은 갈색(11만개), 동양인의 검은 갈색(10만개), 붉은 색(9만개)이다.

(3) 모발 성장속도

모발의 성장속도는 하루에 0.35 mm 자라고, 한 달에 1~1.5 cm 자라며, 이 성장속도는 영양상태, 체질, 질병, 연령, 유전, 환경 등의 요인에 의해 달라질 수 있다.

(4) 모발의 굵기

성모는 굵은 모발로 0.1 mm이고, 보통 모발은 0.075~0.085 mm이며, 연모는 가는 모발로써 0.05 mm이하이다. 동일인의 모발이라 하더라도 성장부위에 따라 모발의 굵기는 달라서 face line과 nape line의 모발은 다른 부위의 머리카락보다 대체로 가늘다.

2) 모발의 기원

인간은 수정란이라는 한 개의 세포로부터 시작되어 60~100조 개의 세포로 이루어져 있다. 하나의 세포는 분열을 거쳐 10~11일째부터는 배엽을 형성한다. 이 때 배벽의 함몰로 생긴 안쪽의 벽을 내배엽이라 하며 여기에서는 소화기 계통의 내장이 형성되고, 바깥쪽의 벽을 외배엽이라 하며 뇌, 신경계통, 피부, 모낭이 형성된다. 그리고 이들 사이로 퍼져 가는 세포들이 중배엽에 의해 형성하는데 여기서는 심장, 혈관, 골격, 근육 등이 형성된다. 인간의 모발은 외배엽에서 기원된 것이다.

표 2-1 세포의 분화

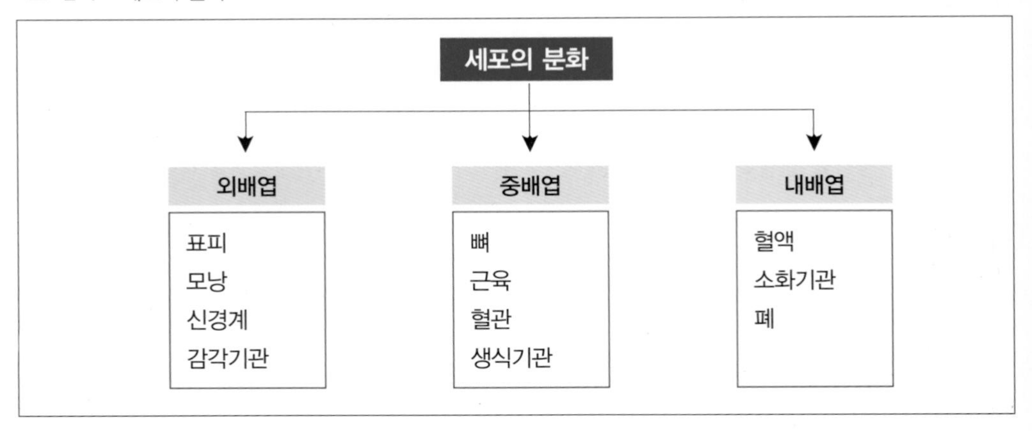

6. 모발의 기능

1) 보호의 기능

전신에 있는 털은 외부의 충격이나 직사광선, 더위, 추위 등으로부터 인체를 보호하며, 털의 생성 부위에 따라서는 벌레(코털)나 이물질(코털, 속눈썹, 귀털 등), 땀의 유입(눈썹 등)등을 막아주기도 한다. 또한 두부(頭部)에 존재하는 두발(頭髮)의 경우에는 외부의 충격으로부터 뇌를 보호하는 중요한 기능을 지니고 있으며, 겨드랑이 털의 경우에는 피부사이의 마찰로부터 피부손상을 막아준다.

2) 배출의 기능

인체의 털은 몸 안에 쌓여있는 수은, 비소, 납 등의 중금속을 간(肝) 다음으로 가장 많이 체외로 배출하고 있으며, 이러한 이유로 죽은 사람의 사인(死因)을 규명하는 과정에서 쓰이기도 한다. 또한 두발에 존재하는 미네랄의 함유량 및 중금속 수치 파악 등을 통하여 인체의 건강상태를 파악하는 자료로 활용하고 있다.

3) 장식적 의미의 기능

현대사회에서의 털의 기능 중 가장 부각되는 기능으로, 남성 · 여성의 특징을 나타내며 헤어스타일과 헤어색상을 표현하는 것만으로도 다른 인상을 줄 수 있다.

4) 감각전달의 기능

두피 밖에 존재하는 모간(毛幹)부는 스스로의 세포분열 능력이 없는 죽은 세포로 모간부위만을 볼 때는 감각이 없는 실과 같지만, 모근부 주위에 존재하고 있는 지각신경에 의하여 외부로부터의 자극에 우리의 인체가 반응하도록 하는 기능을 지니고 있다.

도움 모발 미네랄 테스트

모발 미네랄 테스트는 모발에 축적된 인체에 유해한 수은, 납 등과 같은 중금속과 인체건강에 필수적 영양소인 칼슘, 마그네슘 등의 미네랄을 나노(Nano, 10억분의 1)까지 분석하여, 인체의 미네랄 밸런스와 유해 중금속의 오염 등 체내 영양 환경을 알아보고 현재의 건강상태를 알아내는 머리카락을 이용한 첨단 과학 분석 기술이다.

혈액검사나 소변검사, 조직검사 등에서 미처 발견하지 못한 '질병의 원인이 되는 요소' 즉 잔존하고 있는 유해 중금속은 제거하고, 부족한 미네랄은 보충할 수 있도록 하여 질병을 예방하고 건강을 증진시킬 수 있도록 하는 맞춤식 건강 관리법이라 할 수 있다.

특히 믿을 수 있는 최첨단 과학기술로 검증된 분석결과를 기반으로 한 영양치료는 탈모증 치료에 있어 상당한 도움을 받을 수 있다.

7. 모발의 주기hair cycle

모발을 잘 자라게 하기 위해서는 모유두(papilla)의 역할이 중요하다. 그러나 모유두는 일생 동안 활동하고 모발을 계속 만들지는 않는다. 어느 정도 활동을 계속하면 일시 활동을 멈춘다. 모발의 인생은 모발을 성장시키는 성장기 단계(Anagen stage), 성장을 멈추고 모구부가 축소하는 시기인 퇴행기 단계(퇴화기 단계, Catagen stage), 모유두가 활동을 멈추고 모발을 두피에 머무르게 하는 시기인 휴지기 단계(Telogen stage)와 모유두가 활동을 시작하거나 또는 새로운 모발을 발생시켜

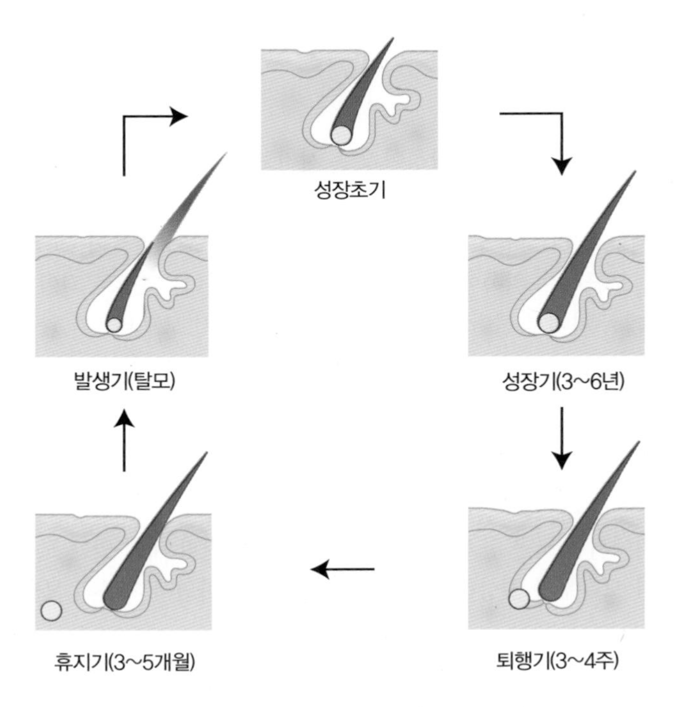

그림 2-5 모발의 성장주기(hair cycle)

오래된 모발을 탈모시키는 시기인 발생기 단계(New Anagen stage)로 나눌 수 있다. 이를 모발의 주기 또는 헤어 사이클(hair cycle)이라고 한다.

모발의 성장기는 남성 3~5년, 여성 4~6년 정도이다. 퇴행기는 3~4주 정도, 휴지기 3~5개월 정도 지나 자연적으로 탈모가 된다. 그리고 휴지기의 마지막이 되면 새로운 모발이 생성되는 발생기가 시작된다.

1) 성장기anagen stage

모발 전체가 성장하는 기간이다. 모유두에 있는 모모세포는 신속하게 유사분열을 진행시켜 신체의 어느 세포보다 빠르게 생산해 낸다. 세포가 만들어지면 기존 세포는 모낭의 입구 쪽으로 밀려 올라가기 때문에 새로운 모발이 모낭에서 자라는 것처럼 보인다.

성장기 단계는 다시 두 단계로 나누어진다. 모발이 모구로부터 모낭으로 나가려는 모발 생성 단계와 딱딱한 케라틴이 모낭 안에서 만들어지는 단계로 나뉜다. 퇴행기까지 자가 성장을 계속한다. 성장기의 수명은 3~6년이며 전체 모발(10~15만모)의 약 88%를 차지하고, 한 달에 1~1.5 cm 정도 자란다. 이는 음식물, 호르몬, 비타민 등의 영향에 의해 변화될 수 있다.

2) 퇴행기catagen stage

성장기가 끝나고 모발의 형태를 유지하면서 대사 과정이 느려지는 시기로써 천천히 성장한다. 이 단계에서는 케라틴을 만들어 내지는 않는다. 퇴행기의 수명은 3~4주이며, 전체 모발의 약 1%를 차지한다. 모구부가 수축하여 모유두로 나누어지며, 모낭에 둘러싸여 위쪽으로 올라간다. 이때 세포분열은 정지한다.

3) 휴지기telogen stage

휴지기는 퇴행기 이후에 활성이 없는 시기로서 모발성장에 중요한 역할을 하는 모유두가 위축되면서 활동이 멈추는 시기이다.

전체 모발의 모유두가 위축되고 모낭은 차츰 쪼그라들며, 모근은 위쪽으로 밀려 올라가 빠진다. 즉 모근부는 위쪽에 올라와 있고, 모낭의 깊이는 1/3로 되어 있다. 모발은 머리를 감을 때나 빗을 때 두피에서 떨어져나가고, 휴지기 단계에서 모모세포가 활동을 시작하면 새 모발로 대체된다. 휴지기는 모발이 없어지는 시기로서 수명은 3~5개월로 전체 모발의 약 11%에 해당되며, 이 시기의 모발은 강한 브러싱(brushing)으로도 쉽게 제거된다.

4) 발생기new anagen stage

휴지기에서 입모근 근처까지 올라갔던 모낭이 진피 내에 있는 모유두까지 내려오기 시작하고, 모구부와 모유두가 결합하여 새로운 모발을 형성하면서 기존의 모발을 밀어 올려 탈모시키는 시기이다.

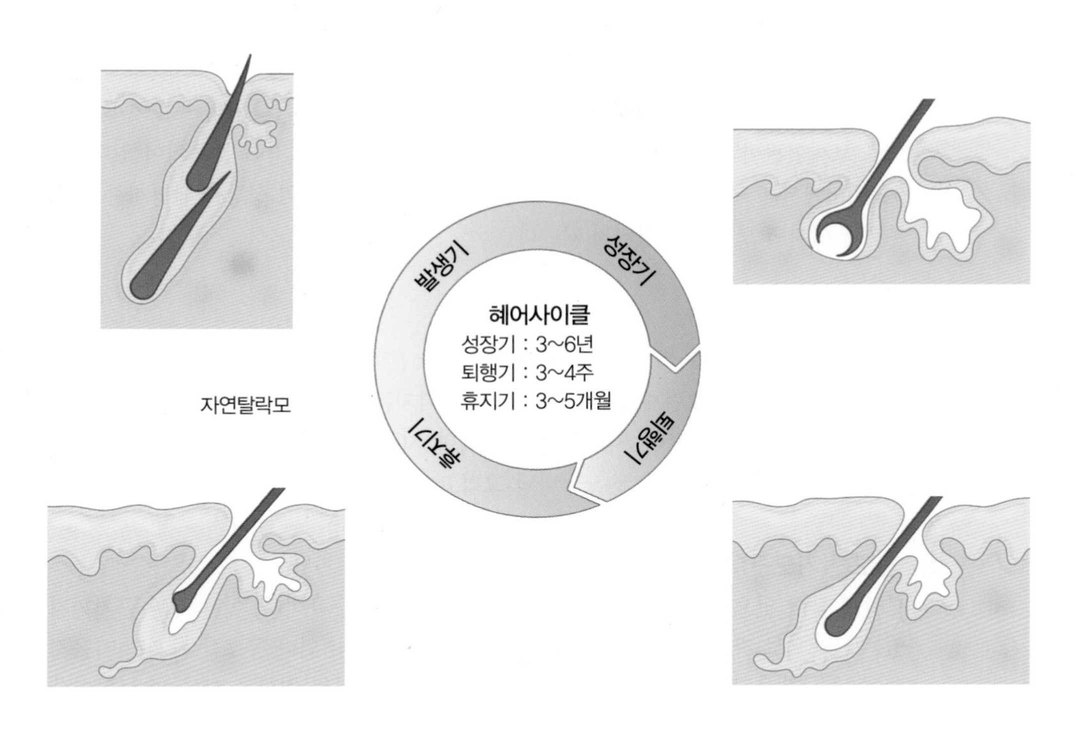

그림 2-6 모발의 성장주기 단계

8. 모발의 구조

모발은 피부 속에 있는 모근(hair root)과 우리 눈으로 볼 수 있고 만질 수 있는 피부 밖의 모간(hair shaft)으로 이루어져 있다.

1) 모근부hair root

(1) 모낭

모낭(hair follicle)은 모근을 감싸고 있는 세포층을 말하며, 표피가 피하조직까지 움푹 들어가 묻혀 있는 형태로 피지선과 입모근이 부착되어 있다. 관 모양으로 모근부를 보호하는 자루 모양을 하고 있어 모포(毛包)라고 하기도 하며, 몸 전체에 걸쳐 분포되어 있으나 손 · 발바닥에는 존재하지 않는다. 일반적으로 하나의 모낭에 하나의 모발이 달려 있으나 3개의 모발이 달려 있는 경우도 있으며, 이는 모발의 밀도(숱)에 영향을 미친다.

(2) 모구

모근의 아래 부분에 둥글게 부풀려 있는 부분을 말하며, 모유두와 맞물려지기 위해 속이 빈 오목한 모양을 하고 있다. 이곳에서 모발이 자라며 모모세포와 멜라닌세포로 구성되어 있다.

(3) 모유두

모근부의 가장 아래 중심부위에 유두와 같은 모양으로 위로 돌출되어 모구와 맞물려지는 부분으로 모세혈관이 있어 산소와 영양공급이 이루어지며 자율신경이 분포되어 있다. 모유두(hair papilla)에서는 세포 형성에 필요한 영양분을 공급하며 모발의 성장을 담당하는 곳으로 이곳에 문제가 생기면 모발은 생성되지 않는다.

(4) 피지선

모낭벽에 붙어 있는 기름샘으로 피지(Sebum)를 분비하여 모발에 윤기와 유연성을 주고, 피부 표면을 부드럽고 매끄럽게 만든다. 다시 말해 피지는 '천연 영양제(natural moisturizer)' 로써 매우 중요한 역할을 하며 지나치게 분비되면 지성비듬(oily dandruff)형태가 된다. 피지선(sebaceous, oil glands)은 손 · 발바닥 그리고 입술에는 존재하지 않는다.

(5) 입모근(기모근)

모낭에 붙어 있으며 의지와 관계없이 운동하는 일종의 근육이다. 이는 표피 근처까지 연결되어 있는 근육으로 자신의 의지에 따라 움직일 수는 없으나 추위나 공포를 느끼면 자율적으로 수축하여 털을 세우고 피부에 소름(goose bumps)을 돋게 하는 역할을 한다. 속눈썹이나 눈썹, 코, 뺨, 입술에는 입모근(arrector pili muscle)이 없다.

(6) 모모세포

모모세포(hair mother cell)는 모유두를 덮고 있는 세포층으로 끊임없는 세포분열로 모발 생장에 매우 중요한 역할을 하고 있다. 모유두의 정점 부분에서는 모수질이 될 세포가 분열하고, 그 아래 부분에서는 모피질이 될 세포가 분열하며, 가장 아래 외측에서는 모표피가 될 세포가 분열하여 위로 밀리고 있다.

(7) 내 · 외모근초

모근을 감싸고 있는 모낭과 모표피층 사이에 존재하는 세포층으로 내모근초(inner root sheath)는 다시 외측으로부터 헨레층, 헉슬리층, 초소피층으로 구분된다. 이 세 개의 층과 외측에 존재하는 외모근초(outer root sheath)는 모구부에서 발생한 모발을 각화가 끝날 때까지 보호하고 표피까지 운반하는 역할을 한다. 새롭게 만들어진 모발이 완전히 각화되어 밖으로 나오게 되면 이들 세포층도 비듬이 되어 소멸된다.

(8) 색소세포

모발의 색을 결정짓는 멜라닌 색소를 생성하는 색소형성세포이다. 색소세포(melanocytes)가 색소형성을 멈출 때 모낭에 있는 모발은 하얀색을 띠게 된다. 이것은 전문적으로 말하자면 '색깔이 없다(colorless)' 라고 하며 흰머리의 의학 용어는 '회백색(canities)' 이라고 한다.

▶ **표 2-2** 모근부(hair root)

주요소	구조와 기능
모낭 Follicle	모근을 감싸고 있으며, 피지선과 입모근이 부착되어 있다. 몸 전체에 분포되어 있으나, 손 · 발바닥에는 존재하지 않는다.
모구 Bulb	모근의 가장 아랫부분에 둥글게 부풀린 부분이며, 모유두와 맞물려져 있고, 모모세포와 멜라닌 세포로 구성되어 있다.
모유두 Papilla	유두 모양으로 위로 도출되어 있다. 많은 모세혈관이 있어 세포 형성에 필요한 영양분을 공급하며, 모발의 성장을 담당한다.
피지선 Sebaceous Gland	피지를 분비하는 기름샘으로 모낭벽에 붙어 있다.
입모근(기모근) Arrector Pill Muscle	공포를 느끼거나 추울 때는 수축하여 털을 서게 하는 근육으로 피지선의 아래쪽에 붙어 있다.
모모세포 Hair Mother Cells	모발의 기원이 되는 세포로 모유두 위에 접해 있다. 끊임없는 세포 분열로 모발 생장에 중요한 역할을 하고 있으며 모표피, 모피질, 모수질이 분류되어 생장한다.
색소세포 Melanocyte	멜라닌 색소를 생성하는 세포이며, 모모세포층에 주로 분포되어 있다.

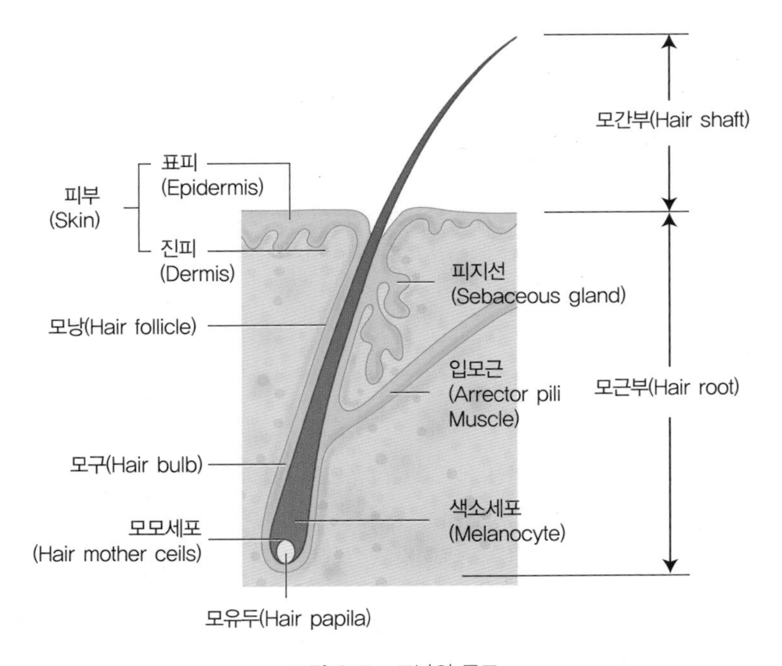

그림 2-7 모낭의 구조

2) 모간부hair shaft

(1) 모표피(모소피)

모표피(cuticle)는 모발의 가장 바깥쪽의 딱딱한 경케라틴 층으로 기와 무늬를 이루고 투명하며, 여러 겹 겹쳐져서 모발 내부를 외부 자극으로부터 보호하는 역할을 한다.

모표피는 모발 전체의 10~15%정도를 차지하며 대개 5~15층으로 이루어져 있고 기름과의 친화력이 강한 친유성으로 물과 약제에 대한 저항력이 강하나 기계적인 자극에는 약한 편이다. 모표피의 구성 비율이 높을수록 모발은 단단하고 투명하며 마찰에 대한 강도도 높으며, 펌제, 염모제 등의 화학약품과 드라이, 셋팅 등의 외부공격으로부터 모발내부를 보호하는 기능을 하고 있다.

모표피가 생물학적으로 내부를 보호하는 역할을 하기 때문에 화학적, 물리적, 환경적인 요인들에 의해서 형태학적으로 손상, 박리, 탈락하게 되면 모피질에 손상을 주고 결국 모발 전체의 손상(damage)을 가져오게 된다. 또한 모표피는 바깥에서부터 에피큐티클(epicuticle), 엑소큐티클(exocuticle), 엔도큐티클(endocuticle)의 세 층으로 나누어진다.

모표피(Cuticle)

- 에피큐티클(Epicuticle)
  모표피 중 최외측에 존재하는 두께 10μm의 얇은 막으로 30%이상의 높은 시스틴을 함유하고 있으며, 약품에 대한 저항이 가장 강한 층으로 딱딱하기 때문에 물리적인 작용(기계적인 작용)에 약하다.
- 엑소큐티클(Exocuticle)
  알칼리성 약품에 대하여 중간적인 성질을 지니고 있으며, 부드러운 케라틴질의 층으로 시스틴 함량이 많으나, 펌제와 같은 시스틴 결합을 끊는 약품에는 약하다.
- 엔도큐티클(Endocuticle)
  모표피중 가장 안쪽에 위치하며, 시스틴 함량이 적고 단백질 침식성 약품에 약하다. 모발을 잡아당기면 엔도큐티클이 갈라지거나 파열된다.

(2) 모피질

모표피 안쪽에 위치한 모피질(cortex)은 강도와 탄력성 그리고 모발색을 결정짓는 멜라닌 색소가 함유되어 있는 중간 내부 층으로 모발의 대부분인 85~90%를 차지하고 있다. 피질층은 모발의 성질을 나타내는 탄력, 강도, 색상, 질감 등을 좌우하기 때문에 헤어관리(Hair care)에 매우 중요한 역할을 한다.

구성 요소를 보면 주성분인 케라틴 단백질과 방추형 모양의 피질세포로 구성되어 있다. 이 피질세포 사이사이에는 간충물질 CMC(Cell Membrane Complex - 세포막복합체)가 있어 섬유와 섬유 사이를 연결시켜 주는 역할을 한다. CMC 간충물질은 케라틴 단백질, 지방질, 세라마이드로 구성되어 있다. 모표피가 친유성인데 반해 모피질은 친수성을 띠면서 멜라닌 색소를 함유하고 있기 때문에 퍼머넌트 웨이브와 헤어 컬러링의 영향을 가장 많이 받는 부분이다.

CMC는 퍼머나 염색 시술로 인해 단백질과 함께 밖으로 용출되어 모발 내부 구조를 무너뜨려 모발 손상의 주요 원인이 된다.

(3) 모수질

모수질(medulla)은 모발의 중심부에 위치하고 있으며, 모발에 따라 존재하는 경우도 있고 존재하지 않는 경우도 있다. 특히 솜털이나 가는 모발에는 모수질이 거의 없으며 하나의 모발 전체 길이에 연속적으로 모수질이 존재하지 않는 경우도 있다.

그래서 모발이 매우 가는 금발머리에는 전체적으로 모수질이 부족하며, 굵고 거친 모발에 는 존재한다. 남성의 수염은 대개 모발만큼 거칠고 일정치 않으며 모수질을 포함하고 있다.

크고 작은 공동(속이 비어 있는 상태)으로 공기와 수분을 함유하고 있어 보온의 역할을 하고 있다. 이것은 동물의 털에 모수질이 많고 털이 동물의 체온을 유지하는데 주목적이라는 점에서 추정된다.

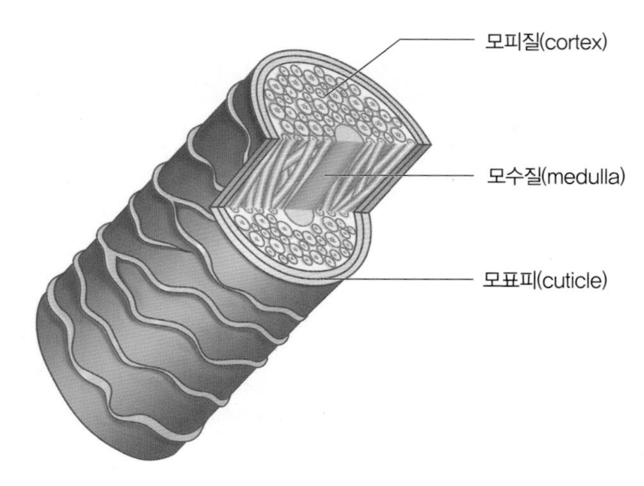

그림 2-8 모발의 구조

▶ **표 2-3** 모간부(hair shaft)의 구조와 기능

주요소	구조와 기능
모표피 cuticle	• 가장 바깥쪽으로부터 에피큐티클(epicuticle), 엑소큐티클(exocuticle), 엔도 큐티클(endocuticle)의 3층 구조이다. • 3층의 얇은 막은 서로 겹쳐져 기와 무늬를 이루고 있다. • 투명하며, 모발의 약 10~15%를 차지한다. • 기름과 친화력이 강한 친유성이다. • 모발을 보호하는 기능을 가진다.
모피질 cortex	• 모표피와 모수질 사이에 존재한다. • 모발의 85~90%를 차지한다. • 피질세포와 피질세포 사이사이를 채우는 간충물질로 구성되어 있다. • 멜라닌 색소를 함유하고 있다. • 친수성이며 펌제나 염모제 등 화학약품의 작용을 받기 쉬운 부위이다. • 간충물질이 손상받으면 모발 손상의 주요 원인이 된다.
모수질 medulla	• 모발의 중심부에 있으며, 크고 작은 공동(속이 비어 있는 상태)이 많다. • 솜털이나 가는 모발에는 모수질이 거의 없으며, 하나의 모발 전체 길이에 연속적으로 모수질이 존재하지 않는 경우도 있다. • 동물의 경우 모수질 층이 두꺼워 보온 기능을 갖는다.

도움 간충물질 CMC(세포막 복합체)의 역할

- 접착제 역할: 쉽게 비유하면 모발 내에서 시멘트 역할을 하는 것이다. 우리의 모발은 여러겹의 세포층으로 이루어져 있는데 이 경우 CMC가 없다면 각 층이 분리되어 모발이 부스러지는 현상이 발생한다.
- 피질 내의 수분이나 단백질이 용출 되거나 반대로 외부로부터의 수분이나 약액 등이 모발 내부의 모피질에 침투하여 작용하도록 통로 역할을 하는 것으로 최근 중요성이 재조명되고 있다.

도움 간충물질의 세 가지 기능

- 헤어 케어: 수분을 유지, 탄력 있는 모발 형성
- 염색: 색소를 확실히 고착, 퇴색방지
- 퍼머: 간충물질의 이동으로 웨이브 형성, 유지

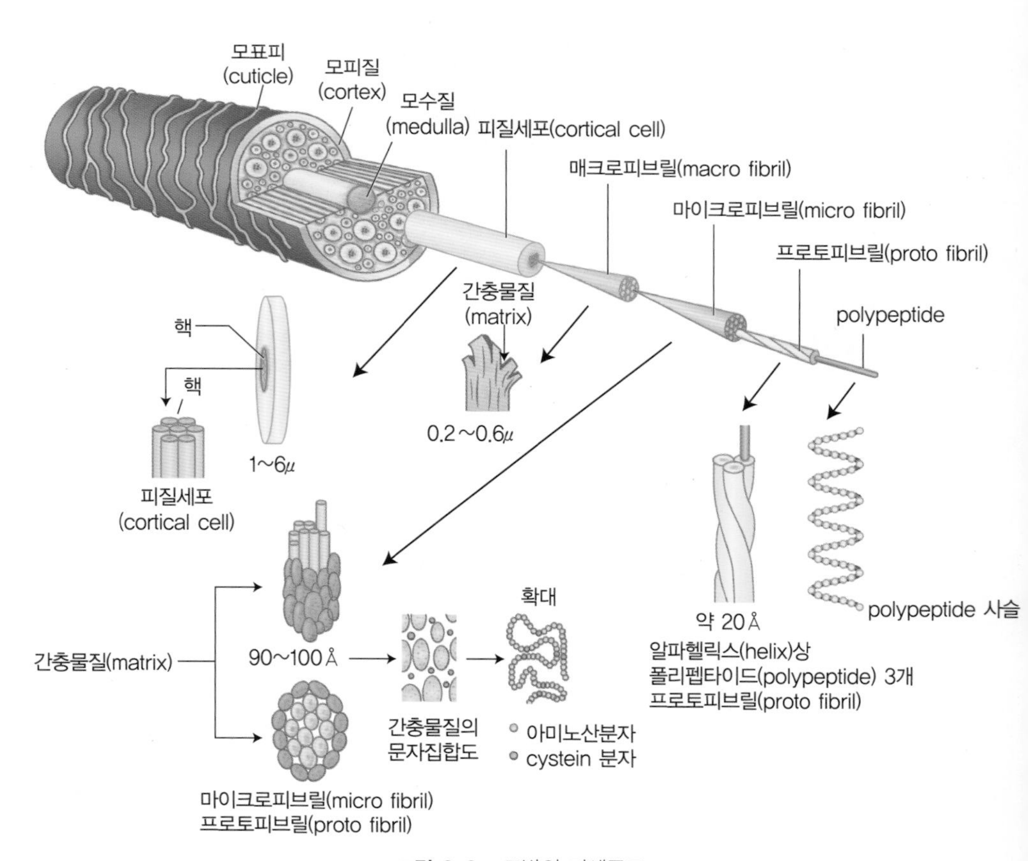

그림 2-9 모발의 미세구조

9. 모발의 성분

모발은 80~90%의 케라틴 단백질, 10~15%의 수분, 3%이하의 멜라닌색소, 1~9%의 지질, 0.6~1.0%의 미량원소 등으로 되어 있다.

1) 케라틴

케라틴(keratin)은 단백질로서 시스틴(cystine)을 14~18% 함유하고 있다. 케라틴 단백질은 약 18종의 아미노산으로 이루어져 있으며, 모발과 손톱 등과 같이 단단한 경케라틴과 피부의 표피와 같이 부드러운 연케라틴으로 구별된다.

경케라틴은 4~8%의 유황, 소량의 수분과 지방으로 구성되어 있으며, 연케라틴은 2%의 유황, 50~70%의 수분과 소량의 지방으로 이루어져 있다.

2) 수분

모발 중의 수분은 피부와 같이 중요한 역할을 하며, 모발의 유연함, 광택, 통풍, 잡아당길 때의 강도, 정전기량 등에 영향을 준다. 모발은 10~15%의 수분을 함유하고 있으며 최대 40%까지 함유할 수 있다. 모발의 손상도가 크면 수분의 보유력이 약화되어 수분량이 적게 되기 때문에 수분량은 모발 손상도의 하나의 표준이 될 수 있으며, 일반적으로 수분량이 10% 이하가 되면 건조모라 하고, 이 건조모는 정상모발보다 흡수량이 크다.

3) 멜라닌 색소

다양한 형태의 모발색을 만들어 내는 색소형성 과정은 대부분 유전적으로 조절된다.

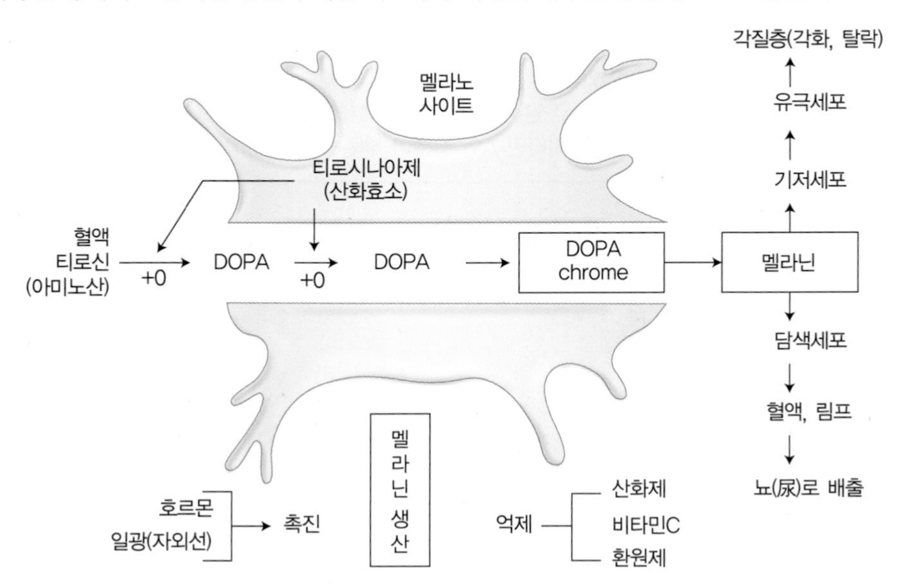

그림 2-10 멜라노사이트(melanocyte)의 기능

(1) 멜라닌의 분포 및 역할

멜라닌은 피부에서는 표피의 기저층에 존재하며, 모발에서는 모모세포층의 모유두 끝부분에 존재한다.

또한 피부와 모발 및 기타 색깔을 결정하는 역할을 하며, 몸 안에서 생체대사 결과로 생긴 유해 활성산소를 없애주는 역할을 한다.

(2) 멜라닌의 종류와 구조

① 유멜라닌[eu-melanin]

주로 갈색이나 검은 색이며, 흑인이나 동양인들의 피부나 모발색을 결정한다.

② 페오멜라닌[pheo-melanin]

노랑색이나 빨강색 머리의 주색소이며, 서양인들의 피부나 모발에서 나타나고 검은 모발 색소에 비해 색소 미립자가 훨씬 더 작다.

도움 백발

• **발생원인**

멜라닌 과립을 각화세포로 전달시킬 수 없어 발생한다. 모구부의 색소 세포계의 변화를 지적할 수 있다. → melanocyte 수의 감소 또는 소실
melanocyte 내의 melanin 형성 효소의 감소 또는 소실
백발은 노화현상의 하나이다.

• **백발화의 진행**

측두부에서 시작하여 두정부, 후두부로 진행된다.

• **백발의 연령**

발생 연령은 동양인의 경우 남성 34세, 여성 35세
절반이 백발이 되는 경우 남성 55세, 여성 54세
유전적인 요인이 크며, 비타민 A와 철분이 부족하며, 정신적으로 초조하면 쉽게 백발화 된다.

4) 피지[sebum]

피지의 분비는 연령, 성별, 인종, 온도, 마찰 등의 영향에 의해 개인적인 차이가 있다. 피지는 하루 1~2 g 정도 분비되고, 모발중량의 1~9% 정도이고 pH 4.5~6.5의 성분을 가진다. 피지는 두피 및 모발에 피지막을 형성하고, 두피와 모발에 유연성과 보습성을 공급하며 모발의 pH균형을 유지한다.

> 도움 **피지분비의 특징**
>
> - 피지선은 태아 4개월 경에 형성되어 출생 시에는 거의 완벽한 형태를 갖춘 다음 출생 후에는 퇴화하다가 8~10세 경에 다시 기능이 시작되어 사춘기를 거쳐 청년기까지 성호르몬의 영향을 받아 완숙해진다.
> - 성인여성은 연령과 함께 감소 하지만 남성은 극단적으로 감소하지 않는다.
> - 여성보다는 남성이 남성 호르몬의 영향으로 피지분비가 많다.
> - 황체호르몬의 영향으로 월경 후 보다 월경 전에 피지분비가 많다.
> - 백인보다 흑인이 더 많다.
> - 기온이 높을수록 피지분비가 많다.
> - 당분, 지방분이 많은 음식물은 피지를 증가시킨다.
> - 성인 피지 중 콜레스테롤과 스쿠알렌의 양은 아이의 4배이다.

5) 미량원소trace elements

모발을 건강하게 유지하는데 필수적인 원소로서 체내에서 극히 미량으로 존재하기 때문에 미량 원소라 한다. 모발의 주요한 금속성분은 모발 섬유구조의 필수성분인 단백질이나 색소의 결사슬과 가교, 배위복합체로서 존재하며, 금속 침착물로서 존재할 가능성도 있다. 모발의 색은 미량으로 포함되어 있는 금속의 종류에 따라 달라진다. 백발에는 니켈(Ni), 적색모발에는 철(Fe), 흑발에는 구리(Cu), 황색모발에는 티탄산염 등이 함유되어 있다. 미량원소로는 이들 금속외에도 인(P), 규소(Si) 등의 비금속을 함유해서 30종 정도의 무기성분이 포함된다.

10. 모발의 종류

1) 모발의 굵기에 따른 분류

(1) 취모lanugo hair

태아에 존재하는 섬세하고 부드러운 털로서 모발의 색이 연한 것이 특징이다. 굵기는 0.02 mm로 큐티클이 관찰되지 않는 특징을 지니며 태아 8개월 차에 연모화된다.

(2) 연모vellus hair

피부의 대부분을 덮고 있는 섬세한 털로서 0.05 mm 이하로 모수질이 존재하지 않으며 연갈색의 색상으로 사춘기 이전의 모발에서 볼 수 있고, 탈모 진행형 모발에서도 볼 수 있다.

(3) 경모terminal hair

0.15~0.20 mm 정도로 단단한 단백질이 결합된 길고 굵은 털로 머리카락, 속눈썹, 수염 등을 구성하고 있는 털이다. 경모는 멜라닌 색소가 풍부하고 견고한 단백질 결합으로 30대 이후 점차 연모화가 이루어진다.

2) 모발의 형태에 따른 분류

(1) 직모straight hair

모경지수가 75~85 정도로 모발의 단면이 원형에 가깝고 모낭의 모양도 곧다. 동양인에게 많은 형태이다.

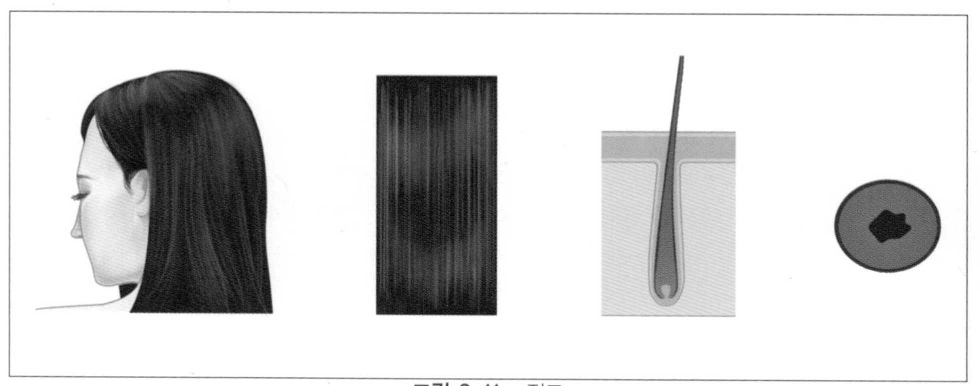

그림 2-11 직모

(2) 파상모wave hair

굵기가 가늘고 약간 곱슬머리이며 모발의 단면이 타원형이며, 모낭이 피부 표면으로부터 비스듬히 누워 있고 직모와 축모의 중간 형태로 백인종이 이에 해당된다.

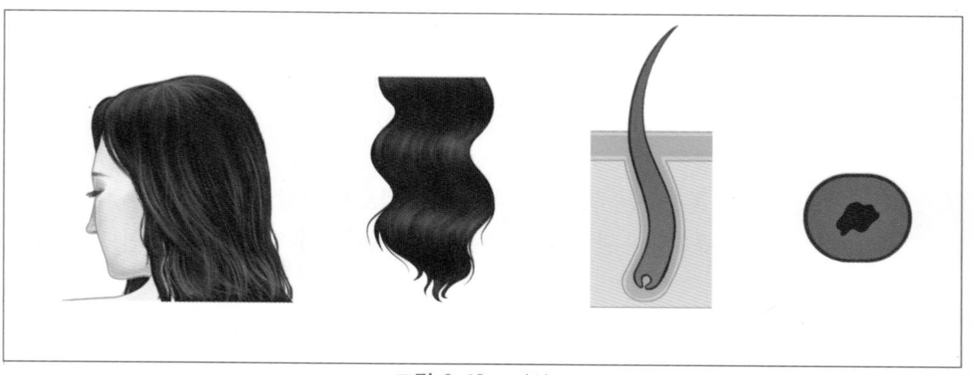

그림 2-12 파상모

(3) 축모curly hair

모경지수가 50 정도로 아프리카 흑인들의 곱슬머리에게서 많이 보이며 모발의 단면이 타원형보다 납작하며, 모낭이 피부표면으로부터 굽어져 있다.

그림 2-13 축모

도움 모경지수

모경지수는 모발의 단면에 따라 곱슬거리는 지수를 나타낸 것으로서 모발의 단면최소직경을 최대직경으로 나눈 값에 100을 곱한 것을 말한다.

- 모경지수 = (모발의 최소 직경/모발의 최대 직경) X 100
- 모경지수가 100이면 단면이 원형이며 100에서 멀어질수록 타원형이 된다.
- 모경지수가 클수록 직모에 가깝고 작을수록 축모에 가깝다.
- 인종별 모경지수: 흑인 50~60, 백인 62~72, 동양인 75~85, 에스키모 77, 티벳인 80

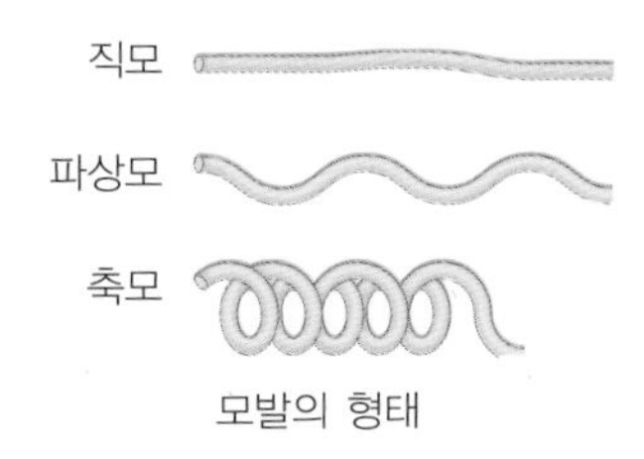

모발의 형태

11. 모발의 특성

1) 물리적 특성

(1) 모발의 견고성

섬유세포, 간충물질, 모표피의 두께 차이에 따라 결정이 된다.

(2) 모발의 신장과 탄성

케라틴 단백질의 구조적인 특성 때문에 생기는 현상이다. 모발의 신장은 습도에 따라서 영향을 받는다. 원래 길이로 되돌아갈 수 있는 신장률은 5% 전후이며, 당기면 50~70%(수분흡수 시)까지 신장이 가능하다.

(3) 모발의 인장 강도

모발을 잡아당겨 끊어질 때까지 견디는 힘을 말한다. 보통 모발의 인장 강도는 150 g이다.

(4) 모발의 흡수성

모발이 수분을 흡수하는 것은 케라틴 단백질의 친수성 때문이며 모발 내에 침투한 수분은 모발 섬유 사이 공공의 벽에 흡착이 된다.

건강한 모발의 수분량은 보통 10~15%정도이며, 샴푸 후 40%까지 증가한다. 그리고 공기 중의 습도, 모발손상 정도에 따라서 영향을 받는다.

(5) 모발의 고착력

모발은 모구가 모공벽과 밀착되어 있어서 쉽게 빠지지 않는다. 그러나 모발의 성장주기에 따라서 성장기에 강하고 퇴행기에는 약하다.

성장기 상태의 한 올의 모발을 뽑는 데 드는 힘은 약 50~80 g 정도이다.

(6) 모발의 대전성

모발과 빗에 생기는 + 전하와 − 전하에 의해 생기는 것으로, 정전기를 없애는 제품을 사용한다.

(7) 모발의 팽윤성

모발을 물에 담가두면 길이 1~2%, 직경 15%, 무게 30% 정도 증가한다(길이의 변화보다는 직경의 변화가 더 크다). 그 이유는 모발 단백질의 그물망 구조에 의해 침투한 수분이 망 속으로 들어가 안에서 밀어 넓히기 때문이다.

(8) 열 · 빛에 의한 변성

높은 열이나 빛에 의해 색과 구조가 변한다. 그리고 적외선과 자외선이 모발의 열변성을 유발한다.

- **건조상태** 120℃: 팽윤
  130~150℃: 변색 및 시스틴의 감소
  180℃: 케라틴 구조의 변형
  270~300℃: 타서 분해됨
- **습도가 높은 상태** 100℃: 시스틴의 감소
  130℃: 케라틴 구조의 변형

2) 화학적 특성

(1) 모발과 pH

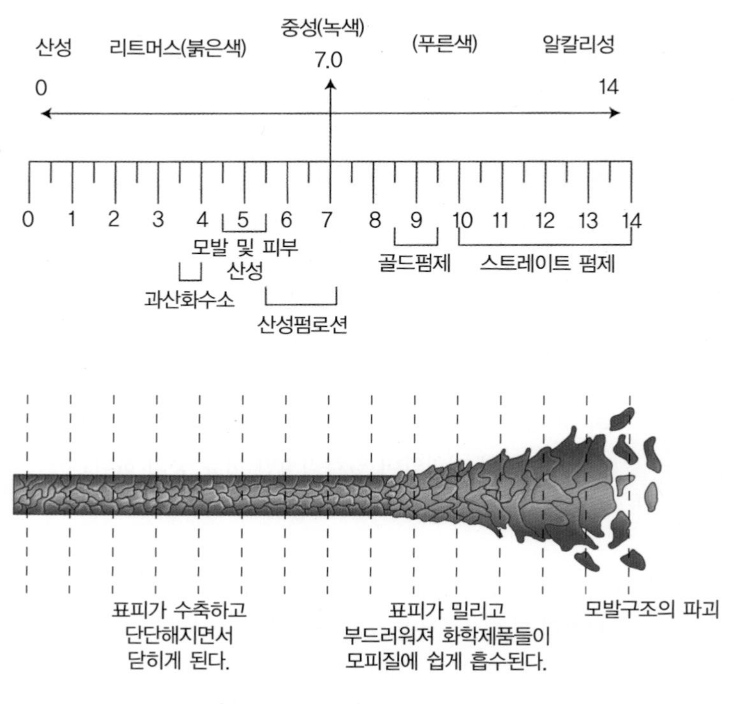

그림 2-14 모발의 pH에 의한 변화

① 산과 모발

모발 단백질은 강한 저항력을 지니고 산에서 수축성을 나타내기 때문에 모발에 산을 처리하면 모표피가 닫혀 진다.

② 알칼리와 모발

모발의 등전점은 모발이 가장 안정된 상태의 pH 4.5~5.5의 범위를 말한다. 모발에 알칼리제를 처리하여 등전점에서 멀어지면 멀어질수록 아미노산의 결합이 약해지고 모발도 약해진다.

(2) 모발의 결합

모발의 기본구조를 살펴보면 옷감을 짜 놓은 것 같이 긴 세 가닥의 케라틴 단백질이 결합하여 단단하게 꼬여 있다. 세로의 결합은 모두 폴리펩티드끼리의 결합으로 이루어져 있으면 이것을 주쇄결합이라고 하고, 주사슬마다 가지고 있는 곁사슬끼리의 가로 결합을 측쇄결합이라고 한다.

① 폴리펩티드 결합(polypeptide bond, 주쇄 결합)

아미노산이 세로로 연결되어 있는 주쇄 결합은 폴리펩티드끼리의 결합으로 이루어져 있다. 수백에서 수천 개의 아미노산이 모여서 폴리펩티드 결합을 이루고 있어 결합력이 매우 강하다. 주쇄 결합은 측쇄 결합에 비해 결합력이 더 강하기 때문에 모발이 가로보다 세로로 더 쉽게 끊어진다.

② 측쇄 결합

- **수소 결합(hydrogen bond)**

주쇄의 가운데 혹은 인접된 주쇄 간의 수소와 산소의 결합으로 결합력은 약하고 물에 의해 간단히 절단되지만 건조되면 재결합한다. 건조한 상태에서는 어느 정도의 결합력을 가지고 있고 그 수도 다른 결합보다 많아서 모발의 강도를 유지하는데 상당한 역할을 담당한다.

- **염 결합(이온 결합, ionic bond)**

카르복실기는 음이온, 아미노기는 양이온으로 작용하기 때문에 이들이 전기적으로 결합된 것으로 모발의 강도를 제공하는 결합이나 등전점을 벗어난 pH가 되면 결합력이 약해진다. 보통의 퍼머약이 알칼리성인 이유 중의 하나는 염 결합을 절단하는데 사용되기 때문이다.

- **시스틴 결합(cystine bond)**

모발의 단백질에서만 존재하는 모발의 탄력과 강도를 결정짓는 중요한 측쇄 결합 중의 하나로 유황(S)을 함유하고 있는 아미노산인 시스테인 두 개가 황을 사이로 결합한 상태(S-S)를 말한다. 측쇄 결합 중 가장 강한 결합으로 화학적 약품(환원제)을 사용해야 끊어진다.

- **펩티드 결합(peptide bond)**

상당히 강한 결합으로 단백질을 분해하는 정도의 강한 산화제를 사용하지 않으면 절단할 수 없다.

12. 모발의 손상

1) 모발손상의 원인

- 생리적 요인: 유전, 스트레스, 영양부족, 호르몬
- 화학적 요인: 펌, 염 · 탈색, 각종 스타일링제
- 물리적 요인: 아이론, 블로우 드라이, 세팅, 마찰
- 환경적 요인: 일광, 대기오염, 해수, 건조

2) 모발손상의 분류

(1) 영양소 결핍에 의한 손상

심한 편식과 다이어트로 인한 영양분의 결핍때문에 자연적으로 모발의 성장과 기능이 약화된다.

(2) 마찰에 의한 손상

브러싱, 샴푸, 타월, 드라이 등으로 인한 자극으로 인해 마찰이 생겨 모표피 층이 손상된다.

(3) 열에 의한 손상

블로우 드라이나 전기 아이론 사용에 의해서 일어나며, 120℃ 이상의 열이 가해졌을 때 케라틴 단백질의 변성이 일어난다. 모발이 건조하게 되면 모발손상이 더 쉽게 일어난다.

(4) 퍼머 약제에 의한 손상

퍼머의 과도한 시술시간이 원인이며, 와인딩 시, 스트레이트 아이롱 시, 강한 텐션은 시스틴 결합을 끊어버린다. 또한 린스 시 불충분한 헹굼으로 펌 로션의 잔류물에 의해 머리카락이 꺼칠해지거나 변색된다.

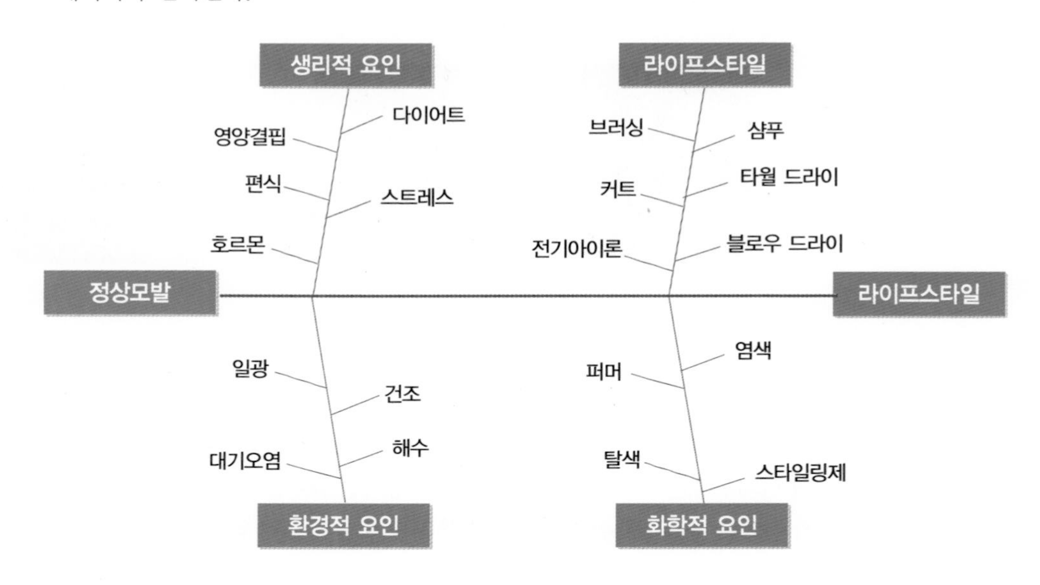

그림 2-15 모발손상의 원인

(5) 염색 · 탈색에 의한 모발손상

과산화수소의 농도가 강할 경우 알칼리성에 의해 모발결합력이 약화된다.

(6) 태양광선에 의한 모발손상

장시간 자외선 노출은 단백질 변성을 일으켜 모발손상을 가져온다.

3) 모발손상 단계

(1) 정상모발

모발 외부의 큐티클 층이 일정하게 배열되어 있으며 윤기가 난다.

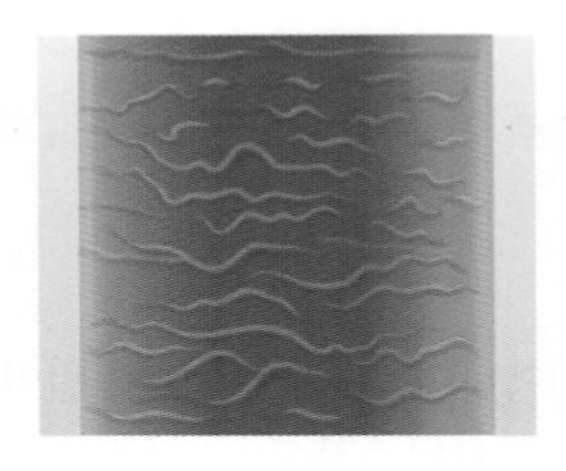 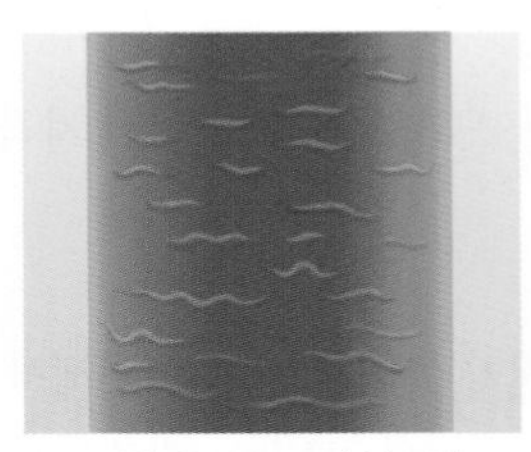 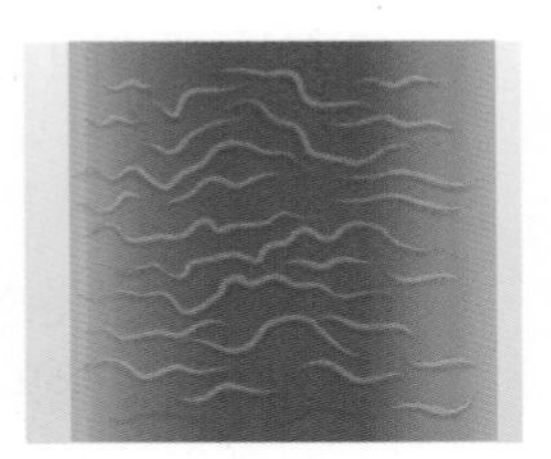

그림 2-16 정상모발

(2) 손상 1단계

모발 외부를 둘러싸고 있는 큐티클 층의 손상으로 모발의 윤기가 없어지는 초기 단계의 손상이다.

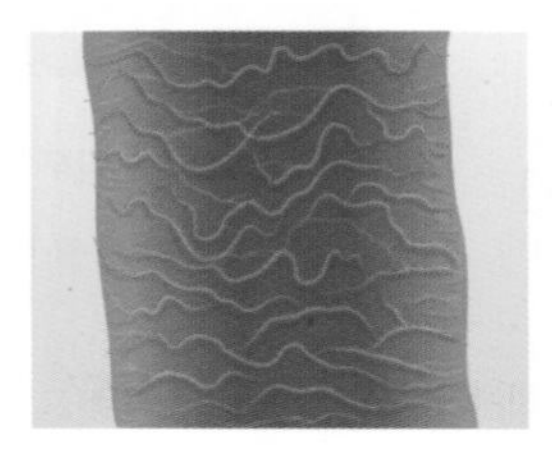 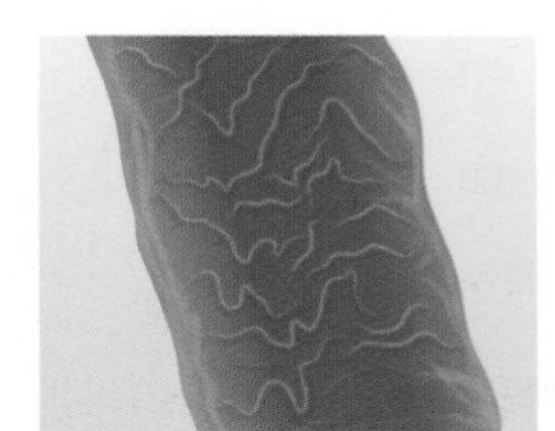 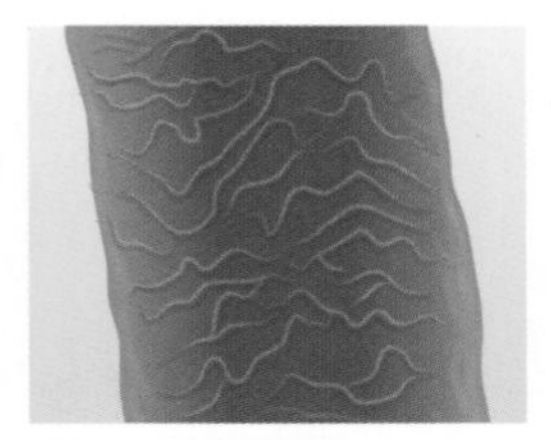

그림 2-17 손상 1단계

(3) 손상 2단계

큐티클 층의 손상이 심해지고 마모되어 부분적으로 큐티클이 완전히 벗겨진 부위가 나타난다.

이 단계부터는 모발 내부의 단백질이 일상적인 샴푸를 통해서도 소실되며 모발의 윤기가 없어지고 모발 내부 단백질의 소실로 인해 모발의 힘이 점점 없어지고 푸석거리기 시작한다.

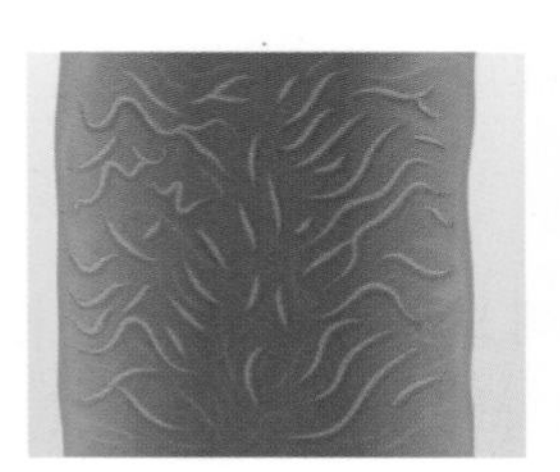 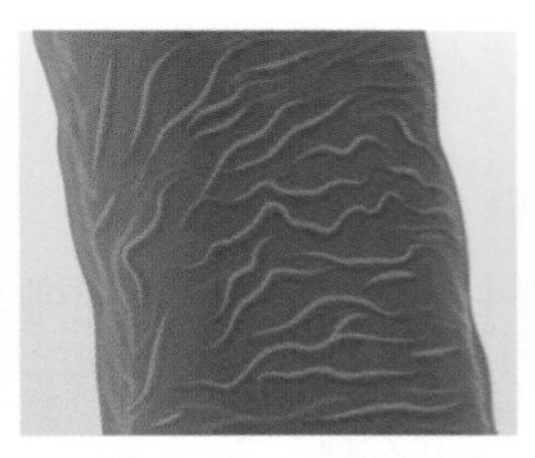 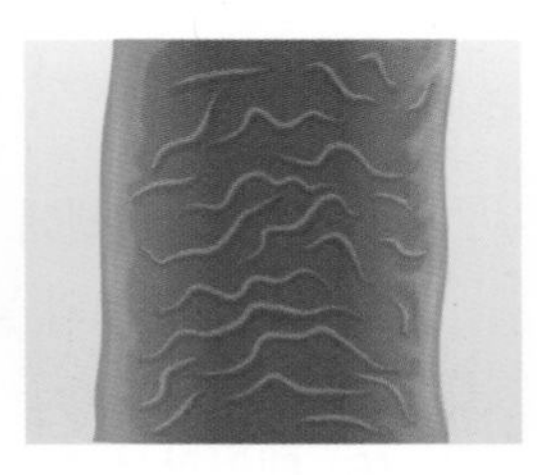

그림 2-18 손상 2단계

(4) 손상 3단계

큐티클 층이 마모되어 벗겨진 부위가 전체 표면의 50% 이상이며, 모발 내부 단백질의 소실이 심해진다. 모발의 윤기는 사라지며 모발은 힘이 없고 푸석거리게 되며, 가는 모발의 경우에는 잡아당기면 쉽게 끊어지고 퍼머를 해도 잘 나오지 않거나 오래 못 가는 경우도 흔하다. 이 단계는 집에서 관리하기가 힘들며 전문 관리실에서 트리트먼트 및 앰플로 관리해야 한다.

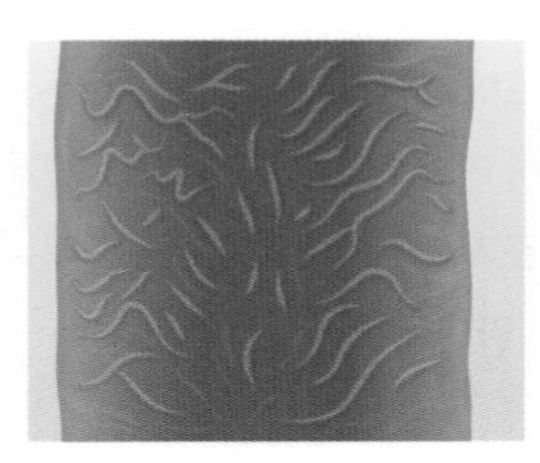
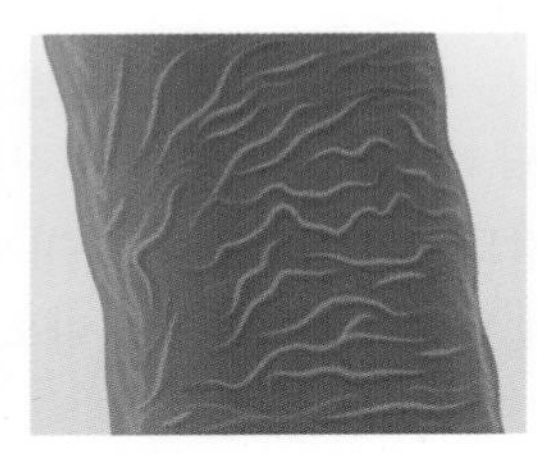
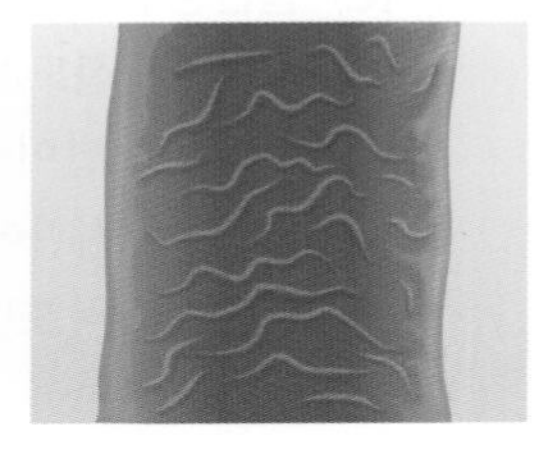

그림 2-19 손상 3단계

(5) 손상 4단계

손상의 마지막 단계로서 모발이 갈라지고 부러지며 심하면 뒤틀리기까지 하는데, 미용실에서는 흔히 '극손상' 이라 부른다.

이 단계까지 진행한 모발은 아무리 관리를 해도 더 이상 좋아지기 힘들며, 손상이 심한 부분을 잘라낸 후에 남아있는 모발들을 관리하여 더 이상 이 단계까지 진행되는 것을 막아야 한다.

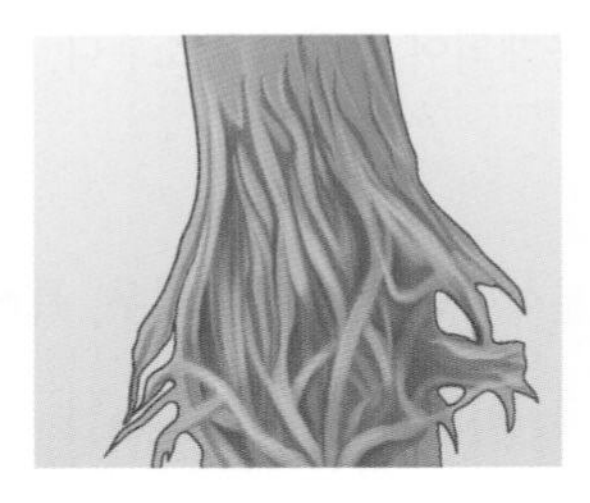
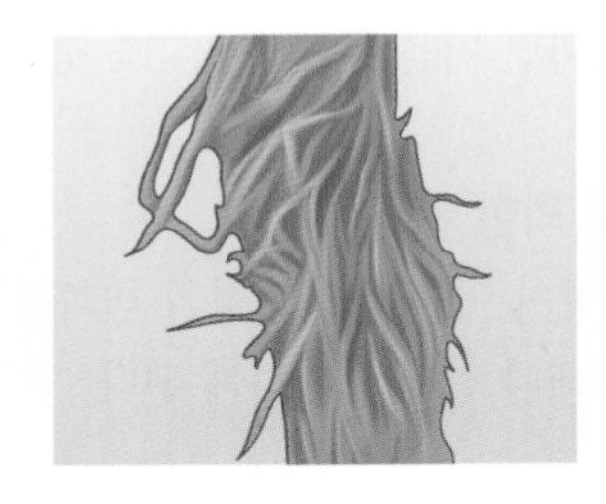
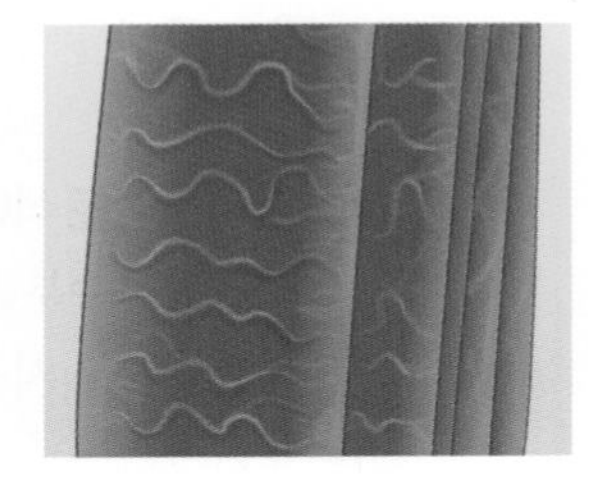

그림 2-20 손상 4단계

4) 모발손상 원인에 따른 분류

▶ **표 2-4** 모발손상의 원인에 따른 분류

모발 손상의 변화	종류 및 모양
형태적 변화	모발 표피의 흐트러짐, 모표피의 박리, 모수질의 노출, 열모, 지모, 단모, 모발의 광택이 없음, 모발의 뻣뻣한 촉감 등
물리적 변화	수분 · 유분 흡수력의 상승 및 저하, 보습력의 저하, 강도의 저하, 신축성의 변화, 탄력성 · 유연성의 저하 등
화학적 변화	간충물질의 유실에 의한 다공성 모발, 시스틴 함량의 저하, 케라틴 구조의 약화로 인한 모발의 탄력성 저하 등

5) 모발의 손상도를 측정하는 방법

(1) 감성적인 진단

문진법, 시진법, 촉진법 등

(2) 절단강도와 신도의 측정

모발 강도신도계라는 기계에 클립으로 모발을 고정시키고 클립을 좌우로 움직여 모발을 잡아 당긴다. 모발이 견딜 수 있는 이상의 힘이 작용하면 모발이 끊어지고 기계는 멈추게 된다. 이때 기계의 표시판에 강도(g)와 신도(%)의 수치가 표시되는데, 가는 모발이나 손상모발에 비해 건강하고 굵은 모발에 있어서 높은 수치가 나오게 된다.

(3) 하중신장곡선을 이용하는 방법

모발강도신도계 이용

(4) 물에 의한 제2차 팽윤도의 측정

보통의 모발은 그 중량의 25~30% 수분을 흡수하여 포화상태가 되는데, 만약 모발이 손상되었을 경우에는 이 포화량이 증가한다.

(5) 알칼리 용해도의 측정

건강한 모발을 0.4% 수산화나트륨 용액에 약 30분 동안 담가 놓은 다음, 따뜻한 물로 씻어 버리고 무게를 측정하면 처음 무게의 약 3% 정도 용해되어 중량이 감소된다.

(6) 아미노산분석에 의한 측정

모발을 가수분해하여 아미노산 조정의 변화를 분석하면 손상모일 경우, 특히 시스틴의 함유량이 감소하고 시스테인 산이 증가하게 된다.

Chapter 3

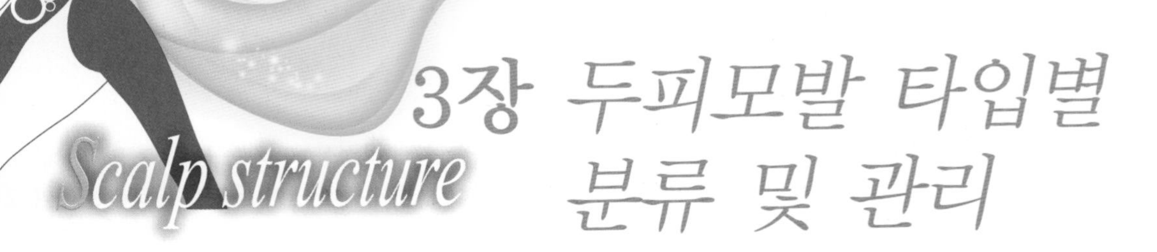

3장 두피모발 타입별 분류 및 관리

1. 두피의 종류와 관리방법

1) 정상 두피

(1) 특징

모공이 불순물 없이 깨끗한 상태로 열려 있고, 두피 전체가 촉촉하며 색상은 우윳빛으로 투명하다. 한 개의 모공에 2~3개의 모발이 자리 잡고 있으며 모발에서는 윤기가 난다.

(2) 관리방법

현재 상태의 유지를 위하여 수분과 영양을 공급하고, 모발의 건조화 방지를 위해 에센스로 관리한다.

2) 건성 두피

(1) 특징

표면에 각질이 쌓여 있고 각화된 표피가 제때에 떨어지지 못해 모공이 막혀 쉽게 염증이 생기고, 울혈은 없지만 두피가 가렵고 따가움을 느끼는데 이를 방치할 경우 예민성 두피로 전환되기 쉽다. 건성 두피의 원인은 일상의 스트레스, 피지분비의 불충분, 잦은 펌과 염색시술로 인한 두피자극, 탈지력이 강한 샴푸의 사용과 냉 · 난방에 의한 건조한 실내환경 등이 있다.

(2) 관리방법

각질 제거, 막힌 모공의 세척, 혈행 촉진에 중점을 두고 깨끗해진 두피에 충분한 영양을 공급한다. 강한 비누나 광물성 오일, 또는 기름기가 많은 제품과 강한 알코올 성분을 함유한 로션은 피한다. 또한 건성 샴푸로 저녁에 샴푸하고 드라이기로 말릴 경우 찬바람이 좋으며 1일 1회의 두피와 어깨 매뉴얼테크닉은 혈행을 원활하게 해준다. 유 · 수분 공급을 통해 각질세포들을 진정시켜 유지막을 형성하여 외부 자극으로부터의 방어 능력을 회복시킨다. 두피가 민감해지지 않도록 샴푸 후에 두피용 토닉 사용으로 두피를 진정시켜 준다.

3) 지성 두피

(1) 특징

과다한 피지로 인해 물이 고여 있는 듯 촉촉한 상태로 정상두피와는 달리 투명감이 없어 둔탁해 보인다. 세정이 불충분할 경우, 피지에 의해 모공이 막혀 있어 두피가 뿌옇게 보이며 모발이 끈적이고 힘없이 가라앉는다. 특히 비듬이 많이 관찰되며 분비 과다로 지루성 염증이 나타날 수 있다. 이것은 피지선의 잘못된 작용에 기인한다. 과다한 피지분비로 두피의 호흡이 원활하지 못하고 기능이 저하되며 악화된다. 원인으로는 남성호르몬(testosterone)의 과다작용과 청결하지 못한 두피, 자극적인 음식, 스트레스, 대기 수질 오염, 스타일링 제품의 과도한 사용 등이 있다.

(2) 관리방법

과도한 유분은 피지선의 과도한 활동에 의해 기인된다. 두피 세정과 피지 조절에 초점을 맞추어 관리하고 모공이 막혀 있어 세포의 호흡작용에 이상이 생겨 모발이 가늘어지고 탈모가 병행될 수 있으므로 피지 응고물 제거를 통하여 모공을 열어준다. 그리고 두피 매뉴얼테크닉을 통해 두피의 혈류를 증가시킬 수 있도록 매뉴얼테크닉한다.

피지의 pH를 되찾아 두피에 대한 보호 기능을 회복시켜 주고 염증이 있을 경우 치료 후 관리에 들어간다.

4) 예민성 두피

(1) 특징

붉은색을 띠며 표면에 홍반 및 염증 또는 가느다란 실핏줄들이 육안으로 확인되며, 모발은 매우 가늘어져 있는 상태이다. 모세혈관이 확장되어 있어 외부의 약한 자극에도 따갑거나 발열 현상으로 민감하게 반응하는데, 심한 경우에는 세균감염으로 인해 염증이 발생하며 지루성 두피로 발전하기도 한다.

원인은 스트레스, 피로, 선천적인 요인, 건성 두피를 오래 방치했을 경우, 잦은 펌, 염색, 탈색 등의 화학적 시술, 자극이 강한 제품을 사용했을 경우와 신체적 리듬이나 균형이 깨졌을 때, 생리전 · 후, 출산 후 등의 원인이 된다.

(2) 관리방법

두피 자극을 최소화하고 두피의 기능을 정상화시키는 것이 중요하며, 두피를 민감하게 만드는 내부적 외부적 환경요인들을 제거해 준다. 또한 스트레스 환경을 개선하고 두피로 가는 혈액이 원활하도록 뒷목을 잘 풀어 준다. 화학적 시술을 삼가고, 스타일링 제품 사용도 자제하며, 저자극 천연성분의 샴푸 사용으로 두피를 정상화시켜준다.

5) 복합성 두피

(1) 특징

현대 젊은 여성들에게 가장 흔히 볼 수 있는 두피타입으로 복합성 두피의 경우 두피는 지성이며 모발은 건성인 상태를 말한다.

피지선의 활동은 지성 두피를 형성하나 잦은 시술로 인해 모발은 건성화된 경우이다. 두피가 단단해지고 모근에 압박이 가해져 혈액순환이 제대로 이루어지지 않아 모발에 영양공급이 되지 않는다.

(2) 관리방법

두피 매뉴얼테크닉으로 두피의 혈액순환을 도와주고, 두피의 유분 제거를 위한 샴푸제를 사용하며, 모발영양공급을 위해 단백질 성분이 코팅된 헤어 컨디셔너를 사용한다.

즉, 샴푸를 두피와 모발용으로 구분해서 사용하는 것이 도움이 된다.

6) 비듬성 두피

(1) 원인

비듬균(pityrosporum ovale), 호르몬의 불균형(남성 호르몬), 유전적 요인, 신경이완제를 복용했을 때 피지선의 과다분비, 각질주기의 이상, 스트레스, 불규칙한 생활, 불충분한 수면을 취한 경우, 잘못된 식습관, 과도한 땀 분비와 이것을 적절히 제거하지 않은 경우, 머리를 감고 완전히 헹구지 않은 경우, 잘못된 헤어케어 제품의 사용 등이 원인이다.

(2) 관리방법

비듬균의 이상증식으로 인해 비정상적으로 비듬이 쌓여 가려움증을 동반하는데, 비듬의 형태에 따라 지성과 건성으로 구분하여 관리한다. 두피를 청결히 해주고 비듬 전용 삼푸제를 사용하고 비듬의 제거를 위한 스켈링 제품을 사용한다. 그리고 수분과 영양분의 원활한 공급을 위해 매뉴얼테크닉을 병행한다.

7) 지루성 두피

(1) 특징

피지선의 기능이 왕성하여 피지의 분비가 많아 염증과 지성 비듬이 자주 생긴다. 외관상 예민성 두피와 지성 두피의 혼합형이라고 생각하면 된다. 두피 염증으로 인해 두피가 붉어지고, 모낭 주위가 붉게 부풀어 오르거나 곪고 가려우며 염증이 심한 경우 머리나 목 주위의 임파선이 부어오르기도 한다. 과도한 스트레스와 잦은 화학적 시술이 주원인이다. 얼굴, 귀, 가슴 등이 붉어지고 가려움증과 같은 피부증상이 반복적으로 나타나는데, 전형적인 지루성 피부염인 경우 치료를 하더라도 커져 있는 피지선이 줄어들지 않으므로 재발 가능성이 있다.

(2) 관리방법

긁어 상처를 내게 되면 모낭염이 더욱 더 악화되므로 주의하고 염증이 더 퍼지지 않도록 살균 세정에 신경을 써야 한다. 자극적인 샴푸제 사용은 피지선에 악영향을 미치므로 두피에 자극을 최소화하고 두피의 기능을 정상화시키는 것이 중요하므로 노폐물 및 독소의 배출과 피지선의 정상화에 초점을 맞춘다. 화학적 시술이나 스타일링 제품의 사용을 자제하고, 지루성 두피는 피부염에 속하므로 근본적 원인 해결을 위해 전문의와 상담해야 한다.

그림 3-1 건성 두피

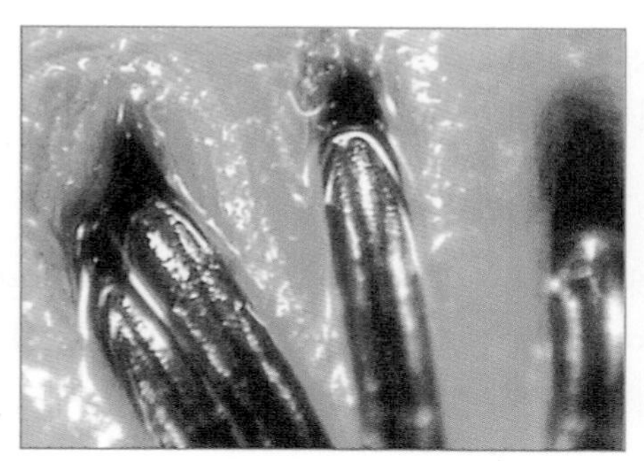
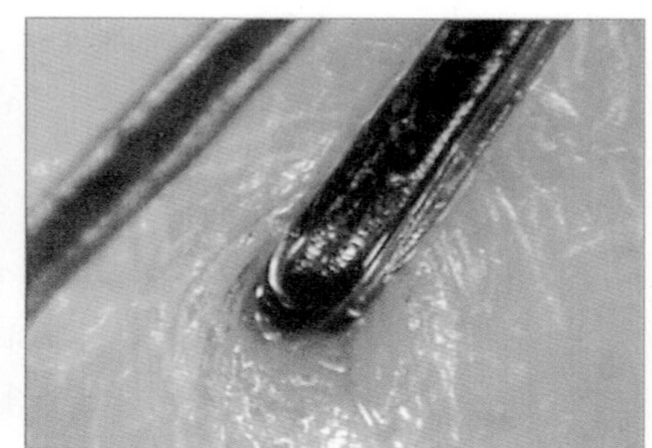

그림 3-2 정상 두피

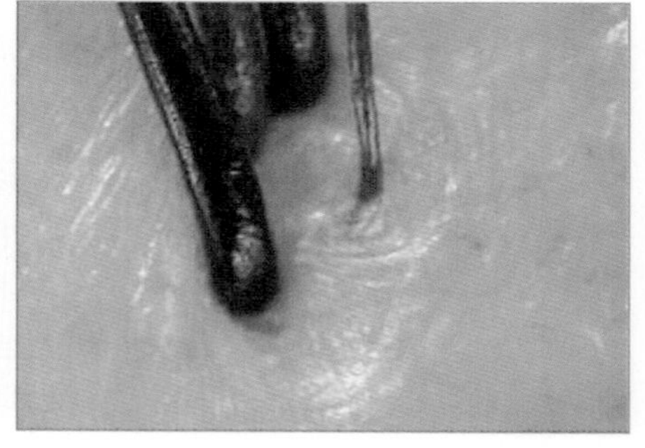

그림 3-3 지성 두피

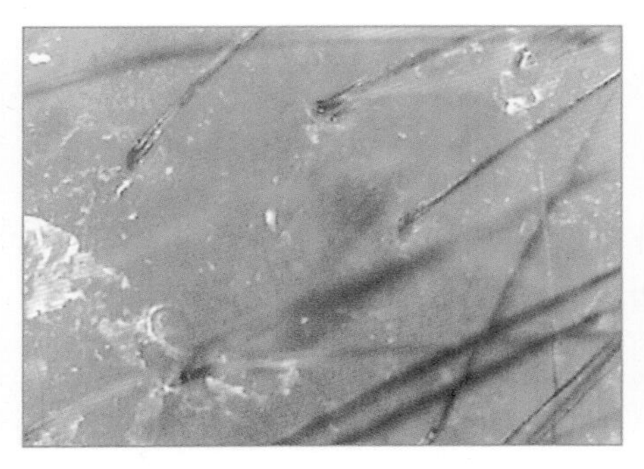

그림 3-4 예민성 두피

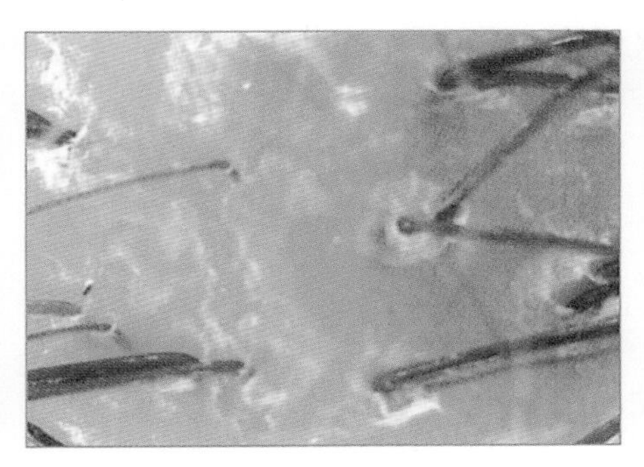
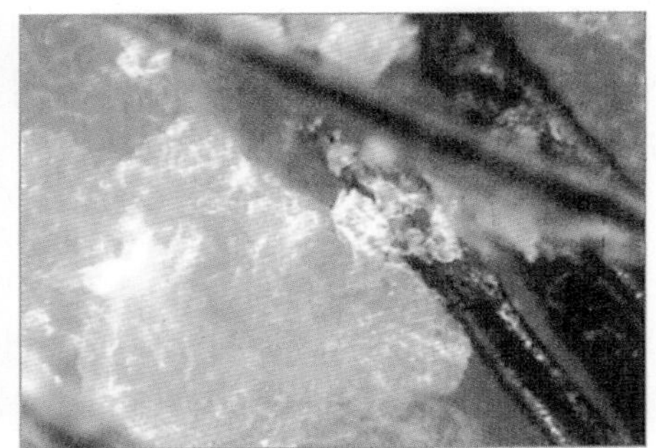

그림 3-5 복합성 두피

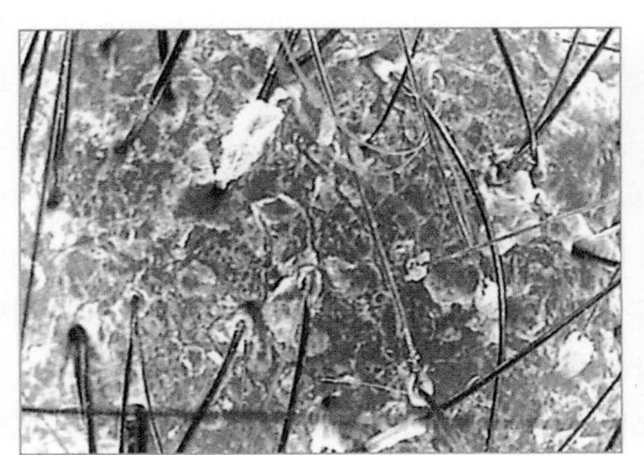

그림 3-6 비듬성 두피

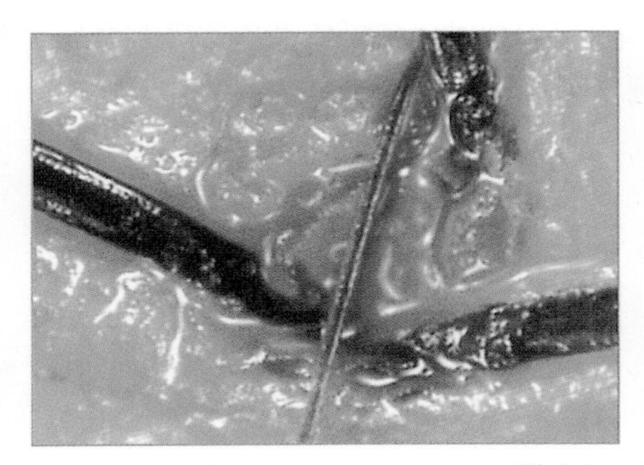
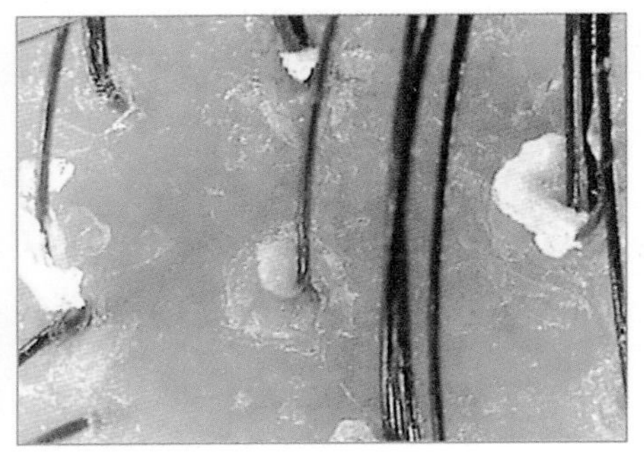

그림 3-7 지루성 두피

2. 모발의 종류와 관리방법

1) 지성 모발

지성 모발(oily hair)은 모낭의 피지선에서 정상보다 더 많은 양의 피지를 분비하는 모발이다. 이러한 모발은 강하나 오염물질이 잘 붙고 칙칙하게 보일 수 있다.

2) 건성 모발

건성 모발(dry hair)은 선천적인 것과 후천적인 것이 있는데, 선천적인 원인으로는 모발의 발생 과정으로 모발의 천연보습인자(natural moisturizing factor: NMF)인 아미노산의 혼합물이 부족된 상태에서 성장한 것이다. 따라서 모발에 수분을 저장시키는 힘이 없는 한편, 피지의 분비가 부족하여 모발 면에서 수분이 증발하는 것을 막는 피지막 형성이 생기지 않는 경우이다. 건성모는 하나의 이상모인 동시에 손상모 상태에 해당된다.

3) 중성 모발

중성 모발(neutral hair)은 피지분비량이 적당하여 모발에 윤기가 흐르는 이상적 모발 타입이다. 이러한 모발의 관리는 이 상태를 계속 유지시켜 주는 것이 중요하다.

4) 손상 모발

손상 모발은 퍼머넌트 웨이브, 염 · 탈색 등 화학적 시술을 자주 하게 되면 발생한다. 이들에 사용되는 화학약품은 모발의 수분을 증발시키고, 케라틴의 구조와 모표피의 비늘을 변형시키는 등의 작용으로 윤기가 없어지며 모발 끝이 갈라진다. 또한 모발은 펩타이드의 주쇄와 측쇄로 단단하게 결합되어 있지만, 산 · 알칼리, 산화 · 환원제를 사용하면 측쇄는 늘어나거나 절단될 수도 있으며, 때로는 주쇄까지도 끊기는 경우가 있다. 그러나 대부분은 원래의 상태로 복원되지만, 시스틴(cystine)이 시스테인(cysteine)으로 변화되면 영구 변성모가 된다. 시스틴의 함유량이 저하되면 모발은 자연히 강도와 신장도가 저하되어 약한 모발이 되어 버린다.

약품에 의한 화학 변화는 외견상으로는 눈에 보이지 않지만, 모발에는 치명적인 손상이다. 또한 자외선에 의한 변성은 케라틴의 화학성분인 아미노산이 변성되어 시스테인의 함유량이 저하 된다. 이 경우 모발의 탄성이 약해지거나 퍼머넌트웨이브 시술 시 웨이브가 잘 형성되지 않는다. 그러므로 너무 잦은 화학적 시술은 피하는 것이 좋고, 자외선이 강할 때는 모자를 쓰는 등의 대책을 마련해야 한다. 그리고 퍼머넌트웨이브나 염 · 탈색 후에는 반드시 트리트먼트를 해 주어야 한다.

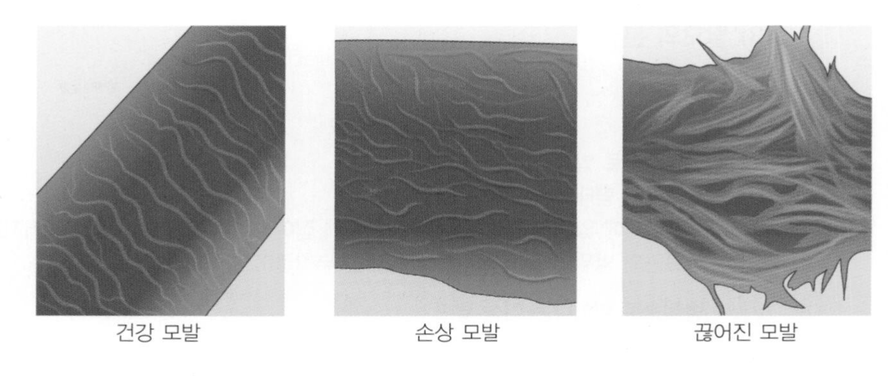

그림 3-8 건강 모발, 손상 모발, 끊어진 모발

3. 문제성 두피

1) 탈모

(1) 탈모의 정의

생리적으로 머리털이 빠지는 것을 의미하며, 새로 돋아나는 머리카락보다 빠지는 머리카락이 많아 비정상적인 상태가 지속되는 현상을 탈모라고 한다.

보통 모발의 성장속도는 더울 때 가장 빠르며 추울 때 가장 늦고, 탈모는 봄 · 여름보다 가을 · 겨울에 더 많이 일어난다. 모발의 성장은 보통 15세에서 30세 사이에서 가장 활발하며 40~50세에 가서 점진적으로 퇴보하며, 50세 이상이 되면 노화에 의한 자연스런 탈모가 일어나기 시작하여 70세 이후부터 탈모가 빨라진다.

(2) 탈모의 원인

탈모는 정신적 스트레스, 남성호르몬의 과다분비, 체질의 유전적 요인, 대기 오염과 공해, 신경성 장해로 인한 모세혈관의 위축과 불충분한 영양공급, 병원균에 의한 탈모(매독성 탈모), 고열을 동반한 병후의 탈모, 항암제와 같은 약물에 의한 탈모, 외상탈모증(화장품, 헤어드라이기, 염색, 매뉴얼테크닉, 머리묶기, 퍼머, pH 불균형) 등으로 인해 발생한다.

- 선천적: DNA 등 선천적인 요인
- 후천적: 생물학적 불균형, 외상, 감염 등

(3) 탈모의 분류

■ 생리적으로 발생하는 자연 탈모
- 모근의 형태가 봉(곤봉상)과 같다.
- 성장기에 있는 건강한 모발을 무리하게 잡아당기면 모근부분이 길고 커지게 되어 모근의 범위와 모구부의 하부에 하얀 부착물이 붙어 있는 것도 있다.

■ 병적으로 일어나는 이상 탈모
모구는 곤봉상이 아니라 위축되거나 변형되어 있다.

① 휴지기성 탈모(자연 탈모)
일상생활에서 자연적으로 빠지는 모
하루에 100가닥 이상 빠지게 되면 병으로 간주하고 치료를 요함
기본적으로 휴지기 모가 빠지는 증상

• **분만 후 탈모증, 피임약 복용 후 탈모증**
- 여성 호르몬은 피부를 촉촉이 하며 성장기 모발의 수명을 늘리는 작용을 한다.
- 임신 후기 출산이 가까워지면 임신호르몬(progesterone)의 분비가 증가하여 빠지는 털이 감소한다.
- 출산이 끝나면 정상적인 호르몬상태가 되므로 성장기가 연장되었던 모가 일제히 탈모된다.
- 탈모는 출산 후 2개월부터 시작하여 6개월 정도까지 계속되어 심한 경우 40%까지 탈모가 일어난다(1년 정도면 원래로 회복가능하다).
- 피임약 복용 후의 탈모는 복용을 중지하면 분만 후 탈모증처럼 탈모수가 증가한다.

• **남성형 탈모**
- 전두부에서 두정부에 걸쳐 널리 퍼져 탈모하거나 전두부가 후퇴하여 간다. 17세 정도부터 탈모하여 30대 후반이 되면서부터 급격하게 탈모된다.
- 탈모의 초기는 두꺼운 모가 빠지고 탈모가 진행됨에 따라 두껍고 긴 모는 적게 되고 점차 가늘고 부드러운 모가 되어 차츰 연모만 남게 되고 두피가 훤히 보인다.
- 대부분 지성 두피이며 유전적 요인이 많다.

■ M + O자형(6가지 형)

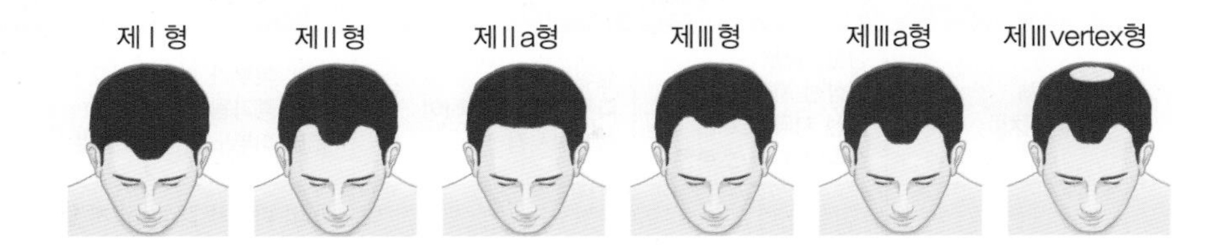

■ O자형(6가지 형)

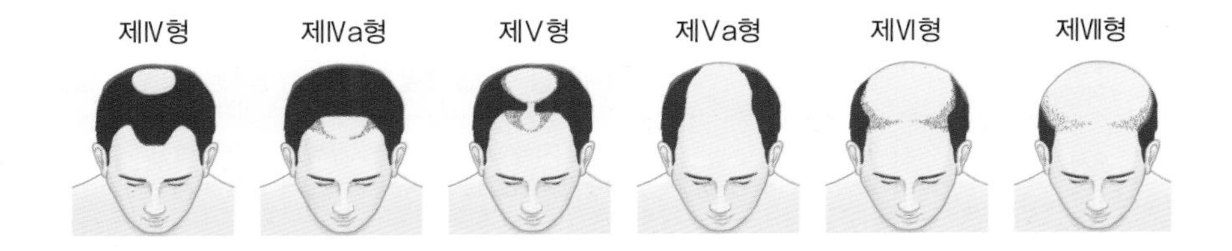

그림 3-9 남성형 탈모(androgenetic alopecia)

- **여성에 있어서의 남성형 탈모**
  - 여성호르몬의 분비가 서서히 쇠퇴하여 남성호르몬과의 균형 붕괴로 일어난다.
  - 대부분 머리의 앞부분과 정수리의 머리가 가늘어지면서 발전한다.

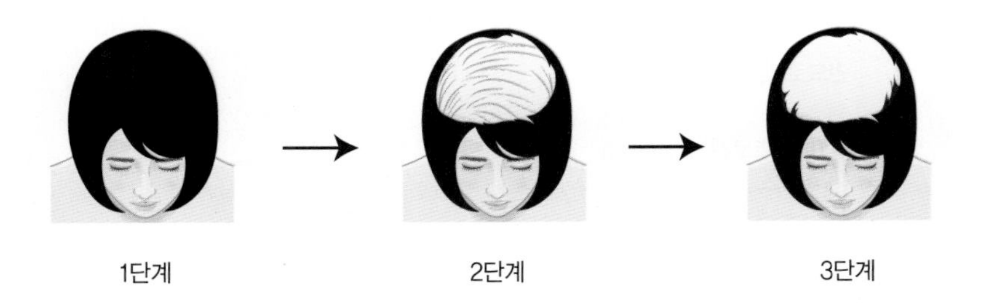

그림 3-10 여성에 있어서의 남성형 탈모

▶ **표 3-1** 호르몬이 피부와 모발에 미치는 효과

선	분비	기능	피부와 모발에 미치는 효과
뇌하수체 (뇌에 위치)	성장호르몬 갑상선 자극 호르몬 성선 자극 호르몬 멜라닌 자극 호르몬	성장조절 다른 선을 자극하여 활성화시킴	과잉: 피부가 거칠어지고 모발 성장이 증가됨 결핍: 피부노화, 탈모 유발
갑상선 (목에 위치)	티록신	신체의 전반적인 활동을 조절	과잉: 피부가 갑작스럽게 열이 나고 발적유발, 모발이 가늘어짐 결핍: 피부가 건조해지고 거칠어짐, 모발도 건조모가 됨, 탈모유발
부갑상선 (갑상선에 위치)	부갑상선 호르몬	혈액내 칼슘량을 조절	칼슘 결핍: 비정상적인 케라틴 → 생성 모발, 피부, 손톱 등에 만성질환 초래
부신 (신장에 위치)	코티코스테론, 성호르몬, 아드레날린	신체영양소 사용에 직접적 영향	과잉: 여성의 안면 털의 성장을 촉진
췌장 (위옆에 위치)	인슐린	혈액내 당 수치를 조절	분비가 감소됨으로 인해 당뇨 유발
성선	에스트로겐 여성(난소에 위치)	난소를 자극해서 난자생성 사춘기 때 신체발달 촉진	두발의 성장을 촉진 체모의 성장 억제
	테스토스테론 남성(성기에 위치)	정자생성 촉진 사춘기 2차 성장 촉진	체모의 성장을 촉진 두발의 성장 억제

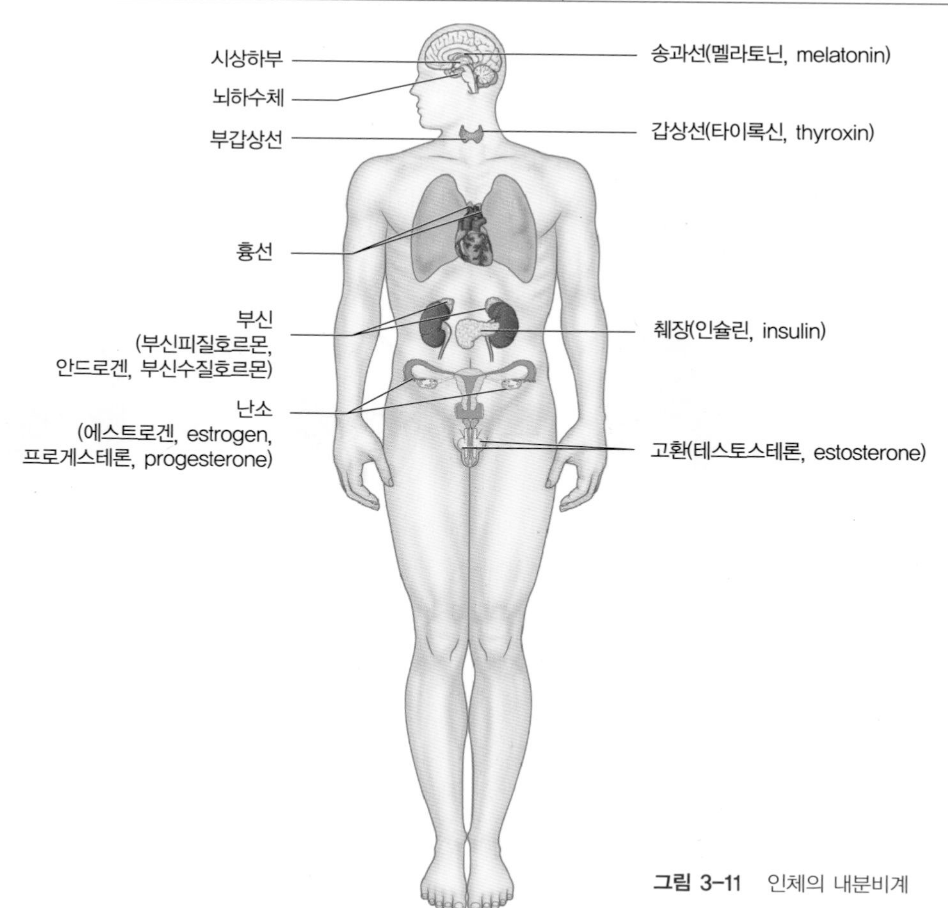

그림 3-11 인체의 내분비계

- **지루성 탈모**
  - 머리에는 피지선, 한선이 많아 다른 곳보다 기름분비가 많으므로 미생물이 번식하기 쉽다.
  - 미생물의 증식과 자외선의 영향으로 변성한 화학물질 등으로 인해 두피에 염증이 생긴다.
  - 두피의 모공자리가 빨갛게 되거나 더욱 진행되면 모낭염으로 지루성 습진이 생긴다.
  - 전두부에서 발진과 함께 휴지기모의 탈모가 많아지게 되는 지루성 탈모가 일어난다.

- **접촉성 피부염에 의한 탈모**
  - 전두부에서 모발관련 제품 등의 접촉으로 인해 피부염이 발생할 경우 염증이 심해지면 탈모가 일어난다.

- **내분비 질환(뇌하수체, 갑상선, 부갑상선, 부신 등)에 따른 탈모 갑상선기능저하증**

  갑상선기능저하증

  - 무력감이나 기능저하에 따라 머리 전체에 널리 퍼져 탈모된다.
  - 겨드랑이 털이나 음모의 감소도 보인다.

  갑상선기능항진증

  - 머리 전체에서 일어나며, 빠지는 머리는 휴지기모로서 가늘고 부드러운 것이 많다. 호르몬의 분비가 너무 많아 새로운 성장기모의 발육이 어렵다.

- **다이어트에 의한 탈모증**
  - 단식, 기아, 거식증 등은 피부의 건조화와 함께 탈모를 유발한다.
  - 단백질의 섭취 부족으로 모의 굵기가 가늘어 진다.

② 성장기성 탈모(위축모)

- **원형 탈모증**
  - 어느 일정부위에만 탈모하는 것으로, 탈모증 중 빈도가 가장 높으며 특별한 증상 없이 갑자기 발생한다.
  - 모발에 발생하는 경우가 많지만 눈썹, 턱수염, 음모 등에도 발생할 수 있다.
  - 단발 또는 다발로 발생하고 손톱크기부터 손바닥크기까지 다양하다.

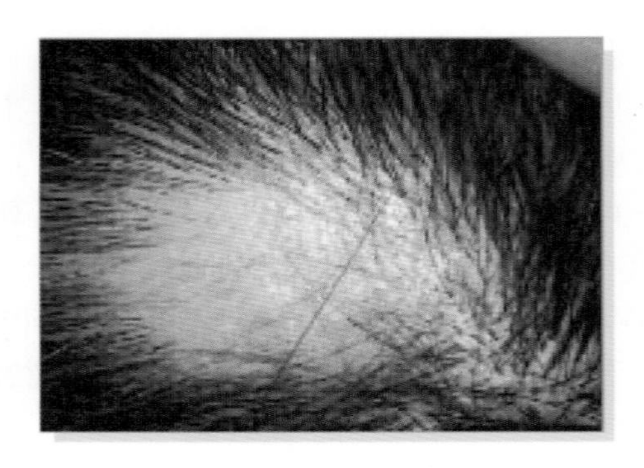

그림 3-12 원형 탈모증

- **압박성 탈모증**
  - 두부의 일부가 수 시간 압박을 받게 되면 일반적으로 2~3주 후에 탈모가 일어난다.

- **약제성 탈모**
  - 의료용의 약제를 주사하거나 내복하거나 하는 사이 탈모하는 경우이다.

- **반흔성 탈모**
  - 모근의 파괴에 의해 일어나는 탈모로써 상처, 화상, 피부염 등에 의한 모유두 결손으로 모구 탈모가 진행된다.

- **두부백선에 의한 탈모**
  - 백선균의 감염에 의한 탈모이다.

- **매독성 탈모**
  - 매독감염 후 5개월경부터 발생, 치료에 의해 치유가 가능하다.

▶ **표 3-2** 탈모의 종류

분 류	종 류
휴지기성 탈모증	분만 후 탈모 피임약 복용 후 탈모 남성형 탈모 지루성 탈모 내분비 질환에 의한 탈모 다이어트에 의한 탈모 비타민 A 과잉 복용에 의한 탈모 약물복용에 의한 탈모
성장기성 탈모증	원형 탈모 압박성 탈모 약제성 탈모 반흔성 탈모 두부백선에 의한 탈모 매독성 탈모

■ 탈모의 형태

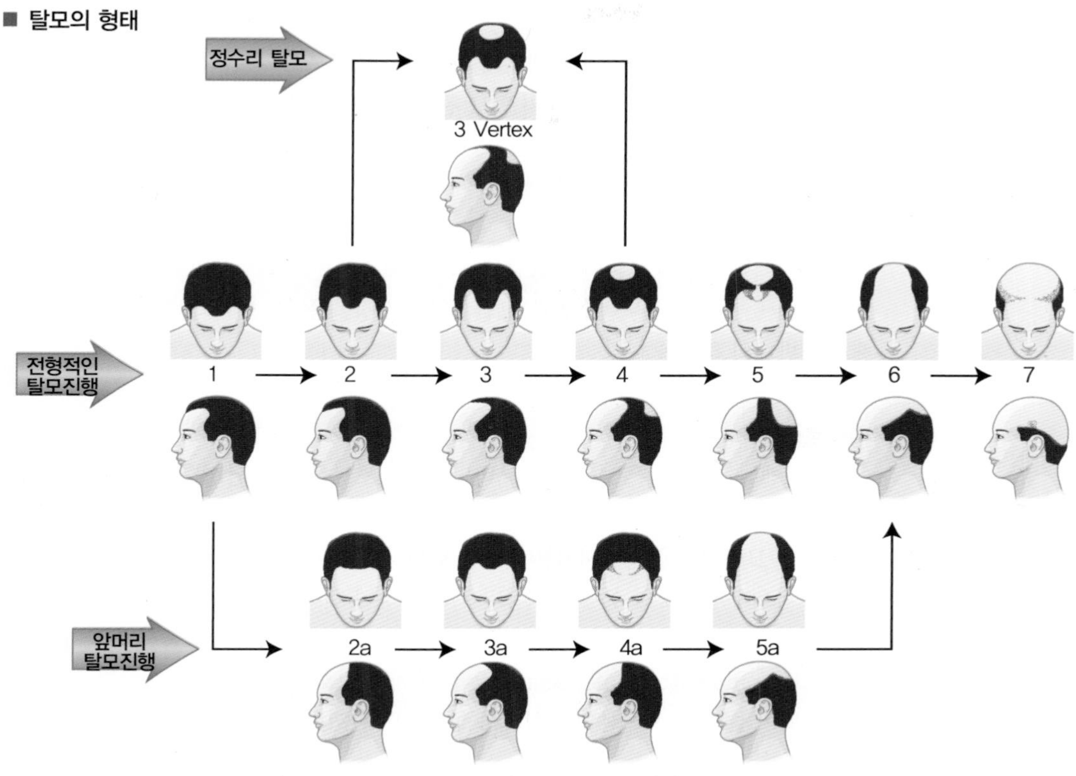

그림 3-13 탈모 진행도

(4) 탈모의 자각 증상

① 두피가 건조해진다.

건조한 두피는 비듬과 가려움증을 유발하게 되며 결국에는 머리카락이 빠지게 된다.

② 정수리 부분의 머리카락이 많이 빠지기 시작한다.

몇 달 정도 가렵다가 눈에 띄게 탈모 정도가 악화되면서 확대되므로, 일찍 조치를 취한다면 초기에 탈모 진행을 막을 수 있다.

③ 두피가 가렵다.

두피가 가려운 원인은 개인에 따라 다양하므로, 탈모로 진행되지 않게 하기 위해서는 반드시 전문가의 관리를 받는 것이 좋다.

④ 비듬이 많아지고 모발이 굵기가 가늘어진다.

비듬은 두피의 피지가 과다하게 분비되면서 나타나는 증상으로, 심한 가려움을 유발하여 머리를 빗고 나면 머리카락이 무더기로 빠지는 경우가 있다.

⑤ 이마와 양 옆의 모발이 가늘어지면서 빠진다.

이 경우에는 탈모로 급격히 진행되므로 전문관리를 통하여 탈모를 막아야 한다.

⑥ 두피에 피지와 노폐물이 많아 가렵다.

수시로 머리가 가려운 대부분의 경우에 나타나는 증상으로, 무관심하게 방치해 둔다면 탈모가 유발될 수 있는 요인을 발생시켜 탈모 진행 환경으로 발전된다.

(5) 탈모에 작용하는 호르몬의 영향

① 남성호르몬

탈모증은 특히 남성호르몬인 안드로겐과 테스토스테론의 과잉분비로 인해 일어난다. 남성호르몬(testosterone)은 턱수염과 코밑수염의 성장을 돕고, 이마와 정수리 부위의 털에 대해서는 반대의 작용을 한다.

② 여성호르몬

에스트로겐(estrogen)은 난소에서 분비되는 여성호르몬이다. 남성호르몬인 테스토스테론과 반대작용을 하며 모발의 성장을 촉진시켜 준다. 또한 피지선분비를 억제하고, 체모성장을 억제하며, 모발성장을 촉진시키는 역할을 한다.

프로게스테론(여성의 황체호르몬)의 모발 성장에 대한 직접적인 영향은 경미하다. 머리털에 대해서는 거의 성장억제 효과가 있으나 몸의 털에 대해서는 성장촉진 효과가 있다. 여성형 탈모(Female pattern alopecia)는 임신 중에 여성호르몬의 증가로 성장기 기간에 머물러 있던 모발이 출산 후 호르몬이 정상으로 돌아오면 한꺼번에 휴지기로 진행하여 탈모가 된다.

도움 탈모와 DHT

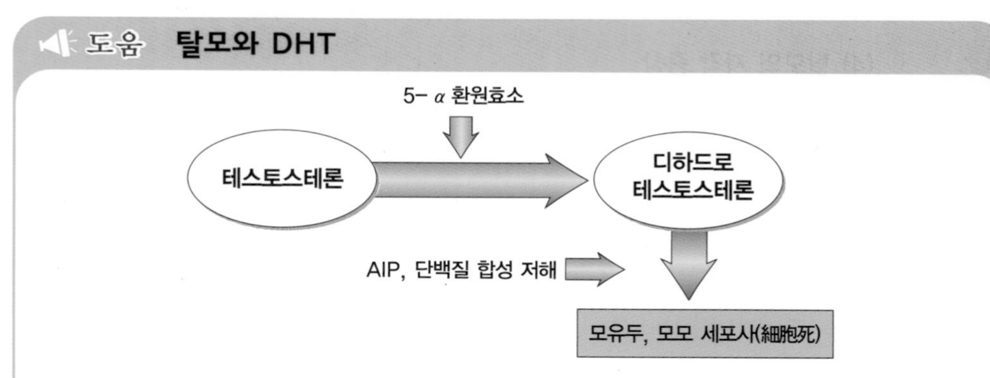

- 남성호르몬인 테스토스테론(testosterone)은 고환의 간질조직에서 분비되며 남성의 2차 성징에 관여한다.
- 테스토스테론 + 5-α리덕타아제(reductase) 효소
  = DHT(di-hydro testosterone)
  5-α리덕타아제(reductase) 환원효소의 수용체는 주로 모낭주위에 위치한다.
- DHT는 일부의 모낭을 위축시켜 활동을 정지시키는 역할을 하며, 모발의 단백질 합성을 저해하고 모모세포를 죽인다. 또한 피지선에 영향을 주어 피지가 과다 분비되어 모낭을 막는다.
- 테스토스테론은 5-α리덕타아제(reductase) 효소에 의해서 탈모를 일으키는 인자인 DHT(di-hydro testosterone)로 변환된다.

③ 갑상선 호르몬

갑상선은 티록신이라는 호르몬을 분비하여 부신을 자극하고, 부신호르몬인 에피네프린과 코티솔을 분비시키며 모낭 활동을 촉진, 휴지기에서 성장기로 전환을 유도한다. 그리고 모발의 길이를 증가시키는데, 머리털과 몸의 털 모두에서 성장촉진 효과가 있다.

에피네프린(epinephrine)은 부신수질에서 나오는 교감신경흥분제로 스트레스와 관련된 탈모에 작용한다.

코티솔(cortisol)은 부신피질에서 나오는 혈당증가호르몬으로 스트레스와 관련된 탈모에 작용하여 휴지기에서 성장기로의 시작을 방해하며, 머리털과 몸의 털 모두 성장억제 효과가 있다.

생식선 제거술(gonadectomy)이나 부신제거(adrenalectomy)를 받게 되면 머리털에 대해서는 성장기가 가속되어 모발성장 효과가 있으나 몸의 털에 대해서는 여전히 성장억제 효과가 있다.

도움 내분비계 이상에 의한 탈모

- 갑상선기능 저하증 – 모발이 거칠고 건조해지며 잘 부스러지면서 탈모가 일어난다.
- 갑상선기능 항진증 – 모발이 매우 가늘어지면서 탈모가 일어난다.
  (갑상선 질환으로 인한 탈모는 주로 옆과 뒤쪽으로 생긴다.)
- 당뇨병의 합병증으로 탈모가 생길 수도 있다.

(6) 탈모의 의료적 접근

탈모는 흉터성(모낭의 감염이나 종양 같은 심각한 질병으로 인해 불가피하게 손상을 입는 경우)과 비흉터성(모낭이 아직 기능을 하고 있는 경우)이 있는데, 흉터성의 경우 트리콜로지스트의 관리는 탈모치료의 접근시기가 지났으므로 의료적으로 접근해야 할 영역으로 본다.

도움 의료학적인 탈모의 치료

① FDA(미국 식품의약품안전청)의 공인을 받은 탈모제로는 미녹시딜과 프로페시아 두 가지로 전혀 다른 기전을 보인다.

미녹시딜은 탈모억제, 발모유도역할을 하는데 남성화후퇴 및 발기부전과 성욕감퇴의 부작용이 생기므로 의사와의 상담 후 사용해야 한다.

프로페시아는 경구용 탈모 방지약으로 5-α리덕타아제(reductase)효소의 활동을 억제시켜 탈모의 원인이 되는 DHT의 호르몬을 감소시켜 탈모를 억제시키는 역할을 한다.

이 약품 또한 의사와의 상담 후 사용할 수 있다.

② 모발이식술

모발이 많은 부위를 피부와 함께 탈모가 된 부위에 이식하는 방법으로 효과는 크지 않고 6개월에서 1년 정도 지나면 다시 빠지는 경우가 있다.

- 두피피판술: 옆머리의 모발을 포함한 피부판을 이마부위로 옮기는 치료법이다.
- 두피축소술: 두피의 탄력을 이용하여 단계적으로 대머리부위를 줄여주는 치료법이다.
- 조직확장술: 조직확장기를 이용하여 정상적으로 털이 난 부위의 조직을 풍선과 같이 늘려서 탈모된 부위를 덮어주는 방법이다.

(7) 모발의 분포 및 탈모 진단법

일반적으로 성인의 두부에는 약 10만개의 모발이 있고 개인의 차에 의해 저밀도 120~130개/cm², 중밀도 140~160개/cm², 고밀도 200~220개/cm² 분류된다.

모발이 있는 면적은 보통 700 cm² 정도이다. 보편적으로 모발은 한 묶음씩 형성되어 있는데, 2가닥형이 있고 3가닥형이 있다.

- 2가닥형은 cm²당 2/3 이상이 굵기가 각기 다르면 탈모가 심하게 진행 중이고, 2/3가 같으면 정상으로 볼 수 있다.
- 3가닥형은 cm²당 1/3 이상의 굵기가 다르면서 한 묶음에 2/3가 가늘면 탈모에 시달린다.

(8) 탈모를 예방할 수 있는 방법

- 충분한 수면과 균형 잡힌 식단으로 건강한 신체를 유지한다.
- 과로 등으로 피로가 누적되면 신체의 정상적인 신진대사가 깨지고 질병을 유발할 뿐만 아니라 머리카락에도 나쁜 영향을 준다.
- 탈모된 부분을 감추려고 모자나 가발을 착용하면 공기순환이 안 되고 땀이나 피부에 자극을 주어 머리카락이 쉽게 빠질 수 있다.
- 머리를 청결하게 유지하여야 하며 머리에 먼지 등 이물질이 묻어 있으면 세균이 자라기도 하며, 피부에 손상을 주고 머리에 또한 손상을 주므로 일반적으로 머리는 일주일에 2~3번 감는 것이 좋으나 개인의 두피 상태에 따라 맞추는 것이 좋다.
- 모발은 단백질이 주성분이므로 단백질 있는 음식을 먹되 되도록 여러 가지 음식을 골고루 섭취하여 신체를 건강하게 하여야 한다.
- 스트레스를 잘 조절하여야 한다.
- 머리에 피부병이 생기면 모낭이 파괴될 수 있으므로 빨리 치료한다.
- 머리카락도 혈액을 통하여 영양분이 공급되므로 두피를 적당히 자극할 수 있는 매뉴얼테크닉으로 혈액순환을 원활하게 해준다.
- 담배는 모발에도 악영향을 미친다. 담배 중의 니코틴은 일시적으로 혈관을 수축시키고, 혈관의 수축은 혈액의 흐름을 방해하고, 이것이 반복되면 모발에 혈액공급이 잘 이루어지지 않아 손상을 준다.
- 강한 햇빛에 장시간 노출되면 머리카락이 탈색되고 건조해지므로 햇빛에 장시간 노출을 금하고 부득이한 경우는 양산 등으로 가려주는 것이 좋다.

2) 비듬

(1) 비듬의 정의

두피에 각질세포가 쌀겨 모양으로 심하게 일어나는 현상으로 일종의 피부염, 즉 지루성 피부염의 증상이다. 포괄적인 의미에서 모든 형태의 각질이나 죽은 세포가 두피로부터 떨어져 나오지 못하고 쌓여 있는 형태를 말한다.

일반적으로 정상적인 세포재생주기는 대략 28일인데, 피부노화 또는 스트레스, 화학적 반응 등으로 인하여 이러한 정상적 세포재생주기가 길어지면서 제때에 떨어져 나가야 할 죽은 세포들이 차츰 누적되어 각질층, 즉 두피의 가장 겉 표면의 표피층에 비듬이 형성되게 된다.

비듬은 지성 비듬, 건성 비듬으로 나눠는데 그 원인은 다양하다.

비듬이 탈모를 일으킨다는 시각은 비듬, 즉 각질이 두피의 호흡을 막아 모발 성장에 악영향을 미치기 때문이다. 비듬이 심하면 가려움증을 느끼며, 심한 경우 따갑고 피부가 갈라지기도 하며, 귀 뒷부분이나 이마가 빨갛게 되는 증상을 보이기도 한다. 대부분 비듬 자체가 탈모를 유발시키지는 않지만 비듬이 생길 때 두피를 청결히 해 주지 않으면, 두피에 비듬층이 형성되고 이 비듬층에 피지와 노폐물, 땀 등이 결합하여 모낭 입구를 막게 된다.

이러한 노폐물 등에 의해서 모근이 경화되면, 두피가 제대로 호흡을 할 수가 없어 모발이 가늘어지고 두피의 기능에 문제가 생겨 건강한 모발을 성장시킬 수 없게 된다.

(2) 비듬의 원인

피티로스포룸(pityrosporum ovale)이 여러 유발 요인에 의해 과다 증식하여 비듬이 발생한다.

① 내적 원인

전염병, 건선, 간이나 소화기관이 좋지 않거나 다이어트 등으로 인한 신진대사장애, 혈액 순환장애, 비타민 부재 · 부족 · 과다, 약물 중독(과다), 폭음, 세포조직 변화 등이 원인이다.

② 외적 원인

업무환경, 환경오염, 비위생적인 생활습관, 잘못된 미용 트리트먼트가 그 원인이다.

(3) 비듬의 종류와 증상

① 다한성 비듬

땀이 많이 나면 pH(산성) 균형이 깨져 알칼리화되고, 발한의 고유 기능인자가 살균, 수분, 해독작용이 제대로 되지 않아 땀의 산화작용에 영향을 미치기 때문에 결국 비듬 조각을 형성하는 원인이 될 수 있다. 특히, 비듬의 경우 땀이 많이 나는 다한증은 비듬을 유발할 수 있는 각질세포를 만들어내기 때문에 결과적으로 약해지고 민감해질 수 있다.

② 건성 비듬

땀, 피지가 부족하여 두피가 건조해지면서 각질세포가 하얗게 떨어지는 현상으로 피지가 부족하기 때문에 각질 표면의 각질세포를 상호간에 밀착시키는 힘이 약해지는 것도 하나의 원인이다.

이것을 긁으면 건조한 회백색의 비듬이 떨어진다. 비타민 A 결핍증이나 각화증, 영양실조, 특히 단백질의 결핍, 부신피질 기능 저하 등의 경우에 생긴다.

③ 지성 비듬

과도한 피지분비로 인한 두피의 지방화로 각질세포와 기름이 뭉쳐 떨어지는 현상이다.

과잉 피지는 피부 표면에 오랫동안 남아 있다가 건조하여 비듬으로 떨어지게 되는데, 일부는 머리 밑에서 좀처럼 떨어지지 않는다.

④ 발한장애

심한 건성은 노인이나 폐경 후 여성에게 특히 자주 발견되며, 낮은 기온이나 강한 추위 등의 기후적 특성이 피부의 수분상태에 영향을 미치기도 한다. 보통 이러한 상태는 혈액순환이 순조롭지 못하며, 피지분비의 약화를 초래한다. 이러한 모든 특성들 역시 두피에 각질을 일으켜 비듬으로 나타나게 한다.

⑤ 건피증

건성은 피부를 메마르게 하여 탄력을 잃게 하는데, 이와 같이 피지가 부족하면 지방산의 부재로 인해 표피에 미네랄 소금기가 남아 있지 않아 땀 공급이 제대로 되지 않고 제독작용도 원활하지 않기 때문에 자가독성 효과가 나타날 수 있다.

이처럼 천연피지의 수분작용의 부족으로 세포 표피증이 건조해져 결과적으로 각질처럼 일어나게 되어 비듬으로 발전하여 머릿결을 따라 흘러내린다.

⑥ 지루성 피부염

비듬과 피지의 과도한 분비는 지루성 피부염으로 정의내릴 수 있는데, 대부분의 경우 풍부한 피지층으로 인해 피부가 부드러워지며 표피세포의 변화를 막아주는 마그마층을 형성시켜 주기 때문에 비듬이 떨어지지 않는다.

과다분비로 피지가 축적되면 생리학적 균형이 깨지고 두피의 자가살균능력이 상실되어 결국 재생능력을 파괴하는 원인이 된다.

⑦ 비대증(영양과다)

프로틴이 지나치게 많거나 적으면 생산성 불균형이 일어나는데, 특히 과도하면 상피층이 두꺼워져 각화증이 일어나고 죽은 세포 역시 두꺼워지기 때문에 불규칙하게 조각으로 떨어지는 것이다.

⑧ 영양부족

모발에 영양이 부족하면 세포 재생산이 느려져 결과적으로 각질 세포층이 점차 약해짐을 볼 수 있는데, 이로 인해 상피층이 쉽게 떨어져 비듬으로 발전하게 된다.

⑨ 자가독성

피부의 고유기능 중의 하나가 제독작용으로 피부가 더 이상 독소를 제거할 수 없게 되면 이

것이 축적되어 피부층에 독성화를 일으킨다. 이러한 독성분에 의해 케라틴 세포가 공격을 받기 때문에 점차 단단해지고 건조해져 비듬의 원인이 되는 것이다. 비타민이 부족하거나 과도하면 수분이나 기름기, 프로틴 등의 생물학적 균형을 깨뜨려 부분적으로 비듬을 생성시킨다.

⑩ 건선

건선은 전염병이 아니며 아직 그 원인이 확실히 밝혀지진 않았지만 주로 유전적인 것으로 알려져 있다. 건선이 발생하면 상피세포의 정상적인 각질화에 이상이 생겨 피부재생이 제대로 이루어지지 않아 표피가 조기에 형성되어 일찍 죽는다. 이와 같은 세포의 조기괴사는 어김없이 건선을 동반하는데, 대부분의 경우 그 크기와 모양이 다양하며 작은 것부터 손바닥만하게 큰 것도 있다. 건선 부위를 자꾸 만지면 피부 전체로 퍼질 수 있으며, 주로 팔꿈치나 무릎, 두피, 몸, 손바닥, 천골 부위 등에서 나타난다.

(4) 비듬 관리방법

샴푸를 하기 전에 먼저 살짝 브러싱을 해주고, 비듬 전용 샴푸를 사용해 주 2~3회 정도 샴푸한다. 샴푸가 두피에 잘 스며들도록 두피를 꼼꼼히 매뉴얼테크닉하면서 스켈링하듯 세정한다.

타올 드라이 후 두피에 비듬전용 토닉을 사용한다. 항상 청결한 모발상태를 유지하며 스트레스를 줄인다.

아연(Zn)이 함유된 비타민과 생선류의 섭취를 늘리는 것도 좋은 방법이다.

린스 대신에 레몬즙을 린스로 사용해도 좋다. 지성의 경우 약알칼리성 샴푸를 사용하고, 건성인 경우 약산성 샴푸를 사용한다. 항진균제 비듬샴푸를 쓰는 것도 도움이 된다.

항진균제 비듬 샴푸 사용 시 주의할 점은 사용할 당시는 효과가 있지만 완벽하게 비듬이 완치되는 것은 아니라는 것이다. 더 큰 문제는 항진균제 비듬 샴푸의 지속적인 사용은 균의 내성을 키워 줄 뿐만 아니라 피부에 자극을 주며 냄새가 독하다는 단점이 있으므로, 자주 사용하지 않는 것이 좋다. 비듬이 심하여 참을 수 없는 가려움이 있는 경우 이런 항진균제 비듬 샴푸를 써볼만 하지만 보다 근본적인 치료를 병행해야 한다.

도움 피티로스포룸(Pityrosporum ovale)

두피 등의 피부에 존재하는 피티로스포룸(Pityrosporum ovale) 효모균이 여러 원인에 의해서 과다증식(10~20배)하여 나타난다는 학설이다.

- 피티로스포룸은 누구나에게 있으며, 피지가 풍부한 곳, 즉 모발 주위에 많이 존재하는 데, 가려움증과 비듬을 유발하기도 한다.
- 이 효모균의 과다증식이 심해지면 지루성 피부염을 유발하기도 한다.
- 피티로스포룸 효모균은 피지선이 급격하게 성장하는 사춘기 이후에 주로 많이 나타나고 그 이전에는 거의 나타나지 않는다(정상인의 경우 지루부위에 상존하는 정상균총이 46%를 차지한다).
- 피티로스포룸은 기후, 땀, 음식 등의 환경적 요인과 스트레스 등의 생리적 요인에 의해 과다증식하며 정상균총의 74%가 넘도록 비정상적으로 높아질 경우 비듬이 생기고, 83%이상으로 높아질 경우 지루성 피부염이 발병하게 된다.

3) 피지

피지는 피부표면의 건조를 방지하며, 피지선이 특히 많은 부분은 두발부 · 눈썹부 · 비순구 · 겨드랑이 · 흉배부 · 사타구니 등이다. 피지와 땀의 과다한 분비는 모낭을 질식시켜 탈모와 두피홍조, 미생물번식, 가려움증, pH불균형 등을 초래한다.

(1) 피지분비요인

소화기관의 문제, 신진대사의 문제, 신경요인, 내분비 호르몬의 불균형 등이다.

- 내분비호르몬의 불균형
- 소화기장애
- 신진대사요인
- 신경요인
- 외부요인

고온에 오랫동안 노출되거나 고온다습한 곳에 사는 경우에는 피지흐름에 영향을 미치는 혈관확장을 가져올 수 있다. 또한 알코올이 함유된 로션은 피지선의 분비를 자극하며, 알칼리가 강한 샴푸는 피지선을 활성화시켜 과도한 상호작용을 초래한다. 샴푸 시 두피를 자극하면 피지선을 자극하여 과도한 피지의 분비를 초래하기도 한다.

(2) 피지선의 종류

① 비대성 피지선
② 과도한 피지분비물
③ 과잉 활동 피지선
④ 팽창된 땀 분비선
⑤ 다한증

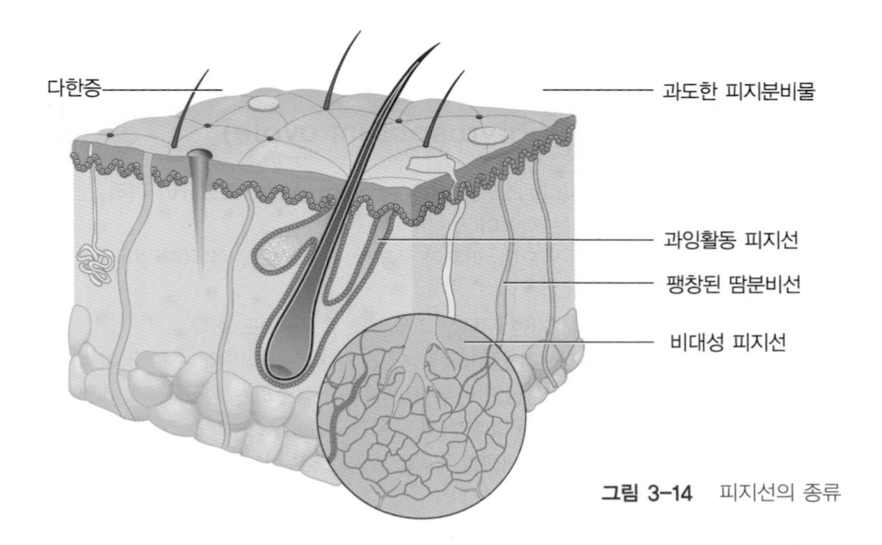

그림 3-14 피지선의 종류

(3) 피지 확인방법

① 육안으로 확인하는 방법

- 피지가 머릿결을 따라 흘러내린다.
- 머리가 무거워 보인다면 다한증일 수도 있다.
- 이마와 코는 피지의 영향을 많이 받기 때문에 세심한 관찰을 요한다.

② 손으로 확인하는 방법

- 모발을 만졌을 때 기름기가 느껴지는 경우 → 발한 혹은 피지
- 두피가 부드럽다면 → 액상 피지이다.
- 두피가 딱딱하면 → 건성 피지이다.

(4) 주의사항

기름기 있는 음식의 섭취를 삼가고, 알레르기를 유발하지 않는 섬세한 샴푸를 사용하며, 모공과 모낭을 막는 먼지, 분비물, 땀, 미생물 등을 깨끗이 제거한다. 세균이 번식하지 않도록 딥클렌징 제품을 사용한다.

피지선을 진정시키는 발삼 제품을 사용한다. 모근과 약해진 모발을 위해 프로틴과 비타민 함유제품을 사용한다. 지나친 자극을 자제하고 제품 사용에 주의한다.

Chapter 4

4장 영양학

1. 영양소의 작용

영양(nutrition)이란 인간을 비롯한 생물체가 외부로부터 물질을 섭취하여 근육, 뼈, 혈액, 피부 그리고 모발 등 여러 가지 체내성분을 합성하여 인간의 생명과 건강을 유지시키는 것을 말한다. 생명을 유지시키는 5대 영양소에는 탄수화물, 지질, 단백질, 비타민과 무기질이 포함되어 있다.

1) 열량소(칼로리원으로 에너지를 공급하는 영양소)

탄수화물이 직접 관여하고, 2차적으로 지질이나 단백질도 이에 관여한다.

2) 구성소(생체구성에 관여하는 영양소)

단백질이 가장 큰 역할을 하고, 이외에 당질 · 지방 · 수분도 이에 관여한다.

3) 조절소(영양소가 체내에서 이용되는데 조절역할을 하는 영양소)

비타민이나 단백질로 구성된 효소 및 호르몬이 관여한다.

2. 모발의 단백질

단백질이란 탄소, 수소, 산소, 질소 등의 원소로 이루어진 유기화합물로서 피부, 모발, 손 · 발톱, 근육, 내장기관 등 사람의 몸을 구성하고 있으며 모든 인체의 세포조직들이 단백질로 이루어져 있다.

1) 모발에 함유된 아미노산

우리 몸에 필요한 단백질은 20여 가지의 아미노산으로 이루어져 있으며, 모발은 18종의 아미노산으로 결합되어 있다. 20여 가지의 아미노산 중 9개의 필수아미노산은 몸의 세포에서 만들어지지 않고 식품을 섭취함으로써 소화 흡수되고, 순환계를 통해 세포단위로 옮겨진다.

나머지 11개의 비필수아미노산은 다른 아미노산으로부터 질소와 같은 구조적 성분을 이용하여 간에서 생성될 수 있다.

2) 모발관리에 좋은 단백질

단백질 식품은 모두 위장에서 소화되고 효소에 의해 분해되어 혈액에 의해 신체의 각 조직에 운반되고 흡수된다.

모발은 시스틴을 많이 함유하고 있는 케라틴(keratin)단백질로 형성되어 있으며, 모근에 있는 모유두의 모세혈관을 통해 영양분이 보내져 모발의 성장을 촉진시키게 된다.

따라서 모발건강을 위해서는 특히 시스틴이 많이 함유되어 있는 음식물을 섭취할 필요가 있다. 시스틴은 필수아미노산이 아니므로 부족할 경우, 아미노산인 메티오닌에서 전환되어 생체 내에서 합성이 된다.

메티오닌과 시스틴이 비교적 많이 포함되어 있는 식품은 표 4-1과 같다.

▶ **표 4-1** 식품 중 단백질 함유량

식품	전체 단백질량(%)	메티오닌(%)	시스틴(%)
콩	34.3	0.43	0.48
두부	53.4	0.65	0.66
김	34.2	1.15	0.48
꽁치	20.0	0.58	0.38
닭고기	21.0	0.64	0.27
계란	12.7	0.43	0.35
치즈	25.2	0.75	0.13
소고기	19.3	0.43	0.2

3. 모발과 비타민

비타민은 수용성 비타민(C와 B 복합체)과 지용성 비타민(A, D, E, K)으로 분류할 수 있다. 비타민은 세포내에서 효소의 일을 도와 인체의 신진대사가 정상적으로 이루지도록 한다. 비타민이 부족하면 신진대사가 정상적으로 이루어지지 않고 결과적으로 탈모를 유도하게 된다.
모발의 영양과 관계가 깊은 대표적인 비타민은 다음과 같다.

1) 비타민 A^retinol^

(1) 작 용

시각과 뼈의 성장, 감염으로부터 피부와 점막을 유지하는 면역계의 기능 및 정상적인 생식을 도와주고 모발의 건조를 방지한다.

(2) 결핍 시

한국인 성인 남녀의 권장량은 700 ㎍RE이며 결핍 시에는 안구건조증, 야맹증, 뼈성장 저해 및 피지 분비 감소로 모공 각화증을 유발하고 두피의 건조화로 탈모가 촉진 된다.

(3) 과잉 시

피부수포, 허약감, 식욕부진, 구토, 두통, 뼈의 기형과 간의 손상을 초래한다.

(4) 권장식품

브로콜리, 고구마, 당근, 토마토, 시금치, 호박, 장어, 달걀 노른자, 우유, 소간, 돼지간, 버터, 마아가린 등에 함유되어 있다.

2) 비타민 B_1 thiamin

(1) 작 용

탄수화물이 에너지로 전환되는 대사에서 조효소 역할을 하고 비듬을 방지한다.

(2) 결핍 시

심부전증, 근육의 약화, 식욕부진, 각기병을 유발하며 두피 건조 증으로 인한 비듬이 발생된다.

(3) 권장식품

돼지고기, 정미하지 않은 곡류(현미), 콩류, 참깨, 씨앗류 등에 함유되어 있다.

3) 비타민 B_2 riboflavin

(1) 작 용

신체의 모든 세포에서 영양소로부터 열량을 내는데 조효소로서 작용하며, 일명 미용비타민으로 모발 성장에 도움을 준다.

(2) 결핍 시

설염, 구순구각염, 지루성 피부염, 인두염이 발생한다.
피부가 건조하고 딱딱하게 되며 모공이 확대되고 모발이 쉽게 빠진다.

(3) 권장식품

우유, 난황, 생선알, 간, 시금치, 효모, 토마토, 메주콩 등에 함유되어 있다.

4) 비타민 B6[pyridoxine]

(1) 작 용

아미노산 합성과 단백질 대사에 조효소로 가능하며, 항 피부염 인자로 피지 과다 방지의 효과가 있다. 탈모의 주원인인 테스토스테론이 디하이드로테스토스테론으로 전환되는 것을 억제한다.

(2) 결핍 시

피부염, 신경기능의 변화, 성장부진, 경련 및 피지 분비가 많아져 지루성 탈모의 원인이 된다.

(3) 권장식품

간, 계란, 채소, 곡류 등에 함유되어 있다.

5) 비타민 C[ascorbic acid]

(1) 작 용

콜라겐 합성 및 천연 항산화제로 스트레스를 예방한다.

(2) 결핍 시

성인 권장량은 100 mg이며 결핍시에는 괴혈병, 상처치유지연, 치아와 뼈의 성장지연 및 스트레스로 인한 백모현상이 나타난다.

(3) 과잉 시

경련, 설사, 오심, 통풍 및 항응고제의 효과에도 영향을 미칠 수 있다.

(4) 권장식품

딸기, 레몬, 토마토, 피망, 녹황색 야채, 푸른잎 야채 등에 함유되어 있다.

6) 비타민 D[calciferol]

(1) 작 용

칼슘과 인의 장 흡수에 작용하여 혈중 칼슘농도를 조절한다. 탈모 후 모발의 재생에 탁월한 효과가 있으며, 특히 두피의 혈액순환을 도와 모발을 윤택하게 한다.

(2) 결핍 시

구루병과 골연화증을 유발한다.

(3) 과잉 시

탈모, 신장결석, 구토감, 변비, 경련을 초래한다.

(4) 권장식품

소간, 돼지 간, 닭 간, 버터, 달걀 노른자, 표고버섯 등에 함유 되어 있다.

7) 비타민 E[tocopherol]

(1) 작 용

항산화제로 세포막의 손상을 예방한다. 유해 산소제거 및 말초혈액 순환을 원활히 하며, 또한 난소 활동을 활성화하고 호르몬 분비를 촉진하여 간접적인 모발성장에 관여한다.

(2) 결핍시

한국인 성인 남녀의 일일권장량 10 mg이며, 결핍시에 적혈구가 소실되어 빈혈을 초래한다.

(3) 과잉 시

항응고제의 효과가 약화될 수 있다.

(4) 권장식품

옥수수유, 대두유, 밀배아 씨, 땅콩, 치즈, 시금치, 콩류, 참깨, 당근, 간 등에 함유되어 있다.

4. 모발과 무기질

무기질이란 사람의 몸을 정상적으로 구성하기 위해서 필요한 필수미량원소로 20여 가지의 종류가 있다. 체내의 여러 생리기능을 조절, 유지하는데 중요한 역할을 하는 무기질은 그 필요량에 따라 다량 무기질과 미량 무기질로 분류된다. 특히 모발의 영양과 관계가 깊은 대표적인 무기질에는 요오드, 철, 칼슘, 아연 그리고 황이 있다.

1) 요오드[I]

(1) 작 용

갑상선 호르몬(thyroxine)의 주성분으로 성장과 발달, 기초대사율과 체온조절에 관여한다. 또한 모발성장에도 도움이 된다.

(2) 결핍 시

체중증가와 느린 행동 양상, 갑상선이 비대해지는 갑상선종(simple goiter)과 같은 갑상선 기능 저하증이 발생하며 모발에서는 탈모가 발생한다.

(3) 과잉 시

갑상선 기능 항진증이 발생한다.

(4) 권장식품

해조류, 어패류, 양파, 쇠고기 등에 함유되어 있다.

2) 철Fe

(1) 작 용

혈액의 주요 구성성분으로 전신에 산소를 운반하고, 두피의 신진대사를 원활하게 하여 모발의 성장과 유지에 관여한다.

(2) 결핍 시

한국인 성인남성의 권장량은 10 mg이고 성인여성은 14 mg이다. 산소량의 저하로 빈혈이 발생하며 학습장애 및 상처치유능력이 저하된다. 또한 혈중 페리틴 농도 감소로 인해 탈모가 발생된다.

(3) 과잉 시

위장 경련과 동통, 오심, 구토를 야기시켜 경련과 혼수를 나타낼 수 있다.

(4) 권장식품

새우, 달걀 노른자, 감, 당밀, 우유 등에 함유되어 있다.

3) 칼슘Ca

(1) 작 용

신체 칼슘의 99%가 뼈에 존재한다. 이온화된 칼슘은 신경전도, 근육수축과 이완, 혈액응고 및 혈압을 조절한다. 또한 두피의 신진대사를 원활하게 하는 효과가 있다.

(2) 결핍 시

권장량은 700~1100 mg으로 결핍시에는 골밀도 감소로 성장을 저해하며 모발을 잡아주는 근육의 수축력 약화로 탈모가 발생한다.

(3) 과잉 시

변비, 비뇨기계 결석을 유발한다. 또한 철분과 아연 등 다른 미량무기질의 흡수 감소를 일으킬 수 있다.

(4) 권장식품

생선, 굴, 조개, 해조류, 우유, 요구르트, 치즈 등에 함유되어 있다.

4) 아연^{Zn}

(1) 작 용

인간의 성장과정과 미각, 후각능력, 면역계에 영향을 미치는 아연은 체내의 200여 효소의 구조적 성분이다. 탈모의 주원인인 테스토스테론이 디하이드로테스토스테론으로 전환되는 것을 억제하여 단백질 합성에 관여, 흰머리 예방 및 모발의 생장을 촉진한다.

(2) 결핍 시

권장량은 남성 10 mg, 여성 8 mg이다. 결핍시에는 왜소증(dwarfism)과 성선기능 저하 등으로 성적 발달이 지연되며, 면역 기능에 영향을 미친다. 단백질 합성을 저해하여 두뇌발달 지연 및 모발의 탈모현상이 발생된다.

(3) 과잉 시

위장관 질환을 일으켜 구토, 설사, 식욕저하, 면역기능의 감소 등이 동반된다.

(4) 권장식품

쇠고기, 돼지고기, 생선, 굴, 조개류, 간, 시금치, 콩류 등에 함유되어 있다.

5) 황^{S}

(1) 작 용

황은 단백질 구조의 화합물로 모든 세포에 존재하며 여러 아미노산의 주성분이다. 모발의 주 단백질인 시스테인, 메티오닌, 시스틴의 구성성분으로 모발을 윤택하게 하며 세균감염에 대한 저항성을 기른다.

(2) 결핍 시

머리카락, 손톱, 발톱의 연화현상이 발생된다.

(3) 권장식품

굴, 소간, 우유, 참깨, 곡물류 등에 함유되어 있다.

5. 두피모발과 식이요법

- 포화지방(동물성 기름)과 정제된 설탕이나 당분이 많이 든 음식을 최소화한다.
- 동물성 기름은 남성호르몬의 혈중 농도를 높이므로 주의한다.
- 불포화 지방인 식물성 기름을 사용한다.
- 당분이 많은 음식은 인슐린 호르몬의 분비를 증가시키고, 그 결과 필수 지방산인 아라키돈산의 생성이 증가된다. 이는 남성호르몬의 분비를 촉진시키는 요소로 작용한다.
- 녹차는 DHT 생성을 억제시키므로 탈모 예방에 좋다.
- 술, 담배, 카페인 등을 최소화한다.
- 인스턴트 음식을 자제하고, 자연식품을 섭취한다.

1) 두피모발 건강에 유익한 식품

(1) 검은콩

- 신진대사가 활성화되어 수분과 지방의 원활한 배출 효과
- 해독 작용이 있어 식중독을 예방
- 활성 산소를 억제
- 혈액순환을 왕성하게 하여 조직이나 세포를 지켜 주는 역할
- 모발의 성장에 관여

(2) 다시마와 미역

- 섬유질의 알칼리도가 높은 식품
- 인체의 면역성을 강화시켜 영양분의 흡수를 조절
- 장내의 지방, 발암물질 등의 노폐물을 몸 밖으로 배출하는 작용
- 딱딱한 두피를 부드럽게 만들어 주고 혈액순환을 촉진하여 탈모를 예방

(3) 동물의 간과 등푸른 생선

- 육류 중에서 동물의 간이 가장 영양가가 높다.
- 양질의 단백질, 지방, 비타민 B, 철, 구리, 코발트, 망간, 인, 칼슘 등 무기질이 풍부
- 모발의 성장을 돕고 건조해지지 않도록 한다.

2) 두피모발 건강에 유해한 식품

(1) 단 음식

- 정제 설탕이나 당분이 많이 포함된 식품, 특히 청량음료에 함유된 감미료는 두피모발 건강에 유해하다.
- 혈액순환을 악화시켜 모근에 영양 공급을 방해한다.
- 두피 조직의 결합을 약화시켜 모발을 빠지게 한다.
- 인슐린 호르몬의 분비를 높여 필수지방산인 아라키돈산 생성을 증가시켜 남성호르몬 생성에 관여하여 탈모를 야기할 수 있다.

(2) 술, 담배, 카페인, 인스턴트 식품

- 탈모의 직접적인 원인은 아니지만 간접적으로 많은 영향을 준다.
- 담배의 경우 세포 기능을 저하시키고 그 결과 혈류량의 증가에 따른 혈관확장이 이루어지지 않아 혈액순환 장애가 발생한다.
- 인스턴트 식품의 경우 함유되어 있는 각종의 첨가제, 불포화지방산 등으로 인해 성인병을 유발시키는 원인으로 작용할 수 있다.

(3) 동물성 지방(포화 지방), 기름진 음식

- 직접적으로 남성 호르몬 생성에 관여하여 탈모를 야기시킨다.
- 피지 분비를 촉진시켜 모공을 막아 균의 번식을 초래할 수 있다.

(4) 탄수화물 식품

- 감자, 옥수수, 흰쌀, 사탕무, 정제된 밀가루로 만든 빵 등이다.
- 인슐린 분비를 자극하여 체내에 저장된 지방을 에너지로 전환시키는 글루카곤의 분비를 억제하고 혈중 농도를 높여 탈모를 촉진할 수 있다.

> **도움 두피모발 건강에 좋은 음식**
>
> **(1) 모발 발육에 좋은 음식**
> 계란 노른자, 우유, 시금치, 효모, 땅콩 등이 있다.
>
> **(2) 비듬 방지에 좋은 음식**
> 육류, 간, 난황, 보리, 현미, 땅콩, 효모 등이 있다.
>
> **(3) 모발 윤기에 좋은 음식**
> 다시마, 미역, 해조류, 우유, 대두, 시금치, 치즈 등이 있다.

Chapter 5

Scalp structure

5장 두피모발 제품

1. 샴푸shampoo

1) 샴푸의 정의

두피와 모발에 묻은 먼지 · 기름 · 땀 등의 더러운 물질을 씻어내기 위한 세제의 일종 또는 이 세제로 머리를 감는 일을 말한다. 두피나 모발을 청결하게 유지하고 두피모발에 생길 수 있는 병의 감염을 예방하며 모발에 윤기를 주는 동시에 두피의 혈행(血行)을 도와서 생리기능을 촉진시키는 효과가 있다.

2) 샴푸의 목적

샴푸는 두피 및 모발을 세정하여 두피의 비듬과 가려움을 덜어주고 건강하게 유지시키기 위해 사용되는 모발 관리용 화장품 가운데 하나이다. 샴푸는 단지 더러움만을 제거시키는 세정의 기능 뿐 아니라 사전 사후의 트리트먼트 기법과 병행하여 두피의 혈액순환을 좋게 하고 모근부의 기능을 활발하게 하여 생리적 기능을 도와주며, 모발의 발육을 촉진시키는 것이 그 목적이다.

3) 샴푸가 갖추어야 할 조건

① 세정력이 우수하면서도 모발과 두피의 자연적인 피지 성분을 과도하게 제거하여 건조하지 않게 하는 적당한 세정력을 가질 것
② 안정된 거품 형성과 헹굼이 용이할 것
③ 눈이나 피부에 자극이 없을 것
④ 사용 후 모발의 촉감과 윤기가 우수할 것
⑤ 장기간 보존해도 변질이 없을 것

4) 샴푸의 주요성분

일반적으로 샴푸제의 기본 성분은 물, 계면활성제인 인공합성 세제가 중심이 된다. 그 외에 거품제, 정전기 방지제, 엉킴 방지제, 조정제, 방부제, 향료 등을 혼합한다.

(1) 거품제[foaming agent]

기포 증진과 안정을 목적으로 알카놀아미드와 아민옥사이드를 쓰며 알카놀아미드는 음이온 계면활성제의 기포 형성과 포막의 강도를 현저히 증가시키고, 고급 알코올과 같은 유분은 계면활성제의 미셀내에 들어가 표면 점성을 증강시킨다. 또한 수용성 고분자는 기포 증진과 함께 기포 표면에 강한 흡착만을 만들어 점증 효과도 더해준다.

(2) 점증제[thickener]

샴푸에 적정한 점착성을 주기 위해 첨가하며 제품의 조밀도(density)를 높여서 크림 등이 너무 묽어서 흐르지 않게 하는 작용을 하는 것으로 아카시아검(acacia gum), 트라가칸스검(tragacanth gum), 메틸셀룰로오스(methyl cellulose), 카르복시메틸셀룰로오스(carboxy-methyl cellulose) 등이 사용된다.

(3) 방부제[antiseptic]

샴푸가 미생물에 오염되면 혼탁, 침전, 분리, 변색, 변취 등이 일어나는데 미생물에 의한 변질은 상품의 제형과 수분 함량에 따라 다르다. 방부제로 많이 사용되는 것으로 살리실산, 파라옥시안식향산메칠, 파라옥시안식향산프로필, 이미다졸리딜우레아 등이 있다.

(4) 컨디셔닝제[conditioning agent]

샴푸 세정 시 두피의 피지 성분을 과도하게 제거시킬 수 있으므로 이것을 방지하고 모발의 표면을 부드럽고 윤기 있게 보호하며 손상을 회복시키는 등의 목적에 사용하는 것으로 동 · 식물 단백질 등이 포함된다.

(5) 항비듬제[Anti-dandruff agent]

비듬발생의 가장 큰 원인은 각질세포의 이상박리, 피지의 과잉분비, 미생물의 증식이다. 따라서 미생물의 번식을 억제하면 가려움증을 줄일 수 있다. 항비듬제는 비교적 짧은 시간에 두피에 작용하므로 두피와의 친화성이 있는 성분들로 선택하여야 한다. 아연-피리치온(Zn-pyrithion), 피록톤올아민(piroctone olamine), 알란토인(allantoin), 살리실산(salicylic acid), 멘톨(menthol) 등이 사용되며 가장 많이 사용되는 것은 ZPT(zincomadine)로 피부염 치료, 가려움 예방효과가 있다.

(6) 항산화제[antioxidant]

샴푸를 장시간 진열하거나 소비자가 뚜껑을 계속 열어 놓은 상태로 사용하게 되면 유성 성분이 공기 중의 산소에 의해 산화되어 과산화지질을 형성한다. 과산화지질은 피부에 자극이 되므로,

항산화제를 첨가하여 과산화지질의 형성을 방지한다. 특히 샴푸용기가 투명한 경우, 자외선을 흡수하여 제품의 색상 및 품질을 변화시키므로 이를 방지하기 위해 항산화제를 첨가 하기는 하나 대개 피부에 좋지 않으므로 소량씩 사용한다.

(7) pH 조절제pH control agent

음이온성 계면활성제를 사용할 경우 pH에 의해서 색상, 기포력, 점도 등이 영향을 받으므로 원하는 pH로 조절하여야 한다. 대부분의 원료가 약알칼리이므로 구연산(citric acid)등으로 pH를 맞춘다.

(8) 금속이온봉쇄제chelating agent

비누성분샴푸 등에서 금속비누의 생성에 따라 투명도가 저하되고 경수에서 샴푸할 때 불용성 물질이 모발에 흡착되므로, 이를 방지할 목적으로 금속이온봉쇄제가 쓰인다.
주로 EDTA유도제, 구연산(citric acid), 주석산(tartaric acid), 트리폴리포스페이트(tripolyphosphate), 헥사메타포스페이트(hexametaphosphate), 디하이드로옥시에칠글리신(dihydroxyethylglycine)등이 있다.

(9) 색소

색소(color)는 제품의 변질이나 이미지를 높이는 데 중요한 역할을 한다. 천연색소는 일반적으로 불안정하여 보존이 어렵고 가격이 비싸기 때문에, 가격이 싸고 안정된 인공색소가 일반적으로 사용되고 있으며 타르색소가 대표적이다. FDA에서 허용된 색소만 사용하며, 색을 결정할 때는 자외선에 의한 변색, pH에 의한 변색 등을 검토하여야 한다.

(10) 향

자외선, pH, 일광, 온도, 습도, 산화 등에 의한 영향을 고려하여 선택하여야 한다. 반드시 소비자의 기호를 고려하여 향(fragrance)을 선택하여야 하며 어떠한 향을 첨가하느냐에 따라 제품의 수명에 중요한 결정요인이 된다.

(11) 세정제

세정제로 사용되는 성분 중 라우린 산과 라우린 알코올 계통은 다른 동물성 유지에 비해 세정력이 좋고 거품이 잘 일어나기 때문에 널리 쓰인다. 이 성분은 야자열매에서 추출한 야자 오일과 성분이 같으며 둘 다 포화지방산으로 이 두 성분이 없이는 샴푸를 만들 수 없다.
암모니아수는 알칼리 성분으로 비누성분을 말하며 유황 성분은 모발을 보호하며 비듬을 예방하는 효과가 있다.

(12) 조정제

모발의 손질을 쉽게 하고 탄력을 주기 위해 사용하는 것으로 세제의 탈지성을 보충하고 윤택한 모발을 위해 조정제를 첨가한다. 보통 라놀린과 그 유도체, 세틸 알코올, 올레일 알코올 등의 작용이 우수하며, 사용 농도는 거품 형성에 영향을 주지 않는 2% 이하로 제한된다.

(13) 계면활성제surfactant

계면이란 기체와 액체, 액체와 액체, 액체와 고체가 서로 맞닿은 경계면이다. 계면활성제란 이런 계면의 경계를 완화시키는 역할을 한다. 이 때문에 계면이 가지고 있던 표면장력은 약해진다. 하나의 분자 내에 친수성과 친유성을 가진 화학적 구조를 하고 있다.

계면활성제는 조금의 화학구조를 변형시킨 것만으로도 특성이 크게 달라지고 종류도 다양해진다. 대체로 계면활성제는 음이온성, 양이온성, 양쪽성, 비이온성 계면활성제로 분류할 수 있으며, 샴푸에서는 음이온성 계면활성제를 가장 많이 사용한다.

- **음이온성 계면활성제(anionic surfactant)**
  물에 용해되고 해리되어 생기는 음이온이 계면활성 작용을 나타내는 물질로 비누가 대표적인 예이다. 음이온성 계면활성제는 세정력이 우수하고 기포력이 좋아 샴푸에 많이 사용된다.
- **양이온성 계면활성제(cationic surfactant)**
  긴 사슬 알킬리가 수용액에서 양이온으로 이온화하는 계면활성제로 살균제, 소독제, 방부제로 쓰며 섬유의 방수성(防水性), 유연성, 염색성 따위의 향상에도 쓰인다. 양이온성 계면활성제는 대전방지가 뛰어 나므로 린스제, 트리트먼트제 등에 사용되며 정전기의 발생도 억제시킨다.
- **양쪽성 계면활성제(amphoteric surfactant)**
  물에 녹았을 때의 용액 pH에 따라 알칼리 쪽에서는 음이온성 계면활성제의 역할을 하고 산성 쪽일 때는 양이온성 계면활성제의 역할을 하는 특성을 지니며, 세정력이 적당하고 자극도 적으며 안정성이 높아 저자극 샴푸, 유아용 샴푸 등으로 사용된다.
- **비이온성 계면활성제(nonionic surfactant)**
  세정력을 높여주거나 모발의 상태를 좋게 하여주며 향 등의 가용화를 위하여 사용되지만 기포력은 떨어진다. 피부자극이 적어 화장수의 가용화제, 크림이나 로션상의 유화제, 클렌징 크림의 세정제로 사용된다.

▶ **표 5-1** 계면활성제의 종류와 역할

종 류	역 할
음이온성 계면활성제 (anionic surfactant)	세정 효과와 기포 형성 효과가 우수하므로 비누나 샴푸, 클렌징폼 등에 사용
양이온성 계면활성제 (cationic surfactant)	살균, 소독 작용이 크며, 정전기의 발생을 억제시키므로 린스나 트리트먼트의 성분으로 사용
양쪽성 계면활성제 (amphoteric surfactant)	세정 작용이 있으며, 피부 자극이 적어 저자극 샴푸나 베이비샴푸 등에 사용
비이온성 계면활성제 (nonionic surfactant)	피부자극이 적어 화장수의 가용화제, 크림이나 로션상의 유화제, 클렌징 크림의 세정제로 사용

5) 샴푸의 종류

(1) 비듬방지용 샴푸anti-dandruff shampoo

각질과 비듬을 제거하고 세균의 증식을 억제하며 피부질환 등에 효과가 있는 샴푸제이다.

(2) 탈모방지용 샴푸anti-hair loss shampoo

혈액순환 장애로 인한 탈모와 피지의 과다 분비, 영양 부족으로 인한 탈모를 해결해주는 기능을 가진 샴푸이다.

(3) 건성모발용 샴푸dry hair shampoo

건조하고 푸석거리며 윤기가 없는 모발에 모발 세척 과정에서 과다하게 손상될 수 있는 보습 성분들을 보충하여 주는 타입이다. 오일 성분, 천연보습 성분을 함유하여 엉킴을 최소화하고 광택과 감촉을 향상시켜 주는 마일드한 세정 타입이 적용된다.

(4) 지성모발용 샴푸oily hair shampoo

과도한 피지 분비를 조절해 주고 세균 번식과 염증을 예방하는 세정력이 강한 음이온 계면활성제(1.5~2배)를 이용한 샴푸 타입이다. 헹굼 시 부드러운 느낌을 주는 오일, 폴리머 등의 컨디셔닝 제재들은 최소 함량만 사용하여야 하며, 지성모발용 샴푸를 장시간 사용 시 두피의 건조화 현상을 초래할 수 있다.

(5) 산성 샴푸acid-balanced shampoo

펌, 염색, 탈색 등으로 손상된 모발을 약산성으로 유지시켜 주는 제품으로 자극이 적고 모발과 두피의 단백질을 거의 변형하지 않는 샴푸이다.

(6) 손상모발용 샴푸damage-hair shampoo

잦은 화학적 처리나 과도한 드라이어 사용 등으로 인해 손상된 모발을 위한 샴푸로 영양성분을 첨가하여 탄력성을 증진시켜 주고 모발의 간충물질을 채워주는 샴푸제이다.

(7) 가는 모발용 샴푸

볼륨을 주는 샴푸제로 끈적임이 없고 모발 강화 효과로 볼륨감이 지속된다.

(8) 민감성용 샴푸sensitive shampoo

아주 부드럽게 세정되며, 특히 피부에 순하게 작용하여 민감한 두피를 진정시키고 이완해준다. 피부 자체의 방어막을 강화시켜 자기방어를 할 수 있게 피부를 보호한다.

(9) 염색모발용 샴푸colored hair shampoo

염색한 모발이 산화되는 것을 방지하고 모발의 색상을 오래 유지시키며 모발을 보호해주는 샴푸이다.

(10) 펌 전용 샴푸permanent hair shampoo

퍼머 후 컬의 탄력을 유지시켜 주며 퍼머 시 화학처리로 손상된 모발에 영양을 보충해주기 위한 샴푸제이다.

(11) 베이비용 샴푸baby shampoo

어린이 전용의 샴푸제로서 어린이의 약한 피부와 눈에 자극이 낮은 제품으로 탈지력이 약하고 저자극성의 샴푸제이다.

(12) 허벌 샴푸herbal shampoo

고급 알코올 세제 사용으로 식물의 엑기스를 첨가하여 두피의 생리적 기능을 조절하면서 소염 · 진염 · 탈취 · 살균 · 단백질 합성과 세정 작용을 한다.

(13) 샴푸 & 린스 겸용 샴푸

바쁜 현대인의 욕구에 의해 출시된 제품으로 양쪽성 계면활성제를 주세정제로 사용하는 샴푸에 음 · 양이온성 복합체를 린스제로 배합한 샴푸제이다.

2. 린스rinse

1) 린스의 정의

린스라는 말은 본래의 의미로 '씻다, 헹구다' 의 의미이지만 통상적으로 샴푸 후 사용하는 헤어 컨디셔너의 일종으로서 여러 가지 원인에 의하여 발생하는 모발의 손상을 보완시켜 주며 모발에 광택을 부여하고 빗질을 용이하게 해주며 세척 후 생기는 정전기를 막아주는 역할을 하는 제품을 말한다.

2) 린스의 목적

현재 사용하고 있는 샴푸들은 주로 합성세제로 되어 있기 때문에 아주 물에 잘 녹고 모발의 불순물을 완전히 씻어내는 것이 가능하고 알칼리성이 아니기 때문에 예전의 비누처럼 중화시킬 필요가 없게 되었다. 그러나 세정력이 너무 뛰어나기 때문에 모발에 필요한 유성 성분까지 제거해 버려 모발이 건조해지고 푸석푸석해 보이게 되므로, 이러한 상태가 지속되면 건성 모발이 되어 손상의 원인이 된다. 또 브러싱을 할 때에도 모발이 정돈이 안 되고 부담이 가게 되어 물리적으로 모발 최외각 부분인 큐티클(cuticle)층을 손상시키게 되므로 반드시 린스의 사용이 필요하다.

3) 린스의 조건

① 모발을 유연하게 하며 빗질이 잘되게 하여야 한다.
② 모발에 수분이나 유성 성분을 보충하여 광택을 부여하여야 한다.
③ 정전기의 발생을 억제, 방지하는 효과가 있어야 한다.

④ 모발의 표면을 보호할 수 있어야 한다.
⑤ 모발을 정돈하기 쉽고 스타일링 하기가 쉬워야 한다.
⑥ 눈이나 두피에 자극이 없고, 안정성이 좋아야 한다.

4) 린스의 주요 성분

(1) 계면활성제

샴푸에서 사용하는 계면활성제는 거의 음이온성이거나 비이온성이었지만, 린스의 계면활성제는 양이온성 계면활성제를 사용하고 있다. 그것은 모발과 정전기적으로 결합하는 성질을 가지고 있어서 다른 계면활성제들보다 강하게 흡착할 수 있기 때문이다. 특히, 음이온을 띠고 있는 모발과 반응하여 젖은 모발에 투과해 들어가 모발 표면에 부드럽고 얇은 피막을 형성함 으로써 젖은 상태에서의 빗질의 용이성을 증가시켜 줄 수 있다.

(2) 보습제

일반적인 보습 효과를 줄 수 있는 성분들이 포함된다. 글리세린이나 프로필렌글라이콜, 에칠렌글라이콜, 솔비톨 등이 주로 사용되고 있다.

(3) 컨디셔닝제

샴푸에 의하여 과도하게 제거된 유분을 보충하여 주며, 모발의 추가적인 손상이나 정전기를 방지시켜 줄 수 있는 성분들을 말한다. 일반적으로 모발에 부착능력이 좋고 물로 씻어도 잘 씻겨 내려가지 않는 천연 오일류나 합성 오일들이 사용된다. 이러한 오일류는 영양 공급이나 모발에 광택을 주고, 정발의 효과까지 느낄 수 있는 원료들이다. 대표적인 오일류로는 탄화수 소류인 미네랄오일, 스쿠알란, 바셀린 알코올류인 올레일알코올, 세탄올, 에스테르류인 이소 프로필미리스테이트 등과 글리세린류의 오일들, 천연으로 라놀린 오일과 레시친을 들 수 있다. 또한, 최근 여러 가지 합성 오일 중 실리콘 오일류가 많이 사용되기 시작하였는데 다른 오일보다 가벼운 사용감과 모발에 밀착감이 뛰어나 컨디셔닝 효과에 있어서 장점이 많다.

(4) 고분자 물질

제형을 잡아주고 역시 모발에 부착하여 부수적인 컨디셔닝 효과를 줄 수 있는 성분이다. 정발의 효과를 나타내는 성분들이 많으며, 점증 효과와 제형 안정화를 위하여 필수적으로 들어가는 성분들로, 천연 성분들부터 합성한 고분자까지 다양하게 나와 있다. 또한 이러한 고분자 물질들이 모발에 남아 있으면서 수분을 함유하고 있기 때문에 보습효과까지도 나타낼 수 있다. 대표적인 성분들은 천연 물질로서 아라비아검, 젤라틴 등이 있고, 합성 물질로 카르복시메 칠셀룰로오즈, 하이드록시프로필스타치, 양이온성 셀룰로오즈, 폴리비닐알코올 및 그 유도체들을 들 수 있다.

(5) 기타

샴푸에서와 마찬가지로 기타의 성분들은 거의 비슷하다. 금속이온봉쇄제인 EDTA나 향, 살균 효과를 줄 수 있는 성분들이나 비듬 방지 성분 그리고, 모발에 영양을 줄 수 있는 비타민류, 식물 추출물 등이 포함되며, 청량감을 줄 수 있도록 알코올이나 멘톨이 사용되고 있다.

이러한 보조 성분들은 성상이나 안정도 등에 영향을 줄 수 있기 때문에 그 사용량이나 혼합 사용에 있어서 주의를 요한다.

5) 린스의 종류

(1) 산성(산 균형) 린스

펌, 염색 등의 시술 후에 모발에 남아있는 알칼리의 성분을 중화시켜 주는 제품으로 성분에 따라 레몬 린스, 구연산 린스 등이 있다. 산 균형 린스제는 표백작용이 있으므로 장시간 사용을 피한다.

(2) 비듬 제거용 린스

린스제에 비듬제거 효과가 있는 약제를 배합한 제품으로 노화각질과 산화분해물, 세균의 번식, 두피의 건조 등에 의해서 생기는 비듬을 제거하는 각질 용해제, 피지 분비물을 억제하는 비타민류, 살균제 성분이나 습윤제 등이 배합되어 있다. 비듬제거 샴푸제와 같이 사용하면 더욱 효과적이다.

(3) 컨디셔닝 린스

양이온성 계면활성제가 주성분으로써 대전방지 효과와 유 · 수분을 보충하여 영양을 공급해 주는 린스제이다. 컨디셔닝제로 사용되는 유성성분으로는 고급 알코올, 스쿠알렌, 라놀린 등이 있다.

(4) 자외선 차단 린스

자외선으로 인한 모발의 탈색이나 변성을 방지하는 제품이다.

(5) 컬러 픽스 린스

염색 후 모발에 이중막을 형성하여 색소의 산화를 막아 퇴색을 방지하는 제품이다.

3. 트리트먼트treatment

1) 트리트먼트의 정의

'치료, 처치' 라는 의미를 담고 있는 트리트먼트는 두피, 모발에 유 · 수분을 보급하여 두피나 모발을 건강한 상태로 유지하고 손상된 모발의 진행을 방지하며 외부의 손상 요인으로부터 보호하는 역할을 한다. 헤어 트리트먼트는 모발의 내부층까지 깊숙이 침투해 손상되거나 약해진 부분을 보강해줌으로서 단순히 모발 표면에 보호막만을 형성해주는 린스보다는 근본적인 작용을 하게 한다.

2) 트리트먼트의 목적

일반적으로 모발이 손상을 받게 되는 원인을 크게 3가지 정도로 볼 수 있는데, 화학적인 원인에 의한 손상, 물리적인 원인에 의한 손상, 환경적인 원인에 의한 손상을 들 수 있다.

이와 같이 손상으로 생기는 모발의 변화는 일시적인 현상이 아니라 지속적으로 일어나고 있는 변화이기 때문에 트리트먼트의 개념도 일시적인 치유가 아닌 지속적인 관리의 개념이 되어야 한다. 한번 손상된 모발은 다시 원래의 상태로 회복될 수 없으므로 미리 손상을 방지 하는 것 또한 중요하게 되며, 손상모 뿐만 아니라 정상모도 아름다운 모발을 유지하기 위하여 수분과 유분을 공급하고 광택 및 유연성을 유지시켜 주는 것이 필요하다.

3) 트리트먼트의 조건

① 모발을 유연하게 하며 빗질이 잘되게 하여야 한다.
② 모발과 친화력이 있어 내부의 케라틴과 결합하여 손상을 방지할 수 있어야 한다.
③ 정전기의 발생을 억제, 방지하는 효과가 있어야 한다.
④ 모발의 표면을 보호하며, 윤기를 주어야 한다.
⑤ 모발에 일정한 수분을 유지시켜 주어야 한다.
⑥ 모발의 물리적인 특성을 강화시켜 줄 수 있어야 한다.
⑦ 극손상모에 모발보호성분의 함량이 높고 지속력이 좋아야 한다.
⑧ 자외선 차단효과가 있어야 한다.

4) 트리트먼트의 주요성분

아름다운 모발을 위해서는 수분과 유분이 적당하여야 부드럽고 광택이 나야 되며, 보통 모발은 10~15%의 수분을 유지하고 있다. 수분과 유분이 부족하면 모발은 광택이 없어지고 마찰 등으로 손상되기 쉬우므로 손상으로부터 모발을 보호하기 위해 트리트먼트제가 필요하다.

▶ **표 5-2** 트리트먼트제의 원료

계면활성제	비이온성 계면활성제, 양이온성 계면활성제, 음이온성 계면활성제, 양쪽성 계면활성제가 있으며 서로 섞이기 어려운 물과 기름성분을 고르게 유화시켜 침투시키기 위해 사용된다.
대전방지제	양이온성 계면활성제와 양이온성 고분자화합물 등이 있다. 이 물질들은 모발케라틴 단백질과의 친화력이 강하여 모발이 −로 대전한 곳에 흡착, 정전기를 방지하고 빗질을 용이하게 한다.
유지류	모표피를 유성의 피막으로 막아 수분의 증발을 억제한다. 동 · 식물의 오일과 실리콘을 사용한다.
습윤제	모발이 부드럽고 촉촉한 느낌이 나도록 수분을 제공한다
모질 개량제	모발에 흡착 · 침투하여 손상부위를 수정하거나 보호하는 목적으로 사용된다.

5) 트리트먼트의 종류

(1) 크림 타입의 트리트먼트제

크림 타입이 가장 많이 사용되는 형태로서 사용방법에 있어서 헹구어 내는 방법과 헹구지 않는 방법이 있다. 모발에 유분과 수분을 공급하고 광택을 주며, 건강모와 손상모를 손상으로부터 보호하여 주는 역할을 한다.

(2) 에어졸 타입의 트리트먼트제

액체의 내용물을 주입 가스의 압력에 의해 분사시키는 타입으로 사용이 간편하고 씻어내지 않는 편리성으로 많이 이용되고 있다.

(3) Wet 타입의 트리트먼트제

구미 제품에서 많이 볼 수 있으며, 사용법으로 펌 전처리제나 컬러링 시 전처리제 또는 후처리제 등으로 많이 사용되고, 캡슐이나 앰플 형태가 많아 1인용으로 사용한다.

6) 트리트먼트제의 사용법

트리트먼트제는 모발용과 두피용이 있는데, 두피용은 물리적 자극이나 생리기능의 원활한 혈액순환 그리고 모모세포의 분열을 촉진시켜 주는 역할을 하고, 모발용의 트리트먼트제는 손상모(펌, 컬러, 난폭한 브러싱, 강한 샴푸제 사용, 자외선, 대기오염 등)에 집중적인 보습과 영양공급을 위한 역할을 한다.

모발 진단에 따른 적합한 제품을 사용하여야 하며, 극손상모에는 2~3일에 1회, 손상모일 경우 1주일에 1회, 모발보호를 위해서는 1달에 2~3회 사용한다.

4. 두피 세정과 모공이완을 위한 스켈링제

두피 세정을 위한 준비단계에 사용되며 스타일링을 한 고객일 경우 간단한 모발 세정 후 사용한다. 각질 및 노폐물을 모공에서부터 끌어내오게 되며 동시에 모공을 이완시켜 다음 단계로의 이 전을 용이하게 한다. 제품을 바른 후 음이온기, 두피 매뉴얼테크닉기, 헤어스티머를 사용할 수 있으며 고객의 상태에 따라 15~20분 정도의 시간이 소요된다.

1) 스켈링제의 성상에 따른 타입

(1) 액체 타입liquid type

비교적 증상이 가벼운 각질 및 피지를 제거할 때 사용되며 액체의 성질상 피부에 흘러내리는 것을 조심해야 한다.

(2) 젤 타입gel type

일반적인 대부분의 각질 및 피지를 제거할 때 보편적으로 사용한다.

(3) 크림 타입 cream type

증상이 심한 각질 및 피지를 제거할 때 사용할 수 있으며, 크림 타입의 성질상 두피가 아닌 모발에 묻을 수 있다.

2) 스켈링 제품의 성분

- **각질 용해 및 항균(두피의 살균, 노화각질제거 및 두피의 연화/제품의 흡수 도움)**: 살리실산, 레졸신 등
- **항지루제(피지분비억제)**: 유황구연산, 비타민 B_6
- **혈행촉진제**: 니코틴산, 세파틴산, 비타민 E, 비타민 B_5
- **소염제(염증억제)**: 감초추출물, 항히스타민제, 스테로이드화합물
- **국소자극제(청량감, 가려움증)**: 멘톨, 고추틴크, 페퍼민트

5. 육모제

고농축 앰플 형태가 많으며 젤이나 스프레이 타입도 있다. 세정단계 후, 타올 드라이를 하고 두피에 골고루 도포한다. 흡수 정도가 효과에 관건이므로 기기를 함께 사용하여 흡수를 최대화한다.

1) 육모제의 성분

- **혈행 촉진**: 센부리추출물, 세파라틴, 비타민 E, 니코틴산
- **모근영양**: 비타민 B, 비타민 E, 시스테인, 시스틴, 아미노산엑기스
- **모근세포생성**: 글리세린, 히아루론산, 세라마이드

2) 발모제, 육모제, 양모제의 차이

(1) 발모제

모근부에 영양을 공급하여 모발이 자라게 하는 제품으로 프로페시아나 미녹시딜과 같은 의약품류에 해당하는 것을 말하며, 전문의의 처방을 필요로 한다.

(2) 육모제

모근부위에 영양을 공급하여 모발이 잘 자랄 수 있도록 도와주는 기능과 더 이상의 이상 탈모 현상을 막아주는 탈모 예방 기능의 제품으로, 일반적으로 사용되고 있는 외용제를 말한다.

(3) 양모제

모근부에 영양을 공급하여 모발이 자라도록 하기 보다는 가늘어져 있는 연모를 탄력있고, 건강한 경모로 발전하도록 도와주는 화장품류로 의약품에 비해 안전성 면에서 높은 제품을 말한다.

도움 발모제와 육모제의 주된 기능

1. 혈액 순환 촉진의 기능
2. 남성호르몬과 환원효소의 작용을 억제하는 기능
3. 피지 분비 밸런스 조절의 기능
4. 두피 생리기능의 정상화의 기능
5. 모유두 및 모모세포의 영양공급의 기능

Chapter 6

6장 두피모발과 아로마

Scalp structure

1. 아로마테라피aromatherapy의 정의

'아로마(aroma)' 는 그리스어의 '향료' 에서 유래된 '좋은 향기' 라는 뜻으로 '요법, 처치' 라는 뜻을 지닌 '테라피(therapy)' 와 결합하여 대체요법의 하나로 적용되고 있다.

일반적인 의미로 '아로마테라피' 라고 하면 각종 방향성 식물의 뿌리, 줄기, 열매, 꽃, 잎에서 추출한 에센셜 오일을 이용하여 마음, 영혼, 신체를 치유하는 목적을 가지고 사용되는 대체의학의 한 부분으로 이해되고 있으며 최근에는 스파, 매뉴얼테크닉, 스킨케어 등에 폭넓게 적용되고 있다.

2. 아로마 오일의 추출방법

1) 용매추출법solvent extraction

식물에 함유되어 있는 매우 적은 양의 향유를 추출하거나 수증기에 녹지 않은 향유를 추출할 때 또는 수지에 포함되어 있는 향유를 효율적으로 추출하기 위하여 벤젠(benzene)이나 헥산(hexane)같은 유기용매를 이용하여 추출하는 방법이다. 이때 추출해 낸 향유성분과 유기용매의 복합체를 함께 농축하여 얻은 고형물질을 콘크리트(concrete)라고 부르고, 이 콘크리트에 함유된 유기용매를 제거하기 위하여 에틸알코올로 처리하면 향유성분만이 녹아 나온다. 그러나 향유의 최종 산물에는 소량의 유기용매가 1~3% 정도 남아 있는 단점이 있다. 유기용매에 녹이는 과정을 거쳐서 만든 향유를 앱솔루트(absolute)라고 부르며, 증류법에 의하여 추출해낸 향유를 오또(otto)라고 부른다.

2) 수증기 증류법distillation

가장 일반적으로 활용되고 있는 추출방법으로 뜨거운 물이나 수증기를 이용하여 오일을 추출하는 방법을 말한다. 대량으로 아로마 오일을 얻어낼 수 있는 장점이 있으나 고온에서 일부 열에 의해 성분이 파괴되는 단점이 있다.

3) 압착법expression

버가못, 오렌지, 라임, 레몬, 만다린 등의 시트러스(citrus)계열의 열매 내피를 기계로 압착해서 향유를 추출할 때 사용하는 방법이다. 이때 향유 성분이 파괴되는 것을 막기 위하여 열매 내피를 실온의 저온 상태에서 압착하기 때문에 냉각압착법(cold expression)이라고도 한다.

4) 액체 이산화탄소 추출법

최근에 개발된 향유추출법으로 액체 상태의 이산화탄소가 용매와 같은 작용을 하는 성질을 이용한 추출법이다. 향유를 초저온에서 추출하기 때문에 열에 약한 향유의 성분이 보존되어서 원형에 가까운 향유를 추출할 수 있다.

용매추출법은 용매의 유기물질이 조금 남아 있을 수 있지만 이산화탄소 추출법은 순수한 향유 이외에 다른 이물질이 남지 않는다는 장점이 있다. 하지만 생산가가 비싸기 때문에 의료용의 높은 순도의 향유를 필요로 할 때를 제외하고는 거의 이용하지 않고 있다. 이 방법으로 추출한 향유는 고도로 농축된 물질로 상당히 강력한 위력을 발휘하기 때문에 천연물질로 된 약물이라고 할 수 있다.

3. 아로마 오일의 사용방법

1) 매뉴얼테크닉법

적절한 캐리어 오일에 에센셜 오일을 약 3% 정도로 희석하여 신체 각 부위를 매뉴얼테크닉해주는 방법으로 매뉴얼테크닉을 통해 촉각센서를 자극함으로서 대뇌의 엔돌핀을 촉진시키고 시술자와 고객 간의 정신적 신뢰감을 강화하고 정신적 스트레스의 해소효과에도 탁월하다. 또한 매뉴 얼테크닉을 통한 림프순환의 활성화로 면역력이 증대해 두피관리에 많이 활용된다.

2) 램프확산법

발향 버너, 발향 램프 등을 이용해 실내를 발향해 주는 방법으로 주로 분위기 연출효과나 전염병의 확산을 막기 위하여 쓰여져 온 방법이다. 발향 용기는 세라믹이나 유리 재질이 바람직하며 100 ml의 물에 10방울 정도의 오일을 떨어뜨려 사용한다.

3) 목욕법

매뉴얼테크닉을 통해 피부로 오일이 흡수되는 경로와 증기흡입으로 뇌와 폐로 오일이 침투되는 경로를 일시에 할 수 있는 방법으로 이용되는 것이 목욕법이다. 먼저 샤워를 하여 몸을 데운 후 욕조에 알맞은 온도로 물을 채운 뒤 에센셜 오일 3~6방울을 떨어뜨려 잘 섞은 후 입욕한다. 목욕법은 혈액을 촉진시키고 모낭 내에 산소와 영양분을 공급함으로서 탈모를 예방할 수 있어 홈케어의 방법으로 추천할 수 있는 방법이다.

4) 족욕법

발의 피로회복, 무좀과 무릎관절 등의 치료에 효과를 볼 수 있는 방법으로, 입욕법과 마찬가지로 세면기나 대야에 물을 채우고 오일을 3~4방울 떨어뜨려 잘 섞은 다음 발목까지 15분간 담가 편안하게 즐길 수 있다.

5) 증기흡입법

흡입법은 아로마향이 흡입을 통해 후각신경을 타고 대뇌변연계(limbic system)로 직접 신호가 전달되는 것을 말한다. 따라서 감정과 기억을 관장하고 호르몬 중추역할을 하는 대뇌변연계가 자극되어 정서적 안정을 찾고 호르몬 분비가 활성화되어 신체기능이 균형을 잡는다. 따라서 두피관리실에서 향을 피우게 되면 효과적이라 할 수 있다.

4. 아로마 오일의 종류

1) 에센셜 오일essential oil

에센셜 오일은 향이 있는 식물의 뿌리, 줄기, 꽃, 잎, 열매 등에서 추출한 정유를 말한다. 식물의 천연성분으로 약효성분을 가지고 있어 두피의 혈액순환을 촉진시켜 주고 세포의 기능을 활발하게 함으로써 모근에 영양을 공급하고 노폐물을 배출시켜 모발의 성장을 돕고 윤기있게 만들어 준다. 에센셜 오일은 물보다 훨씬 가볍고 발화성이 높은 고도의 농축액으로 너무 빨리 증발하기 때문에 효과를 제대로 보기 위해서는 다른 것과 섞어 써야 하며, 농축된 상태이기 때문에 방울로 사용수치로 나타낸다.

에센셜 오일은 여러 가지 화학성분으로 구성되어 있으며, 에테르, 알데히드, 알코올, 키톤, 에스테르 등 화학분자들의 비율과 구조가 에센셜 오일의 독특한 향이나 치료적 성분을 결정짓는다.

▶ **표 6-1** 모발과 두피에 효과적인 에센셜 오일

에센셜오일	기능	적용
페퍼민트 (peppermint)	집중력강화, 림프자극, 염증, 정화작용	모든 두피, 예민성
라벤더 (lavender)	고혈압, 불면증, 피로회복, 세포촉진, 피지분비, 균형유지	지성 두피, 탈모, 고혈압
일랑일랑 (ylang ylang)	고혈압, 스트레스완화, 우울증	건성 두피, 고혈압
로즈마리 (rosemary)	저혈압, 림프순환촉진, 머리를 맑게 하는 작용	지성 두피(수렴작용), 저혈압
네롤리 (neroli)	스트레스 우울증완화, 진정작용	노화, 과민성 두피
제라늄 (geranium)	림프순환촉진, 신경안정	탈모, 비듬
클라리세이지 (clary sage)	스트레스완화, 세포재생촉진	염증성 두피, 지성 두피, 비듬 모발
바질 (basil)	집중력 강화, 두통, 혈액순환촉진	탈모
티트리 (teatree)	활력, 독소배출	지성 비듬, 염증 두피
레몬 (lemon)	고혈압, 머리를 맑게 하는 작용 두피각질 제거, 모세혈관 강화	비듬 두피

2) 캐리어 오일carrier oil

캐리어 오일은 에센셜 오일을 피부에 효과적으로 흡수시키기 위한 오일을 말한다.
입자가 커서 피부에 침투하지는 못하나 에센셜 오일을 피부로 전달하는 매개체 역할을 하며 향을 부드럽게 해 부작용을 없애준다. 캐리어 오일은 인체에 유익한 불포화 지방산과 비타민, 미네랄 등의 영양성분을 가지고 있어 피부의 연화, 진정효과 및 영양을 준다. 캐리어 오일은 영양분과 고유 성분의 손실을 최소화하기 위해 저온 압착법에 의해 얻어지며, 견과나 씨에서 추출한다.

▶ **표 6-2** 모발과 두피에 효과적인 캐리어 오일

종류	특성	적용
헤이즐넛(hazelnut)	비타민이 풍부하여 혈액순환촉진, 수렴효과	모공수축, 지성 두피, 지성 비듬
칼렌듈라(calendula)	금잔화 추출물이며, 항염, 항알레르기에 효과	예민, 민감성
윗점(wheatgerm)	천연방부 역할을 하며 유분감이 풍부하다.	건성 두피, 예민성 두피
호호바(jojoba)	보습과 유연효과가 피지성분과 유사하여 흡수력이 탁월, 식물성 왁스, 미네랄, 단백질 함유로 화장품에 많이 사용	건성 비듬
아보카도(avocado)	수분, 유분이 많으며 침투력이 우수하고 지방 노폐물 분해 효과	셀룰라이트
아몬드(almond)	유분감이 있고 영양흡수	건성 두피
코코넛(coconut)	단백질과 식물성 왁스 성분이 함유되어 있어 모발에 많이 쓰임	모발 영양

5. 두피 및 모발 아로마제품

1) 아로마 샴푸 만들기

(1) 정상 모발을 위한 혼합법

- 호호바오일 30 ml
- 샴푸 200 ml
- 팔마로사 8방울
- 사이프러스 3방울
- 라벤더 5방울
- 로즈마리 4방울

(2) 지성 모발을 위한 혼합법

- 호호바오일 30 ml
- 샴푸 200 ml
- 버가못 10방울
- 사이프러스 4방울
- 로즈마리 3방울
- 라벤더 3방울

(3) 건성 모발을 위한 혼합법

- 호호바오일 30 ml
- 샴푸 200 ml
- 샌달우드 8방울
- 제라리움 6방울
- 라벤더 3방울

(4) 손상 모발을 위한 혼합법

- 호호바오일 30 ml
- 샴푸 200 ml
- 샌달우드 8방울
- 팔마로사 5방울
- 카모마일 3방울
- 라벤더 4방울

2) 아로마 트리트먼트 만들기

(1) 정상 두피를 위한 혼합법

- 호호바오일 30 ml
- 라벤더 10방울
- 제라늄 4방울
- 일랑일랑 4방울

→3% 희석이 바람직

(2) 지성 두피를 위한 혼합법

- 호호바오일 30 ml
- 버가못 8방울
- 티트리 4방울
- 페퍼민트 4방울

→3% 희석이 바람직

(3) 건성 두피를 위한 혼합법

- 호호바오일 30 ml
- 세이지 10방울
- 샌달우드 5방울
- 로즈마리 5방울

→2% 희석이 바람직

(4) 비듬성 두피를 위한 혼합법

- 호호바오일 30 ml
- 티트리 8방울
- 로즈마리 5방울
- 클라리세이지 5방울

→3% 희석이 바람직

(5) 민감성 두피를 위한 혼합법

- 호호바오일 30 ml
- 샌달우드 2방울
- 카모마일 2방울
- 라벤더 2방울

→1% 희석이 바람직

(6) 탈모성 두피를 위한 혼합법

- 호호바오일 30 ml
- 라벤더 8방울
- 로즈마리 6방울
- 시더우스 4방울

→3% 희석이 바람직

3) 에센셜 오일 사용 시 주의사항

① 민감성 피부나 예민성 피부는 패치 테스트를 하여 이상 유무를 확인하고 사용한다.
② 아로마 오일의 성분을 파악하고 용량을 반드시 지켜서 사용한다.
③ 개봉 후 1년 이내에 사용한다.
④ 아로마 오일을 희석해서 사용한다.
⑤ 아로마 오일은 빛과 열에 약하므로 암갈색 병에 담아 직사광선을 피해 보관한다.
⑥ 눈 주위에는 닿지 않도록 한다.

Chapter 7

Scalp structure 7장 두피와 기기

1. 기기의 사용목적

기기는 두피관리 및 제품의 침투를 용이하게 도와주는 역할을 하며, 두피의 혈행을 돕고 두피질환 및 탈모를 예방하고 관리하기 위해 필요하다. 대표적인 기능으로는 진단을 위한 기기, 세정을 도와주는 기기와 제품의 흡수를 효과적으로 해주는 기기 등으로 나눌 수 있다.

기기를 잘못 사용할 경우 탈모의 가속화와 두피 질환의 문제점이 생길 수 있으므로, 기기의 사용 시 기기 자체의 기능을 잘 파악하여 적절한 단계에 시행하도록 하여야 한다.

2. 기기사용 시 효과

① 피부 보호막, 피지, 각질 등으로 인해 제품 자체의 기능을 발휘하지 못하는 단점을 보완하고 두피질환 및 육모에 효과적이다.
② 기기와 두피 관리의 접목으로 더욱 고객의 만족도가 상승되므로 매출 증대를 가져올 수 있는 효과가 있다.
③ 고객의 입장에서 보면 좀 더 과학적인 두피관리에 대한 확신을 주는 효과가 있다.

3. 기기선택 시 고려사항

① 사용목적
② 작용 원리 및 기능
③ 관리센터의 규모 및 고객 취향
④ 보조기능
⑤ 관리 고객층

⑥ 사용 제품과의 호환성
⑦ A/S여부 및 기간
⑧ 허가사항(의료기, 미용기, 수입, 국산)
⑨ 가격 및 기기 유지비

4. 기기의 종류

1) 진단용 기기

(1) 모발 진단기

배율렌즈를 이용하여 고객의 두피나 모발 상태를 체크하는 것으로 일반적으로 두피는 40~100배율, 모발은 150~400배율로 관찰하도록 한다.

진단기 사용 전 진단기 렌즈 부위를 살균, 소독하고 렌즈와 두피의 거리조정은 정확하게 하며, 측정 부위가 화면의 중앙에 위치할 수 있도록 하는 등의 세심한 주의가 필요하다.

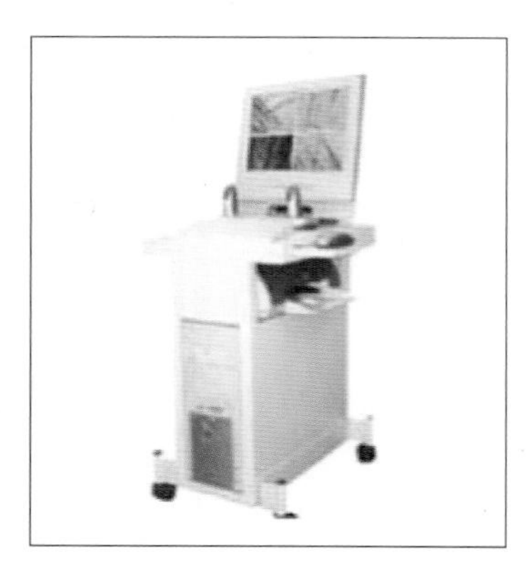

그림 7-1 모발진단기

■ 모발진단기 사용 시 주의사항

- 진단기 검사 시 고객의 세정 시간대 체크
- 사용 전 진단기 렌즈 부위 살균, 소독
- 고객과 일정한 거리 유지
- 렌즈와 두피의 정확한 거리조정
- 과다한 두피 압박 주의
- 문제 부위 → 전두부 → 두정부 → 측두부 → 후두부
- 측정 부위의 화면 위치(화면 중앙 부분)
- 정상 부위와의 비교분석 및 두피 검사 후 자료보관

(2) 모발 현미경

모낭충 및 모발의 큐티클(cuticle)부위를 좀 더 정확하게 볼 수 있도록 고안된 광학 현미경으로 디지털 모니터와 연결 시 화면을 모니터 상으로 파악할 수 있어 고객과의 상담을 효과적으로 이끌 수 있다.

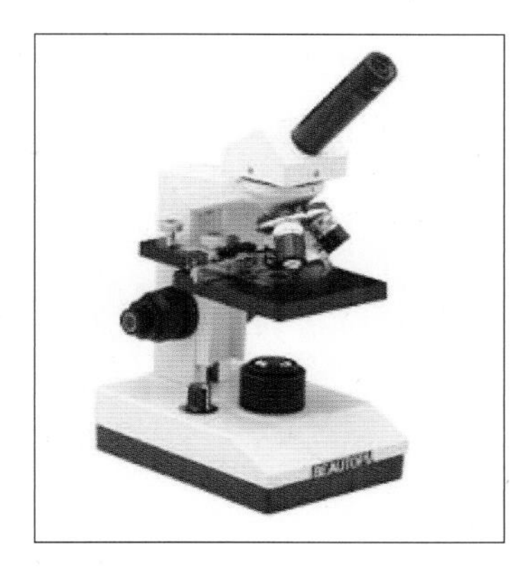

그림 7-2 모발 현미경

(3) 프린터기

진단기를 통해서 관찰한 고객의 두피나 모발의 상태를 출력하여 자료화할 수 있도록 도와주는 기능을 한다.

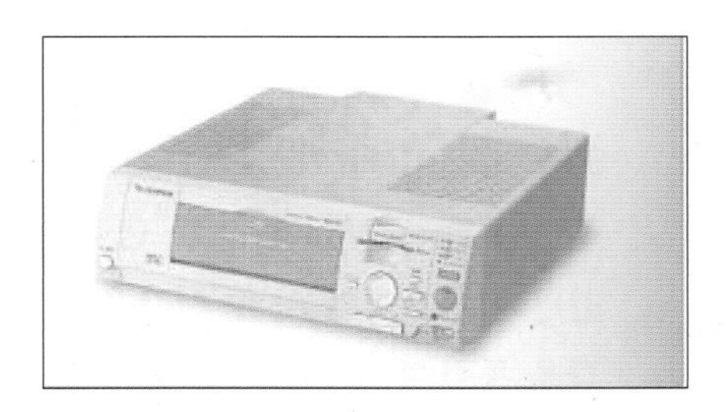

그림 7-3 프린트기

2) 관리용 기기

(1) 세정기기

세정기기는 두피나 모발의 피지, 각질, 노폐물을 제거하기 위해 사용하는 기기로 두피 스켈링을 통해 모공을 열어주고 모근의 호흡작용을 촉진하며 영양성분의 흡수가 용이하도록 도와주는 역할을 한다.

① 스티머(Hair Steamer)

용도: 두피 각질 연화 및 혈액순환

미립자의 수증기를 이용하여 두피와 모발 깊숙이 오존(O_2)을 침투시키고 미립자의 수분과 영양분을 공급함으로서 노화각질 및 노폐물 등을 부드럽게 연화하거나 두피, 모발에 부족한 수분을 공급해주는 기기이다.

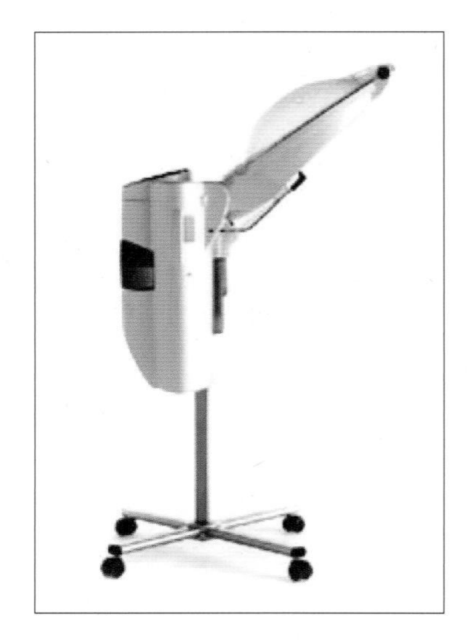

그림 7-4 스티머

■ 스티머 사용 시 주의사항

- 모발 및 두피의 상태와 사용 용도를 고려한 스티머를 선택한다.
- 고객의 두피 상태에 따른 수분 입자를 선택한다.
- 두피 상태에 따른 관리시간 및 온도를 조절한다.
  → 예민성: 7~8분, 38℃/비듬성: 15분, 45℃/지성, 건성: 10분, 40℃
  (예민성 두피의 경우 장시간 스팀기에 노출될 경우 두피 자극을 초래할 수 있다).
- 스티머기 속 노폐물을 제거 후 관리한다.
- 수증기에 대한 얼굴 부위 보호를 위해 헤드부분에 잔류하는 스팀이 얼굴부위에 떨어지지 않도록 주의한다.

② 두피 세정기

높은 수압을 이용하여 모공 속에 깊이 박혀 있는 이물질이나 각질을 제거하여 청결한 상태가 되도록 도와주는 기기로 물살의 회전과 수압을 이용하여 노폐물을 제거한다.

■ 세정기 사용 시 주의사항

- 연수를 사용한다.
- 물의 세기를 적절히 조절하여 두피에 통증이 가지 않도록 한다.
- 예민성: 약, 지성 · 건성: 중, 과다 각질: 강
- 물의 온도를 적절히 선택한다. : 평균 38℃ 정도
- 모발 길이를 고려해 사용한다.

(2) 영양침투기기

제품의 흡수율을 높이고 두피의 신진대사를 활성화시키는 데 작용한다.

① 고주파기

초당 100,000사이클 이상의 교류전류를 이용하여 인체의 기혈 순환통로를 자극, 신체 내부의 면역체계를 증강시키는 역할을 하는 기기이다. 고주파는 살균 및 소독을 통해 문제성 두피의 변화를 예방하며, 조직 내 열을 발생시켜 피부 진정효과와 두피조직의 강화작용을 통해 영양흡수를 촉진시켜 준다.

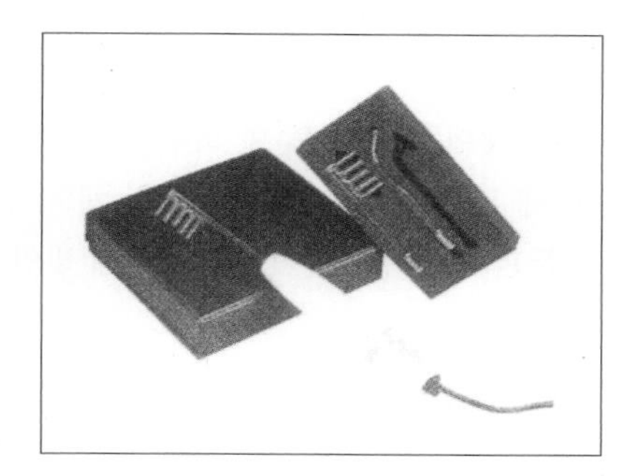

그림 7-5 고주파기

■ 고주파의 효능

- 세정, 살균, 진정효과
- 혈액순환 촉진
- 세포의 활성화를 도와준다.
- 두피의 분비물 정상화
- 모발 성장 촉진
- 오존가스를 생성하여 치유효과를 준다.
- 건강한 두피를 유지할 수 있다.

■ 고주파 사용 시 주의사항

- 예열 후 사용한다.
- 관리 중 스파크 방지를 위해 귀걸이, 목걸이 등의 금속물질의 착용을 금지한다.
- 심장질환, 고혈압, 임신 중인 경우 관리를 금지한다.
- 관리 시간은 5분 이내로 한다.
- 사용 강도는 약 5~6레벨로 한다.
- 사용 목적에 따른 유리봉을 선택한다.
  - 빗형: 두상 전체 염증 및 영양 공급 시 활용
  - 머쉬룸형: 원형탈모반 부위 관리 시 활용
  - 주걱형: 영양공급 시 활용
  - 물음표형: 특정부위 염증관리 시 활용
- 휘발성 제품 도포 시 일정시간 유지 후에 관리한다.

② 적외선

용도: 영양침투 및 세포자극

적외선의 온열효과와 빛을 이용하여 두피 내의 영양 침투 및 피부흡수를 도와주며 이로 인한 혈액순환 개선과 근육 이완작용을 통해 두피 내 독소 및 노폐물의 체외 배출에 효과적이다. 적외선은 영양제품을 도포하기 전, 두피의 물기를 제거하고 조사해 빛의 반사를 방지해야 한다.

그림 7-6 적외선기

■ 적외선 사용 시 주의사항

- 사용 강도는 7~8레벨로 한다.
- 조사 거리: 두피로부터 일정거리를 유지한다.
- 조사 시간은 약 10분을 유지한다(3분 정도씩 부분조사).
- 두피 물기 제거 후 조사한다: 빛 반사 방지
- 영양제품 도포 전에 조사한다.

③ 음이온기

용도: 영양분사, 영양침투

음이온기는 음이온의 잡아당기는 성질을 이용하여 모공 속 피지, 노폐물, 각질 및 비듬을 제거해주는 효과가 있다. 또한 음이온과 양이온을 동시에 사용하여 두피운동을 촉진하며 표피층과 진피층에 교대로 흘러 기저세포의 재생을 촉진하고 가려움증이나 염증에 살균작용을 하며 제품의 흡수를 도와준다.

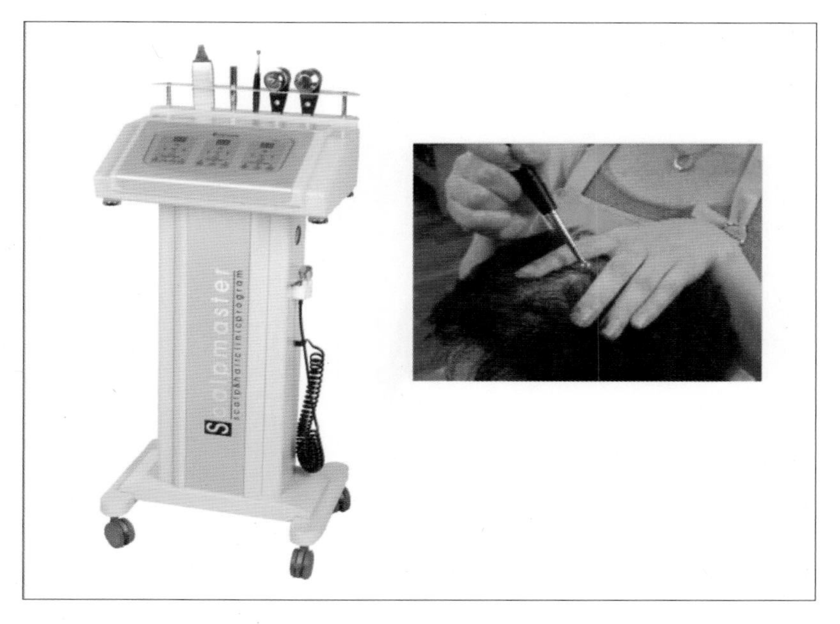

그림 7-7 음이온기

(3) 기타

① 헤어 레이저기

레이저광을 이용하여 모발 재생 사이클을 회복시켜 주는 기능을 가진 기기이다. 레이저를 이용, 두피를 조사하여 모낭 내 혈행을 개선하여 혈행순환의 활성화를 유도하며 두피질환을 치료한다. 악성 비듬질환, 지루성 피부염, 모낭염 치료에 효과적이다. 655nm의 파장의 레이저는 모발 생성 세포에 Photo-bioactivation 작용으로 세포 활성화를 통해 모근 재생 효과와 모발 재생 사이클을 회복시킨다.

그림 7-8 헤어 레이저기

② 원적외선 드라이기

용도: 모발 건조 및 두피 혈액순환

열방식이 아닌 원적외선 드라이 방식으로 모발을 보호하고, 항균과 탈취기능이 있다.

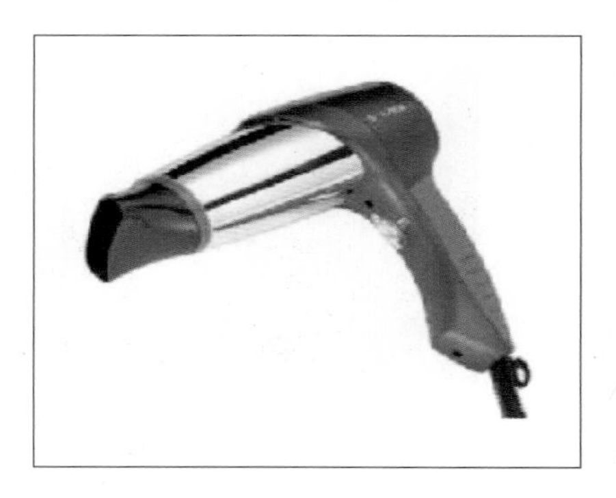

그림 7-9 원적외선 드라이기

③ 진동 매뉴얼테크닉기

용도: 승모근 이완

손 매뉴얼테크닉의 고타법과 태양광선 중 적외선 원리를 응용한 것으로 기기의 바이브레이션 작용이 두피관리 전 등근육 및 두부 근육의 이완과 혈액순환을 돕는 작용을 한다.

진동과 적외선의 작용을 응용한 기기로 고객의 근육 경직정도 및 두피상태에 따라 기기의 강도를 조절할 수 있다. 목, 어깨, 근육매뉴얼테크닉으로 긴장된 근육과 신경을 풀어 기분을 전환시켜 준다.

효과적인 매뉴얼테크닉을 위해서는 등 부위에서 경추 부위 쪽으로 이동하면서 관리한다.

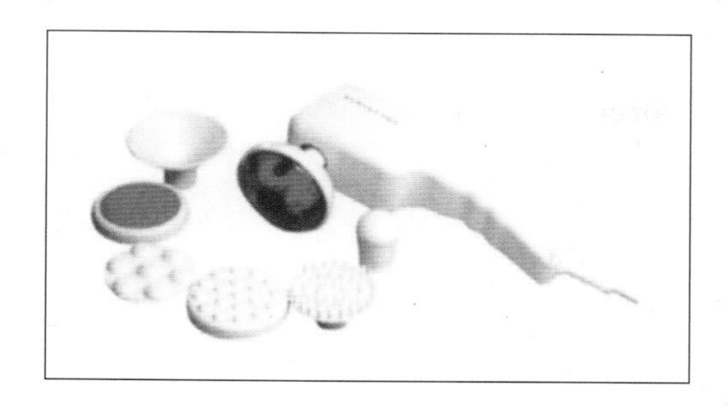

그림 7-10 진동 매뉴얼테크닉기

Part 2
실전편

Chapter 1

Scalp structure

1장 두피 및 모발관리

1. 두피관리의 정의 및 필요성

두피관리란, 두피에 쌓여 있는 노폐물을 제거하여 두피를 청결하게 하고 두피에 필요한 영양분을 공급하여 두피의 신진대사와 산소 공급이 원활히 이루어지도록 함으로써 염증, 지루성, 비듬성 두피 등의 문제성 두피를 예방 및 개선하고 저질의 모발 생성을 막고 건강하고 윤기 있는 모발로 성장할 수 있도록 두피를 관리하는 것이다.

두피에 쌓여 있는 노폐물은 모발의 성장을 저해하고 장기간 쌓여 있어 두피가 불결할 경우 세균감염과 산소공급 부족으로 탈모 현상까지 유발할 수 있으므로 두피관리에 세심한 주의가 필요하다.

두피관리는 '건강하고 질 좋은 토양에서 튼튼한 식물이 자라날 수 있는 것' 과 같은 이치로 두피의 건강 뿐만 아니라 모발과 더불어 신체의 건강까지 효과적으로 관리하는 것이 중요하다.

2. 두피관리의 목적

1) 두피의 노화 각질 및 더러움을 제거한다.
2) 두피에 자극을 주어 혈액순환을 원활히 하여 탈모 방지 및 모발의 성장에 도움을 준다.
3) 두피의 생리 기능을 원활케 하여 두피와 모발을 건강하게 유지시킨다.
4) 탈모를 포함한 모든 건강 관리에 있어서의 시너지 효과를 부여한다.

3. 두피관리의 효과

1) 원활한 혈액순환

두피관리에 있어 기본이 되는 헤드 매뉴얼테크닉, 등관리, 경락 등의 근육이완은 두피와 등근육을 중심으로 혈액순환을 촉진시켜 모발 및 두피의 원활한 영양공급과 노폐물의 배출을 도와준다.

2) 탈모 지연 및 예방

문제성 모발 생성을 막고 건강하고 윤기 있는 모발이 성장할 수 있도록 하고 탈모를 방지한다. 두피와 모공 주변에 존재하는 이물질과 노폐물은 모공을 막아 피지 분비를 저해하고 두피의 산소 공급을 방해하므로 두피의 신진대사 기능을 저하시킨다. 그로 인하여 모발의 성장기 기간이 단축되고 또한 피지의 장해로 인하여 지루성 탈모가 될 수 있다. 즉, 두피가 불결하다고 하여 그것 자체가 탈모로 이어지는 것은 아니지만 탈모를 유발시키는 원인이 되기 때문에 두피의 청결은 탈모를 예방할 수 있는 가장 기본적인 관리 프로그램이다.

3) 비듬, 가려움 등 두피의 문제점 해결

두피관리의 효과 및 목적 중 가장 중점을 두는 부분으로 오랜 시간 두피에 잔류하는 불순물들이 외부공기와 맞닿으면서 자연 산화과정을 거쳐 두피세균의 증가를 유발한다. 이러한 현상은 문제 성 두피의 주 원인인 세균으로 인해 두피부위에 염증, 홍반, 가려움 현상 등을 유발하고 심각한 경우 탈모의 촉진을 가져온다. 두피관리는 이를 예방, 치유할 수 있다.

4. 두피관리 시 주의사항

1) 고객의 두피상태를 파악한다(지성인지 건성인지, 또는 염증이나 기타 피부 질환은 없는지 매번 육안으로 확인하고 고객에게 알려준다).
2) 관리에 들어 가기 앞서 사용할 기계와 소품들을 잘 정리하고 고객이 관리 의자에 앉는 즉시 바로 관리에 들어갈 수 있도록 철저히 준비한다. 고객이 보는 앞에서 이것저것 찾지 않는다.
3) 고객의 두피 타입과 관리 과정에 맞는 제품을 선별한다.
4) 제품의 지식과 모발과 탈모에 대한 지식을 습득하여 고객의 질문에 막힘없이 대답할 수 있을 정도의 수준을 갖춘다.
5) 고객의 상태를 확인하여 고객 차트에 기록하고 전화나 이메일, 문자를 통해 사후 서비스를 기록한다(다음 방문일자 등).

도움 두피관리 프로그램

※ 현장 관리시 고객 두피 문제점에 따라 전 · 후 응용해서 관리

상담
고객상담카드 작성을 토대로 상담하여 라이프 스타일, 두피모발의 문제점 파악
↓
진단
상담시 자료를 토대로 과학적 기기를 이용하여 고객의 두피모발 상태를 파악하여
고객에 맞는 프로그램을 결정한다.
↓
관리 프로그램 선택
↓
헤어브러싱
↓
매뉴얼테크닉(상체 및 두피 매뉴얼테크닉)
↓
스케일링(두피 연화단계)
모든 관리 단계에 앞서 우선적으로 원활한 혈액순환과 영양 공급의 효과를 높이기
위하여 두피 및 모발을 청결히 하는 단계, 딥 클렌징제로 먼지와 노폐물을 스케일링한다.
↓
세정
두피 타입별에 맞는 세정 제품을 선택하여 사용하고 깨끗이 헹구어 낸다.
↓
드라이(건조와 진정)
찬 바람으로 드라이 및 두피 진정
↓
영양 공급(육모제, 앰플, 트리트먼트)
두피 및 모발에 물리적 힘을 가하여 생리기능을 원활하게 유지시키는 단계, 육모제, 앰플,
트리트먼트 등을 사용하여 모모세포의 세포 분열을 촉진할 수 있도록 영양 공급을 해준다.
↓
특수 관리
두피 및 모발의 개선을 위한 각각에 맞는 관리 방법을 통하여 특별 관리하는 단계, 특별
매뉴얼테크닉이나 제품을 이용하여 두피 및 모발에 탄력을 주는 두피 및 모발 재생 단계라고
할 수 있다.
↓
마무리
↓
홈케어 및 사후관리(고객습관, 두피타입에 맞는 제품선정 – 오전, 오후)
관리실에서 받은 두피관리가 집에서도 꾸준히 이어지도록 스스로 매일 사후 관리를
하는 것이 매우 중요하다.

이상과 같은 과정으로 관리하여 두피와 모발을 건강하게 유지시키며 또 심신을 이완시키고
기능별 제품의 투여로 탈모 예방 등 많은 효과를 볼 수 있다.

Scalp structure

Chapter 2

2장 두피 및 모발 관련 고객 상담

1. 고객 상담

상담이란 전문적인 지식과 기능을 가지고 상담을 희망하는 내담자의 환경과 입장을 이해하며 합리적이고 효과적인 행동 양식을 증진시켜 주거나 의사결정을 내릴 수 있도록 조력해 주는 활동이다. 즉 피상담자의 문제점 및 고민 등에 대하여 상담자와 대화 과정을 통하여 문제의 해결방안을 모색해 주는 과정을 뜻한다.

두피 관리 측면에서의 상담이란 고객과의 1:1 대화 과정을 통하여 고객 두피 및 모발에 대한 문제점을 개인의 생활환경 및 건강 상태 등의 체크를 통하여 고객에게 문제해결 방안을 제시하고 행동으로 옮길 수 있도록 도와주는 과정을 의미한다.

1) 상담의 기본조건

(1) 신뢰

상담 과정에 있어서 가장 필수적인 것이 신뢰이다. 상담자와 내담자 사이의 신뢰가 형성되면 내담자는 상담자를 믿고 자신의 고민과 상황을 진실하게 상담하기 때문에 상담과 관리가 효과적으로 이루어질 수 있다.

(2) 전문가적인 지식

모발이론, 피부이론 등 전문가적 이론을 우선적으로 갖추고 있어야 한다. 인터넷이나 각종 매체 등을 통해 고객들은 이미 자신의 관심사에 관한 한 일정 수준의 지식을 갖고 있다. 이에 전문가라면 고객이 원하는 분야의 지식에 깊이가 있어야 하며 또한 고객의 잘못된 상식을 설명해 줄 수 있는 논리적이고 합리적인 표현력도 갖추어야 한다. 고객의 질문에 대처하는 명쾌한 대안도 제시할 수 있어야 한다.

(3) 고객의 심리 분석

고객 성향 분석은 하루아침에 이루어지는 것이 아니며 부단한 노력과 훈련 그리고 경험에서 비롯되는 것이다. 또한 고객성향에 대한 분석과 더불어 기본적인 커뮤니케이션 기법과 이미지 메이킹 그리고 자기감정조절 등은 두피모발관리사(trichologist) 카운슬러가 갖춰야 할 기본적인 요소라 할 수 있다.

2) 고객 상담 시 주의사항

① 고객의 요구를 정확하게 파악하고 고객의 질문에 대답하기 위해서는 상담하는 공간이 다른 사람에게 방해받지 않도록 하여야 한다.
② 고객이 말하기 전에 고객의 문제를 안다고 추정하지 말아야 한다.
③ 고객들은 자신의 문제가 무엇인지 말하는 것을 부끄러워할 수 있기 때문에 편안한 분위기와 공감대 형성이 중요하다.
④ 고객에게 필요한 정보는 효과적으로 주어야 한다(서비스의 비용과 소요되는 시간이 어떻게 되는지를 정확하게 알려준다).
⑤ 카운셀러에게는 사소하게 보이는 문제가 고객에게는 심각한 문제일 수 있으므로, 절대 문제에 대해 무시하지 않는다(고객과 엇갈린 이해가 없도록 신중하게 상담하여야 한다).
⑥ 두피모발의 문제에는 1가지 이상의 원인을 있다는 것을 상기시켜 준다.
⑦ 긍정적인 자세로서 고객에 맞춰 이해할 수 있는 단어를 사용하여야 한다.
⑧ 두피 관리는 단기간에 되는 것이 아니라는 것을 알려 주는 게 중요하다.
⑨ 두피의 다양한 증세를 자연스럽게 언급해주고 고객이 어떤 타입에 속하는지 함께 진단한다.
⑩ 고객의 좋지 않은 생활 습관을 변화시키기 위해 상담 시 주기적으로 주지시켜준다.
⑪ 두피 관리의 전 과정은 고객의 신뢰와 의지가 필요하기 때문에 과장된 표현은 자제한다.
⑫ 고객과의 상담 내용은 개인적인 사항이므로 다른 사람이 알 수 없어야 한다.
⑬ 미용영역과 의료영역을 확실히 구분하여야 한다.

상담 시 가장 신경을 써야하는 부분으로 이는 고객에게 본 관리는 의료행위가 아닌 미용측면의 관리로 치료개념이 아닌 예방개념의 관리라는 점을 인식하도록 하여야 한다(이는 추후 관리의 결과에 대하여 고객과의 마찰을 줄이는 역할과 함께 고객과의 분쟁 시 스스로를 보호하는 부분이기도 하다).

3) 단계별 고객 상담

(1) 1차 상담(관리 전 상담)

관리 전 상담은 고객을 시술하고 관리하는데 중요한 자료가 되며, 고객에게 문제가 되는 동기나 문제 과정에 대한 행동의 변화를 유도할 수 있으며 제품 사용 특성이나 꾸준한 홈케어를 알려줄 수 있는 상담 자료로 활용할 수 있다. 관리 전 상담 과정으로 1차 진단은 시진, 촉진, 문진을 통해 얻는다.

(2) 2차 상담(관리 과정 중 상담)

관리 중 상담은 관리 효과를 높여주는 과정으로 고객에게 적합한 타입에 맞는 구체적인 관리 프로그램을 제공할 수 있으며 고객과 관리사의 의사소통이 자연스럽게 이루어지는 과정이다. 이때 상담자와 관리사가 다른 경우 관리 전의 상담과 관리 과정의 내용이 달라지지 않도록 주의할 필요가 있다. 두피의 타입별 맞춤 제품과 관리기기, 매뉴얼테크닉 프로그램을 결정하는 실질적인 관리 과정에서 이루어지는 상담과정이다. 고객과 상담자의 커뮤니케이션은 관리 과정마다 세심하게 이루어져야 하는 중요한 단계이다.

(3) 3차 상담(관리 후 상담)

일정 기간 동안 관리가 끝난 후 개선된 두피 관리 효과를 계속적으로 유지할 수 있도록 도와주고, 홈케어 관리 방법을 고객의 두피 타입에 맞게 인식시켜 관리에 대한 정보 제공과 관리 지도를 위한 필수적인 상담 과정이라야 한다.

2. 고객 카드 작성

고객과의 면대면 접촉을 통해 고객의 생활 패턴, 가족력, 건강 상태, 심리 상태를 파악하는 과정으로 상담카드의 기록사항을 고객 스스로 작성하게 함으로서 고객의 두피, 모발 관리에 대한 기초적 자료를 제시해 준다. 너무 많은 시간보다는 10~15분 정도의 시간이 적당하다.

고객 카드의 작성은 추후 고객을 관리하는 중요한 자료이자 고객 관리를 위한 데이터베이스가 되므로 세밀하고 정확하게 기입한다. 개인의 라이프사이클은 물론 개인정보 및 생활수준 그리고 탈모 치료에 대한 의지 등을 파악 할 수 있도록 기록되어야 한다. 또한 관리 때마다 피드백을 기록하고 고객에게 공개할 내용과 직원들끼리 공유할 내용 등이 구분되도록 한다.

<table>
<tr><th colspan="3">고객 관리 기본 사항</th></tr>
<tr><td>방 문 일: 201 년 월 일</td><td>고 객 명:</td><td></td></tr>
<tr><td>연 령: 세</td><td>연 락 처:</td><td></td></tr>
<tr><td>주 소:</td><td>직 업:</td><td></td></tr>
<tr><td>E-Mail: @</td><td colspan="2">방문동기: □ 인터넷 □ 신문 □ 잡지 □ 라디오/TV □ 간판 □ 소개</td></tr>
<tr><td>신장 및 체중: cm/ kg</td><td>혈 액 형: □ A형 □ B형
□ O형 □ AB형</td><td>생리주기: □ 규칙
□ 불규칙(일)</td></tr>
<tr><td>경구용 피임약 복용여부:
□ Yes □ No</td><td>흡연여부: □ ( )갑/일 □ No</td><td>음주여부: 주 ( )회 □ No</td></tr>
<tr><th colspan="3">두피 및 모발 문제집</th></tr>
<tr><td colspan="3">두피 문제점: □ 비듬 □ 홍반 □ 염증 □ 가려움 □ 악취 □ 기타( )
모발 문제점: □ 갈라짐 □ 탄력 없음 □ 끊어짐 □ 건조 □ 웨이브 □ 염색모 □ 백모 □ 가늘어짐 □ 기타( )</td></tr>
</table>

생활 패턴 진단 사항		
현재 사용 중인 샴푸제: (　　　)	샴푸 횟수 및 시간대: (　)회/(　)일, 아 침/저 녁	브러시: □ 돈모 □ 플라스틱 □ 나무 □ 기타
1일 브러싱 횟수: (　　)회	스타일링제 사용여부: □ Yes(　) □ No	펌, 염색 주기: (　　)회/(　　)개월

건강상태 및 생활패턴진단(life style) 문진표		
□ 집안에 탈모된 사람이 있다. □ 부계　□ 모계 □ 피부가 거칠고 건조하다. □ 여드름 및 뾰루지가 있다. □ 갑상선 기능 저하증이 있다. □ 두드러기가 잘 난다(알러지). □ 두피에 피지가 많이 분비되는 편이다. □ 두피에 땀을 많이 흘리는 편이다.	□ 식생활이 불규칙하다. □ 식후 소화가 잘 안 된다. □ 인스턴트 식품의 섭취가 잦다. □ 의욕이 없고 집중력이 떨어진다. □ 스트레스를 받는다. □ 두통이 자주 온다. □ 성격이 급하다. □ 신경이 예민하다. □ 피로가 자주 온다. □ 수면이 불안정적이며, 항상 수면부족을 느낀다. □ 매사에 긴장을 잘 한다.	□ 최근에 큰 수술을 받은 적이 있다. □ 항정신과 치료를 받은 적이 있다. □ 몸에 지병이 있다. □ 현재 건강상으로 복용 중인 약물이 있다. □ 혈압이 높다. □ 혈압이 낮다. □ 손발이 차고 아랫배가 냉하다. □ 두상에 열이 오르는 증세가 있다. □ 목, 어깨, 등이 결리고 뒤통수가 무겁다.
□ 개	□ 개	□ 개

상담자 소견

두피 진단		
측정 시간: 샴푸 세정 후 (　)시간	두피 톤: □ 정상 □ 혼탁 □ 얼룩 □ 붉음 □ 기타	모공 상태: □ 막힘 □ 보통 □ 열림
피지분비 상태: □ 과다 □ 정상 □ 소량 □ 원활 □ 장애 □ 기타(　)		모낭충 기생여부: □ Yes(EA) □ No
각 질 상 태 : □ 과다 □ 정상 □ 소량 □ 부분각질 □ 기타(　)		
두 피 질 환 : □ 건선 □ 백선 □ 아토피 □ 지루성 □ 기타(　)		
땀 분 비 량 : □ 과다 □ 정상 □ 소량		기타 특이사항:
두 피 타 입 : □ 정상 □ 악 건성 □ 건성 □ 지루 □ 지성 □ 건성비듬 □ 지성비듬 □ 혼합형비듬 □ 염증성 □ 예민성 □ 탈모진행형 □ 기타(　)		

두피 온도 체크 사항		
1. 20xx년 월 일 두피온도측정	측두부(귓속)	두정부
2. 20xx년 월 일 두피온도측정	측두부(귓속)	두정부
3. 20xx년 월 일 두피온도측정	측두부(귓속)	두정부
4. 20xx년 월 일 두피온도측정	측두부(귓속)	두정부
5. 20xx년 월 일 두피온도측정	측두부(귓속)	두정부

모발 진단			
모발 진단	지성 모발	건, 민감성 모발	복합성 모발
손상 정도	끝이 갈라진 모발	끝이 부서진 모발	퍼머한 모발
모발 상태	버진헤어/일반염색/헤나	블리치	산성칼라/매니큐어
모발의 굵기	굵은 모발	보통 모발	가는 모발
모발의 길이	긴 모발	중간 모발	짧은 모발

탈모 문제점 체크사항	
탈모유형: ☐ M자형 ☐ O자형 ☐ MO자형 ☐ C자형 ☐ U자형 ☐ 원형탈모(단발, 다발, 전두, 악성, 사행성) ☐ 기타( ) ☐ 여성형 1단계 ☐ 여성형 2단계 ☐ 여성형 3단계	
모발 굵기: ☐ 연모 ☐ 정상 ☐ 경모 ☐ 기타( )mm	탈모 진행률: ( )%/100%

탈모 문제점 체크사항
두피 및 탈모 원인:
Care Program: ☐ 1단계(회) ☐ 2단계(회) ☐ 3단계(회) ☐ 특수관리(회)
Care 기간: ☐ 1개월 ☐ 3개월 ☐ 6개월 ☐ 9개월 ☐ 기타(개월)
사용한 제품: 관리 시 주의사항 및 체크사항:
다음 방문 예약 날:

1) 주요 기록사항

1 인적사항: 성명, 나이, 전화번호, 주소, 이메일 주소

기본적인 인적사항을 기록한다. 특히 직업의 경우 고객의 라이프사이클(특히, 식생활이나 수면의 관계 등)을 짐작할 수 있는 항목으로 세밀히 기록한다. 유전적 소인으로 가족력도 부계와 모계 모두 확인한다.

2 과거 두피와 모발의 문제점

과거의 관리경험에 관한 자세한 사항(민간요법은 물론 특히 전문 센터의 시술이나 병원 치료 시 약물 등은 매우 중요한 사안이다. 관리 관심도 파악, 실패 원인 분석자료, 관리 프로그램 작성 보조자료)

3 병력, 음주와 흡연 그리고 최근 다이어트 경험을 확인한다(특히 남성 다이어트가 늘고 있는 추세이다. 성별에 관계없이 확인하도록 한다. 혈액순환 파악, 비타민 상태, 건강 상태 파악, 두피 노화 파악).

4 여성의 경우 출산 여부와 생리 주기 등을 체크한다(신경이 불안정해지고 예민해지는 정도를 파악하는 자료, 호르몬 밸런스 체크 자료, 피지 분비 상태 체크 자료, 산후 탈모).

5 의약품 사용 여부: 항생제, 수면제 등 약물의 장기 복용과 피임약 등의 사용 여부(약물에 의한 탈모 및 두피 문제 발생 체크, 건강상태 체크 자료)

6 스트레스: 최근 들어 생활의 큰 변화 정도를 체크하며, 특히 큰 스트레스를 받은 일을 확인한다(인체의 호르몬 분비에 영향을 미치는 스트레스의 정도 – 혈액순환 파악, 면역부분 파악).

7 운동 여부와 종류, 장소, 규칙성: 운동을 통한 혈액순환, 신진대사의 정도

8 근무환경: 주로 생활하는 공간의 환경 여부를 확인한다. 실내와 실외로 구분하고 온도와 습도, 냉 · 난방기의 사용 등을 체크한다.

9 알레르기: 특정 성분이나 향 등에 민감한 반응 정도를 체크한다(이에 맞게 관리할 제품의 특징과 관리법, 관리 후 나타날 수 있는 일시적 반응이나 부작용 등을 설명한다).

10 사용제품의 습관: 사용 중인 헤어 제품을 확인하고 조언하여 올바른 제품이나 사용법을 알려 주고 홈케어에 대한 정보를 제공한다.

도움 두피 온도를 체크하는 이유 (두피의 발열 상태 – 온도계 사용하여 측정)

탈모는 체내에서 발열과 밀접한 관계를 가진다. 특히, 두피에서의 열은 탈모로 발전되기도 한다. 우리의 인체 중 상부에 (상체) 열이 많으면 그 열로 인해 두피의 혈액이 원활하게 순환되지 않아 모발이 약해지고 가늘어져 힘없이 빠진다. 두피에 열이 나는 이유는 몸 속의 에너지 등의 밸런스가 깨져 혈액이 머리의 끝까지 충분하게 오르지 못하는 현상이 일어나기 때문이다.

2) 기타 기록사항

1 신장과 체중: 고객 건강 상태, 식습관 판단 보조 자료, 비만도 파악 자료

2 결혼 및 직업: 스트레스 원인파악, 작업환경과 두피, 모발의 상관관계, 홈케어 지도 자료

3 식습관 및 소화 상태: 영양상태 및 내장기관 건강상태 파악자료, 영양분 흡수 상태

4 체온 상태: 혈액순환 파악, 신진대사 기능 파악 자료

5 내장기관 관련질병 상태: 소화 흡수력 파악 및 혈행 파악 자료, 신진대사 기능, 질병과 탈모의 관계

6 수면 상태: 피로회복상태 파악 자료, 홈케어 제시 보조 자료

7 샴푸제 및 샴푸법: 두피 청결도 파악 및 화학약품 자극도 분석, 관심도 파악, 두피 예민도 파악

8 브러시 종류 및 스타일링제 사용 여부: 모발손상도 파악, 두피 청결상태, 모발 관심도 파악

9 두피 및 모발 문제 발생 지점: 관리 효과 여부 파악, 방문 목적 파악 자료

10 두피 및 모발 불편사항: 문제 부위 파악, 방문 목적 파악 자료

11 1일 탈모량: 탈모 진행 정도, 탈모에 대한 스트레스 파악

도움 다이어트와 탈모

- 지방 결핍 시 머리가 붉어지고 비듬이 생기며, 탈모증세가 나타난다.
- 현대인들의 무리한 다이어트, 특히 원 푸드(one food) 다이어트는 지방의 섭취를 제한하고 있으므로 탈모의 원인이 될 수 있다. 다이어트로 인한 탈모의 자각 증상은 보통 3개월 이후부터 나타나기 시작한다. 그러므로 탈모 고객의 경우 3개월 이전의 다이어트 상황을 체크할 필요가 있다.

3. 두피 진단

고객카드에 작성된 내용을 바탕으로 두피 진단, 판독기기 등을 활용하여 고객의 두피상태를 파악하는 단계로 두피 및 모발의 정확한 자료와 유효한 정보를 제공함으로서 고객과의 관계에 신뢰감을 줄 수 있는 과정이다. 필요에 따라 관리에 따른 경과 등을 고객에게 시각적으로 설명해줌으로서 전문적이고 설득력 있는 과정으로 활용할 수 있다.

1) 1차 진단(선진단) - 보고, 묻고, 만지고, 듣는 과정

(1) 견진법(시진법)

두피의 색상, 염증, 질환, 각질 상태, 피지 분비량과 상태, 모발의 손상 여부와 모근의 모양, 탈모량의 정도 등을 육안을 통해 확인한다.

(2) 문진법

상담 카드 및 진단 카드를 작성하기 위한 여러 가지 체크사항을 통해 고객의 생활 패턴을 파악한다.

(3) 촉진법

① 손에 만져지는 피지 상태, 땀의 분비량

손으로 직접 고객의 두피와 모발을 만져보아 피지와 땀의 분비량과 두피의 염증과 질환, 각질의 정도를 파악한다(이때 될 수 있으면 탈모된 모발을 샘플링하여 고객카드에 첨부해 두면 사후 참고자료로 이용 할 수 있다).

② 두피 온도 체크(두피의 발열 상태)

탈모는 체내에서 발열과 밀접한 관계를 가진다. 특히, 두피에서의 열은 탈모로 발전되기도 한다. 두피체온계 등을 이용하여 발열 상태를 체크한다.

2) 2차 진단(후진단) - 진단기 촬영: 두피진단기로 모발과 두피를 진단

두피진단기를 이용하여 두피의 손상 여부, 색상, 땀과 피지의 분비량, 모공의 이상 여부와 각질, 모발의 손상 여부와 굵기, 밀집도 등을 파악한다.

(1) 진단기 촬영

① 1 : 1 배율렌즈: 고객의 얼굴 촬영, 탈모반 촬영(스타일링 촬영기로도 사용)

② 50 배율렌즈: 모발의 밀도 및 굵기 촬영

③ 200 배율렌즈: 두피색, 피지량, 모공의 상태, 노폐물 정도, 염증여부 촬영 및 확인

3) 진단기 사용 시 주의사항

① 일정한 패턴을 정해놓고 촬영(촬영시 정확한 위치 및 순서를 선정)

예) 남성 - 전두부, 두정부, 양측 측두부, 후두부 - 두정부

여성 - 전두부, 두정부, 양측 측두부, 후두부 촬영 - 두정부

② 진단기상으로 보이는 고객의 문제를 너무 과도하게 부각시키지 않는다.

③ 진단기기로 측정시 강한 압이 가해지지 않도록 주의한다.

도움 진단 부위별 진단 목적

두피 모발 및 진단 부위	진단 목적
각질 및 비듬	두피 스케일링 횟수 및 영양 단계 시작 시점 결정 요소
모공 당 모발 수	탈모의 진행 정도 파악 자료
모공 개폐상태	영양단계 시작 시점 결정, 피부 분비물 분비 상태 파악
두피 탄력도	두피의 노화 정도 파악 자료, 관리기간의 결정 요소
땀 분비량	두피 수분 파악을 통한 건성, 지성 관리 제품 결정
예민도	관리 강도 및 시간, 제품의 성분 선택
가려움, 염증	진균류의 존재 여부, 예민도, 두피청결도, 수분함유량 등 파악
수분 함량	두피 건조도 파악, 관리 제품 선택 자료
모발 손상도	관리의 종류 판단 자료
두피톤	두피 신진대사 파악, 예민도 파악, 관리제품 선택 자료
피지 분비량	관리제품 선택, 두피 종류 판단 자료, 두피 청결도 파악
탈모 유형	탈모 원인 및 종류 결정 요소, 진행 예상 파악, 관리효과 여부 결정
모낭충	가려움 원인 및 탈모원인, 두피 청결 상태 파악 자료
모발 굵기	탈모 진행도, 모발 건강 상태 파악, 양모 관리 여부
빈 모공 및 모발 밀도	탈모 진행도, 영구 탈모 여부
모발 무게	탈모 진행 정도 파악, 모발 건강 상태 파악 자료

4. 조언

1) 문제의 원인에 대한 분명한 설명과 정확한 대처방안의 제시는 고객의 믿음을 강화시킨다(겁을 주는 용어는 피한다).
2) 두피모발의 건강 유지를 위해 고객의 식단, 생활패턴 등 고객이 변경해야 할 사항을 체크해준다.
3) 관리법을 알려준다.

도움 셀프 두피 건강체크(hair self test)

① 모발에 윤기가 없다.
② 모발이 가늘어진다.
③ 두피에 비듬이 생긴다.
④ 머릿결이 끈적거리고 기름이 자주 낀다.
⑤ 머리를 감을 때 눈에 띄게 모발이 많이 빠진다.
⑥ 자고 나면 베개에 모발이 많이 빠져 있다.
⑦ 정수리 부분을 손가락으로 만지면 아프다.
⑧ 이마가 조금씩 넓어져 간다.
⑨ 월 1회 이상 염색이나 퍼머를 한다.
⑩ 어깨에 계속 비듬이 떨어진다.
⑪ 매일 헤어스타일링 제품을 사용한다.
⑫ 거의 매일 드라이어로 말리거나 손질을 한다.
⑬ 주 2회 이하로 머리를 감는다.
⑭ 지성, 건성, 중성, 비듬 전용 샴푸를 타입에 맞게 사용한다.

※ 체크 개수에 따른 탈모 진행사항

1개	1단계	탈모에 관심을 가져야 하는 단계
2~3개	2단계	자신의 타입에 따라 두피 관리가 필요한 단계
4~10개	3단계	초기 탈모 진행, 전문가와 상담을 통한 관리가 필요한 단계
11~13개	4단계	탈모 진행 단계, 더욱 집중적인 관리가 필요한 단계
14개	5단계	탈모, 심리적 포기 단계

Chapter 3

3장 브러싱

두피 관리의 첫 단계로 브러싱을 통해 두상을 확인하고 두피와 모발의 상태를 파악하며, 고객의 상태를 편안하고 안정을 시킬 수 있다.

샴푸 전의 브러싱은 헝클어진 모발을 정리해주고 샴푸시술을 용이하게 하며 두피의 혈액순환을 도와주는 효과가 있다. 또한 두피를 자극시켜 피지분비를 촉진시켜주고 두피부분의 피지를 모발의 끝부분까지 고루 분포하게 해준다(단, 지성 두피의 경우 피지분비가 왕성해질 수 있으므로 자주 하지 않는 것이 좋다).

1. 목적

① 모발에 묻어 있는 이물질을 제거한다.
② 두피의 혈액 순환을 좋게 한다.
③ 샴푸 전 모발을 정리해 준다.

2. 방법

정수리(백회) 방향으로 시술 테크닉을 실시한다.
① 두정부 → ② 측두부 → ③ 후두부(좌 · 우) → ④ 두정부

3. 주의점

① 두피를 심하게 자극시키지 않는다.
② 정전기가 발생하지 않는 소재의 브러시를 선택해야 한다.

※ **목적과 효과**: 시술 전 고객 두피에 있는 이물질 및 머리카락의 정리정돈을 하기 위함이며 두피의 혈액순환을 도와주는 효과가 있다.

4. 시술 과정

1 전두부에서 백회 방향으로 브러싱한다.

2 좌측 측두부에서 백회 방향으로 브러싱한다.

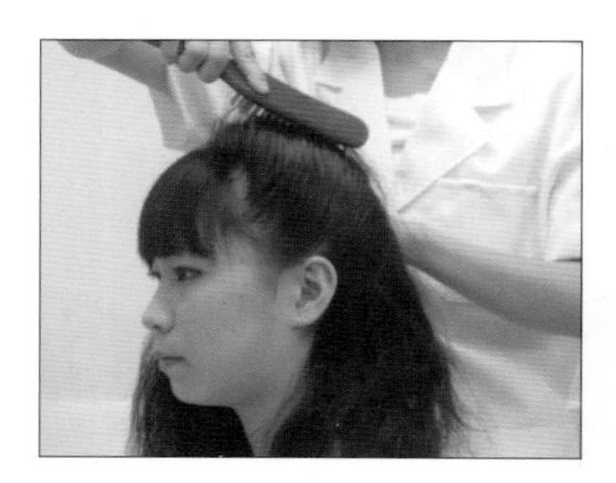

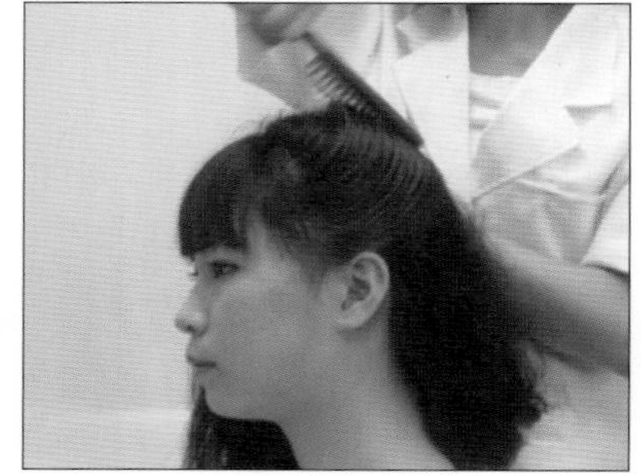

3 좌측 후두부에서 백회 방향으로 브러싱한다.

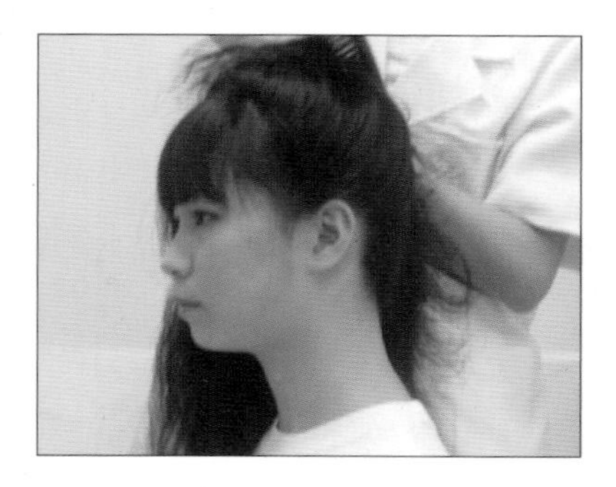

4 전두부에서 백회 방향으로 브러싱한다.

5 우측 측두부에서 백회 방향으로 브러싱한다.

6 우측 후두부에서 백회 방향으로 브러싱한다.

7 모발을 정리하여 마무리한다.

Chapter 4

Scalp structure

4장 스케일링

두피 스케일링은 매일 하는 양치질로 제거되지 않는 치석을 제거하기 위한 치아 스케일링 같은 개념이다. 즉 노화된 각질, 피지분비물, 비듬 등이 두피에 쌓이게 되면 모발의 성장 뿐만 아니라 두피의 건강에까지 영향을 미친다. 이러한 두피의 이물질을 제품과 기계를 이용하여 제거하는 것을 말하며 모발 및 두피 관리에 있어 가장 기초적이며 근본이 되는 관리이다.

두피의 이물질은 외부로부터의 영양 흡수를 방해하고 두피에 가려움이나 염증을 유발한다. 또 장기간 방치하였을 경우 탈모로 이어질 수 있으므로 꾸준한 관리가 중요하다.

1. 목적

두피의 노폐물과 오래된 각질제거를 통해 두피에 영양을 공급하기 위함이다.

2. 방법

두피 문제를 일으키는 장애요인(노화각질, 비듬, 피지노폐물, 염증)을 제거하기 위해 모공 주변 및 두피를 면봉을 이용해 깨끗이 잘 닦아낸다.

두피상태에 따라 스케일링의 정도와 제품을 선택하여야 하며, 크게 건성, 지성, 중성, 민감성두피로 나눌 수 있다. 스케일링제는 균의 억제를 위한 항균성분을 이용하게 된다.

3. 주의점

1) 지성 두피

지성 피부는 피지가 과도하게 생성되므로 피지 제거에 주안점을 두어야 한다.

2) 민감성 두피

두피를 안정시키기 위해 유 · 수분의 균형에 주안점을 둔다.

3) 비듬성 두피

각질 등을 제거, 감소시키기 위해 피지 조절과 곰팡이 등의 서식환경을 차단하는 것이 중요하다.

4. 시술 과정

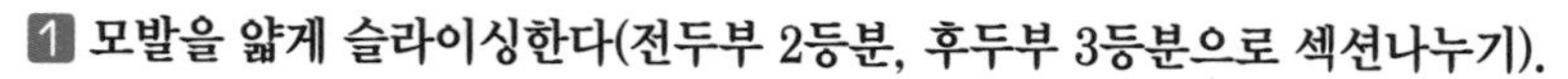

1 모발을 얇게 슬라이싱한다(전두부 2등분, 후두부 3등분으로 섹션나누기).

2 스틱으로 시술 시 깔끔하게 10 mm 간격을 왔다 갔다 2회 반복 후 제품을 도포한다.

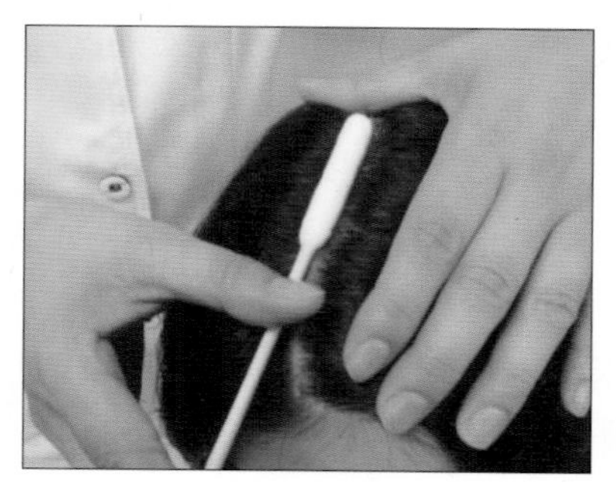

③ 제품 도포 후 섹션의 길이만큼 왕복 2회 반복한다.

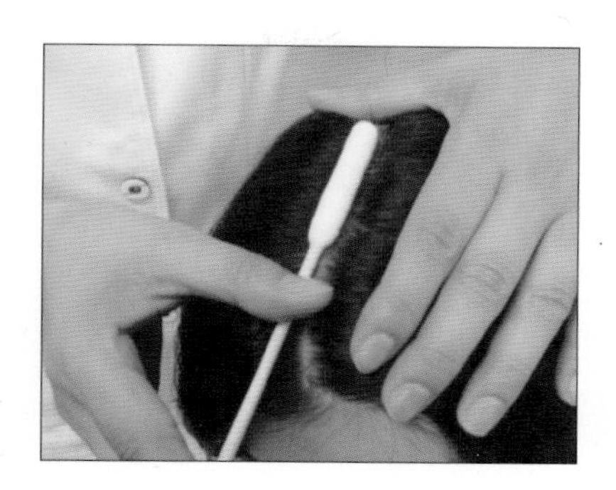

④ 모발을 정리하여 마무리한다.

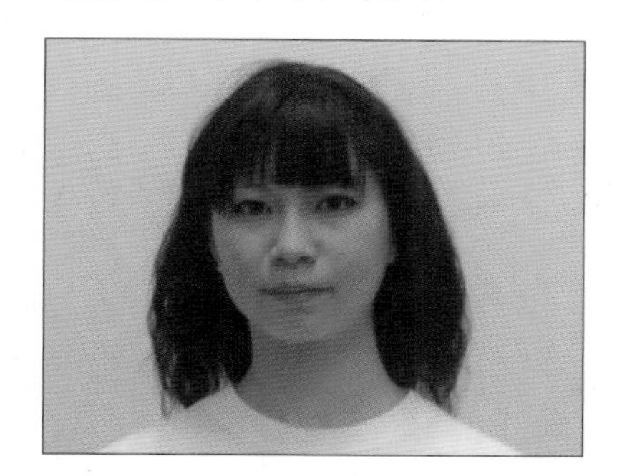

도움 **스케일링 Tip**

스케일링 용액을 바른 후 일정 시간 자연방치하거나 효과를 극대화하기 위해서 스티머를 이용한다(단 방치시간은 최대 20분을 넘기지 않는 것이 좋다).

- 각질이 과다한 경우: 헤어 스티머 시간을 15분 정도로 한다.
- 예민성, 민감성의 두피의 경우: 헤어 스티머 시간을 7~8분 정도로 한다.
- 스타일 제품을 과다하게 사용한 경우: 관리 전 프레인 샴푸 또는 헤어 스티머를 5분정도 조사한 다음 관리에 들어간다.

Chapter 5

Scalp structure

5장 두피 매뉴얼테크닉

1. 매뉴얼테크닉(마사지)의 정의

어린 시절 우리는 어머니의 손길을 기억한다. '어머니 손은 약손' 그 의미는 무엇일까? 손으로 부드럽고 조심스럽게 자주 어루만져주는 어머니의 손길은 어린 자녀로 하여금 편안하며 스트레스를 받지 않게 함으로써, 질병에 대한 저항력이나 건강한 성격발달을 가져오게 하지 않았을까?

이렇듯 피부접촉은 우리의 신경계를 자극하고 건강한 신체적 발달을 촉진하는데 중요하다. 마사지(massage)의 어원은 그리스어 'masso', 'massein' 로 원뜻은 '반죽하다, 쓰다듬다, 비비다' 의 의미로 그 뜻이 우리와 일치하는 것을 알 수 있다.

본능적, 선천적으로 문지르고, 안고, 편안하게 하는 언어에서 체계화되어 전세계 모든 문화에 마사지(massage)의 형태로 발전하게 된 것이다.

2. 두피 매뉴얼테크닉의 효과

두피 매뉴얼테크닉은 현대의 직업병과도 같은 스트레스와 긴장된 목과 어깨 근육의 통증을 해소시킬 수 있는 적절한 방법이 된다.

두피 관리에는 경락관리가 효과적인데, 두피경락 매뉴얼테크닉은 얼굴의 경락과 함께 같은 연결선상으로 이루어지며 피부 관리의 효과를 높여줄 뿐만 아니라 두피 관리를 통해 모발 건강까지도 증진시켜 준다. 경락이란 육장육부를 돌면서 에너지, 즉 기가 순환하는 길을 의미하며, 두피경락 매뉴얼테크닉은 심신의 안정을 극대화시키고 매뉴얼테크닉을 통해 혈액순환을 촉진시킴으로서 고객의 심리적 · 육체적 안정을 도모하는 과정이다.

여기에 중요한 몇 가지의 두피 매뉴얼테크닉의 효과를 알아보기로 한다.

1) 전체적인 효과

손가락의 압력을 이용하여 경혈점을 자극함으로써 몸 속 독소의 배출을 촉진하고, 에너지의 흐름을 원활하게 하여 내부 장기의 기능을 개선하고, 혈액순환을 좋게 하여 몸의 기능을 향상시킨다.

① 피로감을 해소하여 기분을 상쾌하게 하며 정신을 안정시킨다.
② 근육의 응결된 혈액의 순환을 개선시킨다.
③ 목과 어깨의 만성적인 뻣뻣함을 해소시켜 준다.
④ 뇌와 세포로 들어가는 산소의 양을 증가시키고 산소 공급을 돕는다.
⑤ 림프액의 순환을 개선시키고 자극한다.
⑥ 불면증 해소에 도움을 준다.
⑦ 두피를 이완시키고, 모발의 성장을 촉진시킨다.

3. 두피 매뉴얼테크닉scalp massage에 필요한 주요 근육과 경혈점

1) 목 · 어깨 부위의 주요 근육

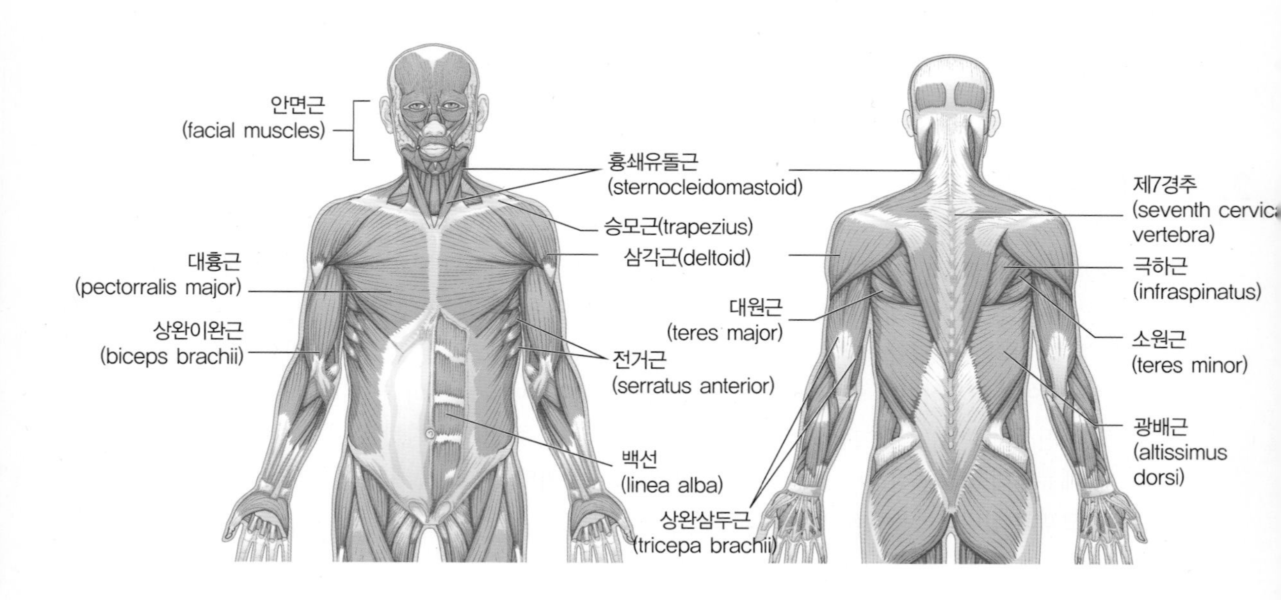

그림 5-1 인체의 표층근육 이해하기

(1) 안면근

안면 신경의 지배를 받아 얼굴의 근육을 형성시키고, 이마의 주름을 만들며, 눈썹을 올리는 작용을 한다.

(2) 흉쇄유돌근

부신경과 경신경의 지배를 받아 머리를 움직이는 근육이다.

(3) 승모근, 삼각근

어깨의 뭉친 근육을 풀기 위해 이 근육을 충분히 매뉴얼테크닉한다.

2) 두피 매뉴얼 테크닉을 통한 모낭으로 영양소와 산소 공급 촉진 경로

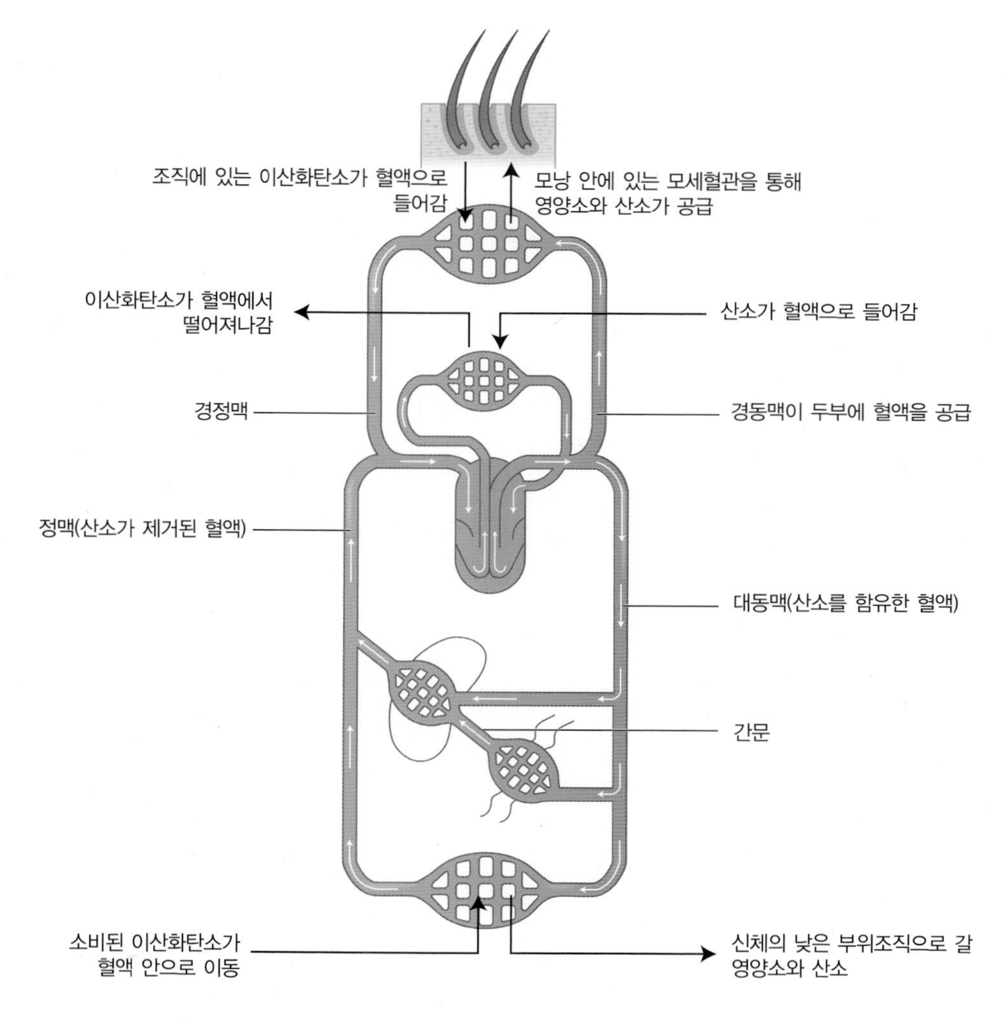

그림 5-2 두피 매뉴얼테크닉을 통한 모낭으로 영양소와 산소 공급 촉진 경로

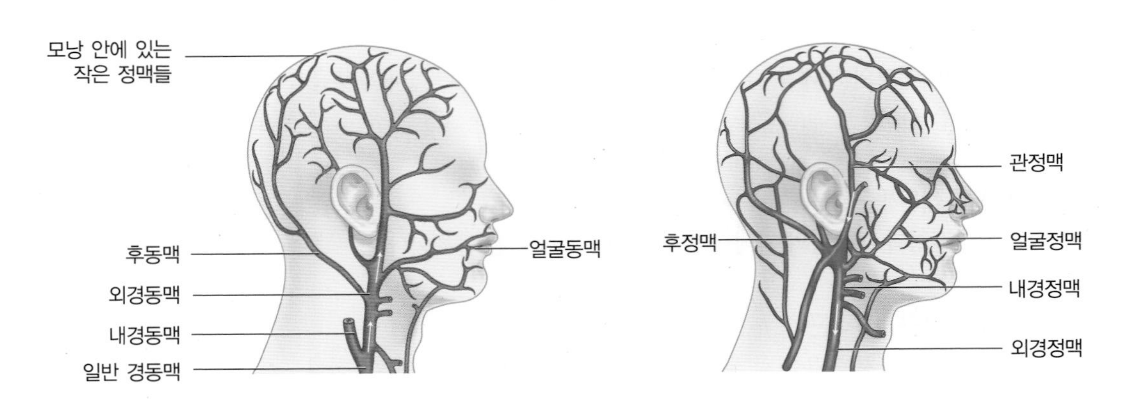

그림 5-3 두부의 혈액 공급 경로

3) 두부의 경락과 경혈

두부는 전두부, 측두부, 후두부, 두정부로 나뉜다.

(1) 경혈의 위치를 확정하는 방법

경혈의 위치를 확정하는 방법은 체표표지법(體表標識法), 골도분촌법(骨度分寸法), 동신촌법(同身寸法)이 있다.

① 체표표지법(體表標識法)

체표표지법에는 고정표지법과 활동표지법이 있다.

고정표지법은 고정적인 해부학 위치를 기준으로 하여 혈위를 찾는 방법이다. 예를 들면 인당은 두 눈썹 사이, 소료는 코 끝이다.

활동표지법은 해부학 부위를 움직이는 방법으로 혈위를 찾는 방법이다. 예를 들면, 청궁은 입을 벌렸을 때, 이병 앞에 오목 들어간 위치이며 협거는 치아를 물었을 때 하악각 부위에 볼록하게 돌출된 위치이다.

② 골도분촌법(骨度分寸法)

골도분촌법은 신체의 각 부위를 일정한 표준 치수로 정한 다음 그 치수를 등분하여 혈위를 찾는 방법으로서 정확하며 간편하므로 현재 많이 쓰이고 있다. 전두부 모발이 난 곳(전발제)에서 후두부 모발이 난 곳(후발제)을 12촌으로 한다.

인당(印堂)에서 전발제까지를 3촌(寸)로 한다.

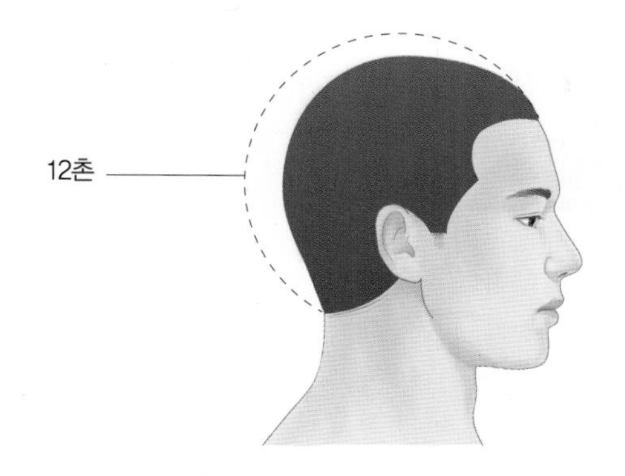

그림 5-4 골도분촌법

후발제에서 대추(大推)혈까지는 3촌이다.

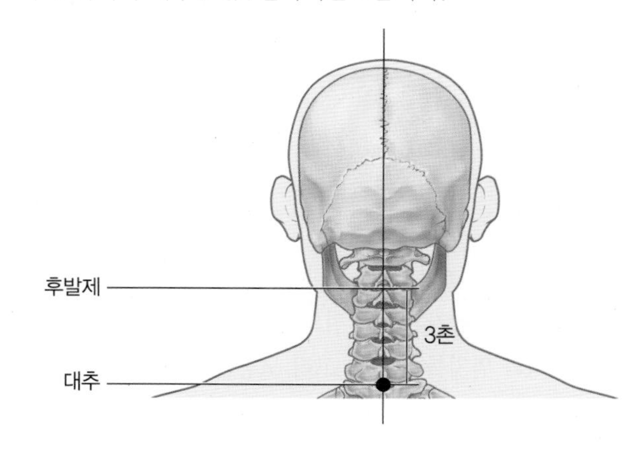

그림 5-5 골도분촌법

후두부 양측 유양돌기 사이를 9촌이라 한다.

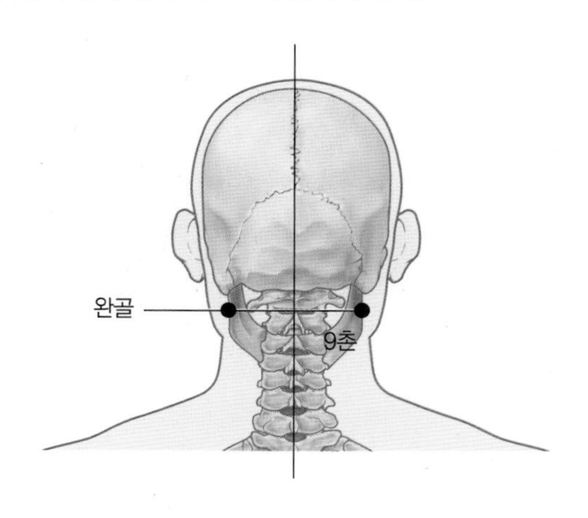

그림 5-6 골도분촌법

전두부 양측 모발각 사이(양측 두유 사이)를 9촌이라 한다.

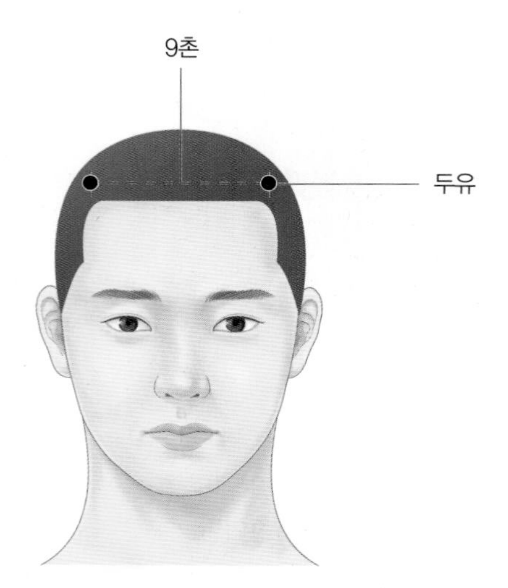

그림 5-7 골도분촌법

③ 동신촌법(同身寸法)

동신촌법에는 무지동신촌법, 중지동신촌법, 일부법(一夫法)이 있다.

- 무지동신촌법은 모지의 지절간관절 부위의 넓이를 1촌이라 한다.
- 중지동신촌법은 중지와 엄지를 맞대어 고리 모양을 만든다. 이때 중지의 중절골의 길이를 1촌으로 한다.
- 일부법은 엄지를 뺀 나머지 네 손가락을 가지런히 모았을 때, 사횡지(식지, 중지, 약지, 소지)의 넓이(중지의 원위 지절간관절을 기준으로 함)를 1부(3촌)라고 한다.

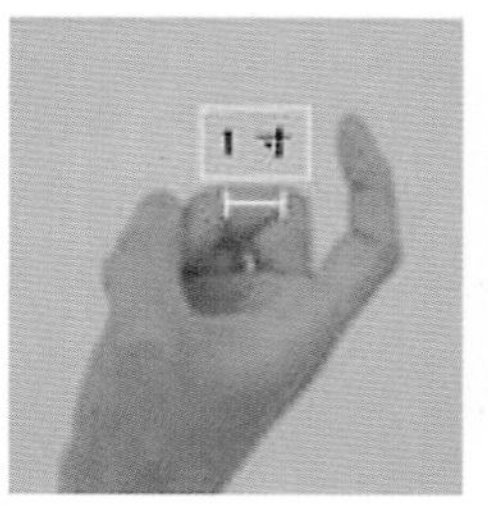

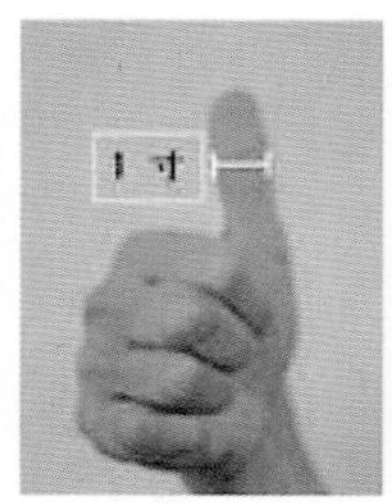

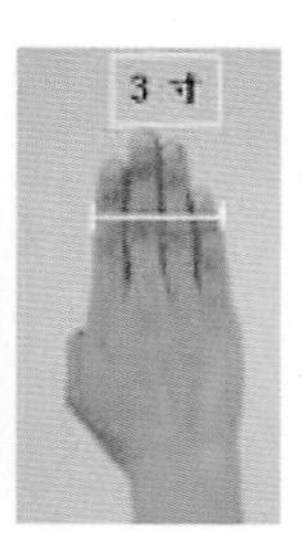

그림 5-8 동신촌법

(2) 두부의 중요한 경혈

▶ 정중선의 경혈

정중선에는 독맥이 흐르고 족궐음간경의 분지가 지난다.

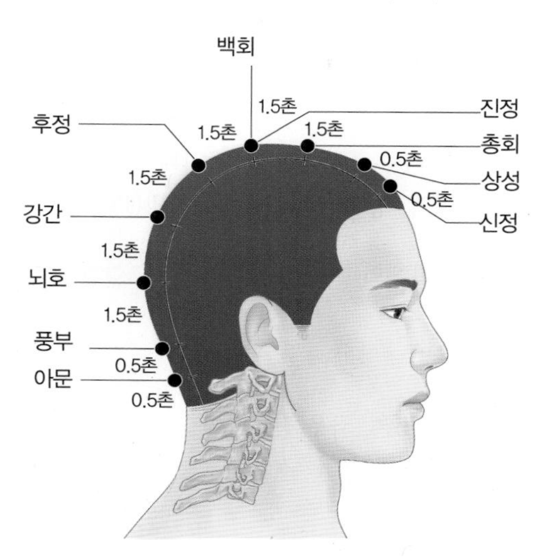

그림 5-9 독맥의 흐름

① 대추(大椎)

후정중선에, 제7경추 극돌기 아래의 함몰부위에 위치한다. 해부학 구조는 피부, 피하조직, 요배근막, 극상인대, 극간인대가 있다.

> 효과: 평소 여드름이 자주 생기는 사람은 이 경혈점을 누르거나 두드려 주면 피부가 깨끗해진다.
> 열병, 학질, 기침, 천식, 두통, 정신병, 풍진, 두드러기, 알레르기성 체질, 두통, 치질, 코감기, 위장장애

② 아문(亞門)

아문은 제1경추 극돌기 아래에, 후발제에서 위로 0.5촌에 위치한다. 피부, 피하조직, 좌우 승모근 사이, 항인대, 경항부 근육이 있고 심층에는 궁간인대, 척수가 있다.

> 효과: 폭음(쉰 목소리), 두통, 정신병

③ 풍부(風府)

외후두골융기의 아래에, 후발제에서 위로 1촌, 아문에서 위로 0.5촌에 위치한다. 피부, 피하조직, 좌 · 우 승모근, 항인대, 경항근, 후두골 후막, 소뇌 연수지가 있다.

④ 뇌호(腦戶)

풍부에서 위로 1.5촌, 외후두융기의 상연 요함처에 위치한다.

효과: 두통, 현훈, 실음

⑤ 백회(百會)

후발제에서 위로 7촌, 후정중선과 양 귀의 상첨단을 이은 선의 교차점에 위치한다. 모상건막, 좌우천측두동맥, 정맥의 모세혈관문합망(吻合網)이 있다.

효과: 모든 순환계의 맥이 합류하는 곳, 고혈압, 치질, 차멀미, 두통, 중풍, 실어, 불면증

⑥ 신정(神庭)

전발제에서 위로 0.5촌, 좌우 전두근이 교접하는 곳에 위치한다.

효과: 두통, 불면증

▶ **전두부의 경혈**

족양명위경이 두유(頭維)를 지나 모발의 전발제선에 따라 독맥의 신정혈에서 만난다.

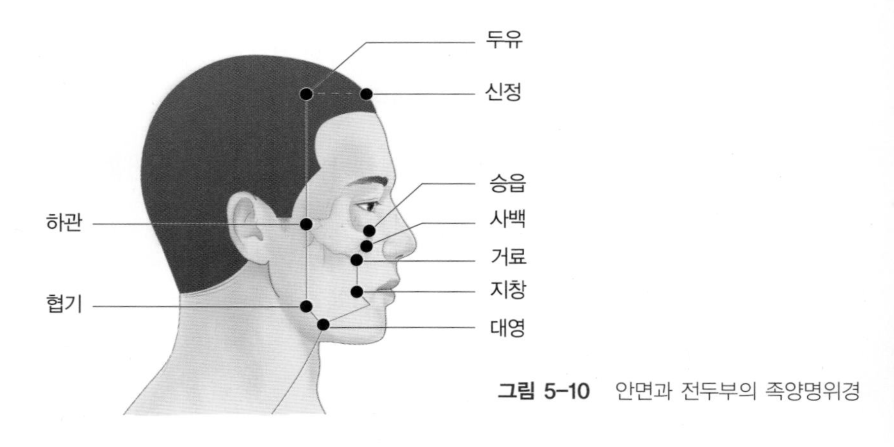

그림 5-10 안면과 전두부의 족양명위경

① 승읍(承泣)

하안와연 중앙, 동공 바로 밑에 위치한다.

② 사백(四白)

동공에서 아래로 1촌, 안와하공의 함몰부위에 위치한다.

효과: 안면근육의 경직, 눈꺼풀 떨림, 눈가주름, 눈 밑 처짐

③ 거료(巨髎)

동공을 지나는 직선과 콧망울 하연의 수평선과의 교차점에 위치한다.

효과: 볼의 늘어짐 방지, 얼굴형을 예쁘게 한다.

④ 협거(頰車)

하악각에서 전상방으로 1촌, 교근 융기의 최고점에 위치한다.

⑤ 하관(下關)

관골궁 후하연의 함몰부위에 위치한다. 피부, 피하조직, 이하선, 교근이 있다.

효과: 얼굴근육의 뭉침 방지, 볼살의 뭉침 또는 늘어짐 방지

⑥ 두유(頭維)

전두각 발제에서 위로 0.5촌, 신정에서 좌우로 4.5촌에 위치한다. 피부, 피하조직, 측두근 상연의 모상건막, 건막하 소송결합조직, 두개골 외막이 있다.

효과: 여드름, 두통으로 인해 얼굴이 푸석할 때

▶ **측두부의 경혈**

측두부에는 수소양삼초경과 족소양담경이 통과한다.

① 수소양삼초경

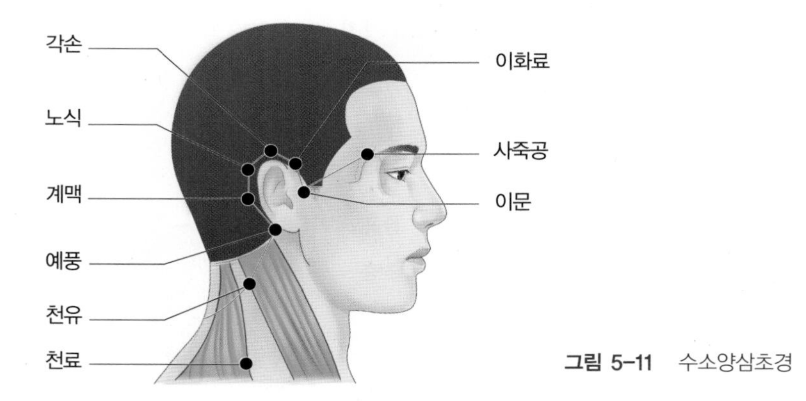

그림 5-11 수소양삼초경

• **천료(天髎)**

먼저 대추혈과 견봉의 중점에서 견정혈을 정하고 견정혈 뒤로 1촌에 위치한다.

효과: 얼굴의 라인을 아름답게, 어깨의 결림, 목의 경직으로 굵어질 때, 땀이 나지 않아 피지막 형성이 불량할 때

- **천유(天牖)**

유양돌기 후하연, 흉쇄유돌근의 후연에, 하악각과 수평선에 위치한다.

효과: 안면의 부종, 비화농성 여드름, 모낭의 각화

- **예풍(翳風)**

이수(耳垂) 후방에, 유양돌기와 하악각 사이의 함몰부위에 위치한다.

효과: 여드름, 얼굴근육의 경직, 안면의 비화농성 여드름, 모낭의 각화, 볼주위의 여드름

- **각손(角孫)**

귀 이륜의 상단점에서 발제가 시작되는 부위에 위치한다.

효과: 안면의 부종, 입술이 마르고 건조함, 볼주위의 늘어짐

- **이문(耳門)**

상이병 절흔 앞에, 입을 벌렸을 때 생기는 함몰부위에 위치한다.

효과: 안면근육의 경직, 턱선의 경직, 얼굴 외측의 농포성 여드름

- **사죽공(絲竹空)**

눈썹의 외측 끝에서 안와의 내측에 위치한다.

효과: 안면근육의 경직, 눈썹 끝단의 모공 확장

② 족소양담경

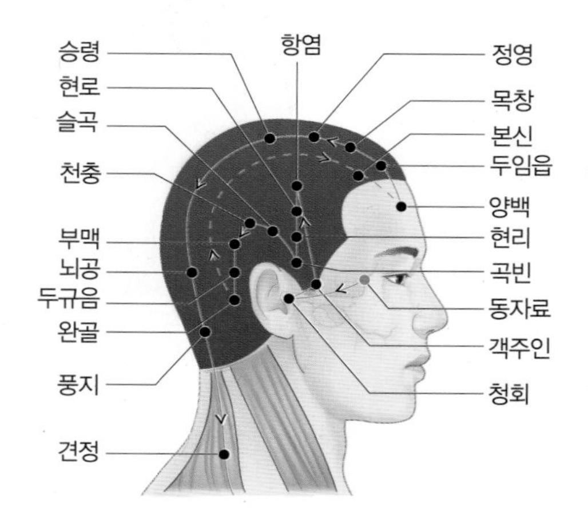

그림 5-12 족소양담경

• **동자료(瞳子髎)**

눈의 외각 옆 0.5촌, 안와 외측연에 위치한다. 천층에는 안륜근, 심층에는 측두근, 안와동, 정맥, 협골신경이 분포한다.

효과: 안면근육의 경직, 눈주변의 주름

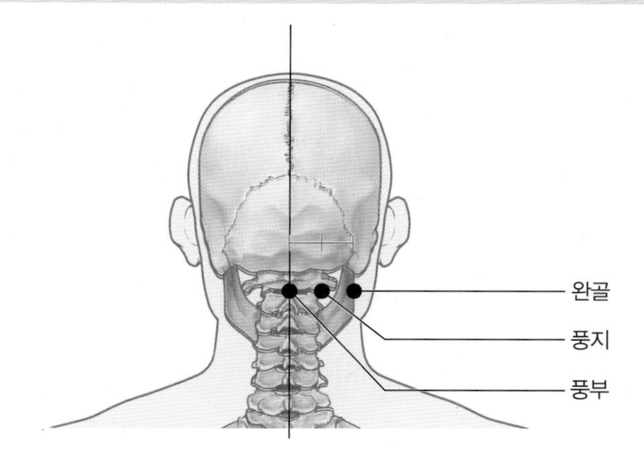

그림 5-13 족소양담경

• **청회(聽會)**

이병간(耳屛間) 절흔의 앞에, 입을 벌렸을 때 생기는 함몰부위에 위치한다.

효과: 안면근육의 경직, 안면의 붉어짐

• **상관(上關)**

하관혈 바로 위에, 관골궁의 상연에 위치한다.

효과: 안면근육의 경직, 얼굴의 주름

• **솔곡(率穀)**

이첨(耳尖)에서 위로 1.5촌, 측두근, 측두동맥과 정맥, 이측두신경이 분포한다.

효과: 여드름, 숙취 후의 피부 거칠음

• **양백(陽白)**

동공의 바로 위에, 눈썹에서 위로 1촌이다. 피부, 피하조직, 전두근, 천측두동, 정맥이 있다.

효과: 여드름, 이마부위의 미용변이, 안면의 붉어짐

- **두임읍(頭臨泣)**

전발제에서 0.5촌, 신정에서 옆으로 2.25촌, 신정혈과 두유혈의 중간에 위치한다. 피부, 피하조직, 모상건막, 건막하소송결합조직이 있다.

- **풍지(風池)**

풍부혈에서 옆으로 2.25촌, 흉쇄유돌근과 승모근 사이 함몰부위에 위치한다. 심층에는 두극근, 후두동, 정맥, 소후두신경이 있다.

효과: 어깨부위의 경직, 경합 부위의 비대, 화농성 여드름, 안면부종

- **견정(肩井)**

대추혈과 견봉 연결선의 중점에 위치한다. 피부, 피하조직, 승모근, 견갑거근, 극상근이 있다.

효과: 볼의 여드름, 볼의 늘어짐

▶ 후두부의 경혈

후두부에는 족태양방광경이 독맥의 좌우 1.5촌에서 하행하며 경항부에서 각각 두 갈래로 갈라진다.

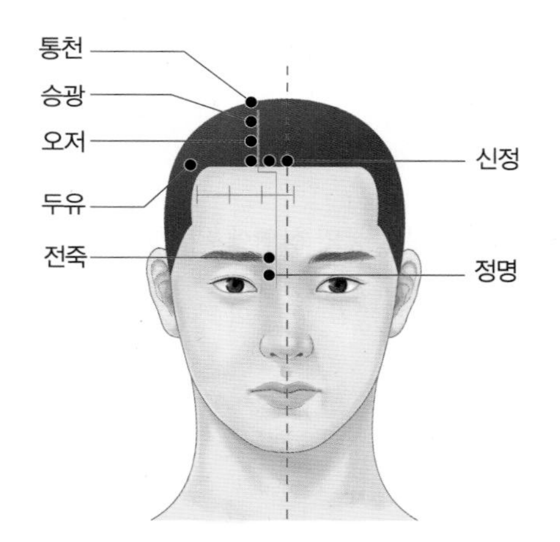

그림 5-14 후두부의 경혈

① 정명(睛明)

안와의 내안각 옆 0.1촌에 위치한다. 안동맥, 안정맥, 활차상하동, 정맥, 활차상·하신경이 분포, 심층에는 안신경이 분포한다.

효과: 눈가주름, 눈이 부을 때

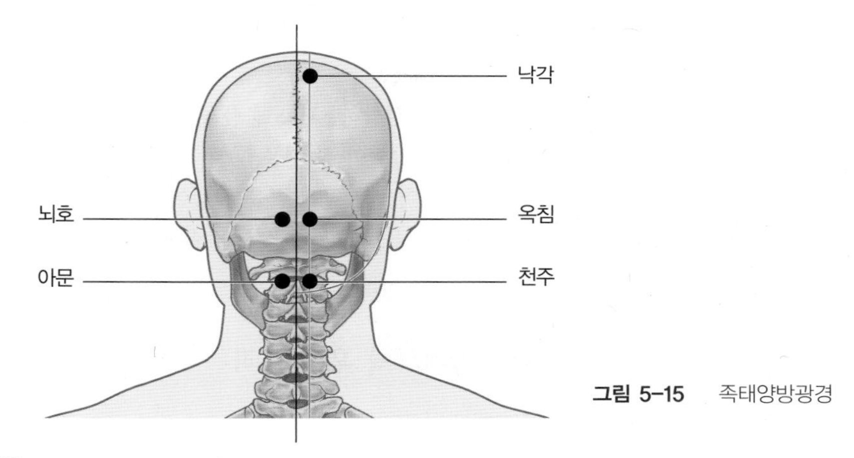

그림 5-15 족태양방광경

② 찬죽(欑竹)

눈썹이 시작되는 점이다. 전두근, 추미근, 전두동맥, 정맥, 신경이 분포한다.

효과: 눈가주름, 눈이 부을 때, 눈의 떨림

③ 미충(眉衝)

찬죽혈의 바로 위로, 전발제에서 위로 0.5촌에 위치한다. 전두근, 전두동맥, 정맥, 활차신경이 분포한다.

④ 곡차(曲差)

신정혈 옆으로 1.5촌에 위치한다. 전두근, 전두동맥, 정맥, 신경이 분포한다.

효과: 알르레기성 미용변이, 코가 막힘, 콧등의 주름

⑤ 옥침(玉枕)

후중선의 후두골융기상연(뇌호)에서 옆으로 1.3촌, 후발제에서 위로 2.5촌에 위치한다. 피부, 피부조직, 후두근, 건막하 소송조직, 두개골 외막이 있다.

효과: 안면근육의 경직, 눈이 아파서 충혈되어 보일 때

⑥ 천주(天柱)

아문에서 옆으로 1.3촌, 승모근 기시부에 위치한다. 심층에는 두반극근, 후두동, 정맥, 대후두신경이 분포한다.

효과: 어깨근육의 경직, 코가 마를 때, 신경성 여드름, 후발제 부위의 여드름 또는 붉어짐

4. 두피 매뉴얼테크닉scalp massage

두피 매뉴얼테크닉은 모발이 성장하는데 도움을 줄 뿐 아니라, 피부 관리의 효과까지도 도움을 준다.

이러한 역할을 하는데 꼭 알아야 할 점은 ① 두피 매뉴얼테크닉을 하기 전 스트레칭을 통해 혈행을 먼저 촉진시켜 주고, ② 어깨와 팔의 근육을 풀어준 후 다시, ③ 목 매뉴얼테크닉를 하고, ④ 마지막으로 두피 매뉴얼테크닉을 하는 것이 좋다. 두피 매뉴얼테크닉은 손을 이용하지만 진동 매뉴얼테크닉기를 사용할 수도 있다.

도움 매뉴얼테크닉 후의 효과

- 몸에 힘이 없어지며 나른하다.
- 졸음이 오거나 일시적인 피로감을 느낀다.
- 기분이 상쾌해진다.
- 약간의 통증을 느끼거나 뻐근한 느낌을 받는다.
- 매뉴얼테크닉을 받은 다음 날 통증이나 피로감이 더한다.
- 소변의 배출량이 늘고 색깔이 진해지며 냄새가 강해진다.

도움 기본적인 매뉴얼테크닉 동작 (이 5가지 기본 동작은 스웨디쉬 매뉴얼테크닉에 근거한다)

- 강찰법(friction): 피부를 누르면서 강하게 문지른다.
- 경찰법(effleurage stroking): 손바닥, 네 손가락, 엄지손가락 등을 이용하여 가볍게 문지른다.
- 유연법(kneading): 손바닥을 전체적으로 사용하고 약지와 검지를 이용하여 근육을 주물러서 풀어준다.
- 진동법(vibration): 피부와 하부조직에 진동을 전달한다.
- 고타법(percussion)
  - 탑핑(tapping): 손가락의 바닥부분을 이용하여 지두로 두드린다.
  - 슬랩핑(slapping): 손바닥을 이용하여 두드린다.
  - 컵핑(cupping): 손바닥으로 컵 상태를 만들어 구부리고 두드린다.
  - 해킹(hacking): 벌린 손바닥의 새끼손가락 측면으로 가볍게 두드린다.
  - 비팅(beating): 주먹으로 두드린다.

▶ **두피 매뉴얼테크닉 순서**

두피 매뉴얼테크닉은 클렌징 전에 노폐물을 빼내기 위한 준비 과정 또는 두피 근육을 이완시키기 위해서 스케일링 단계에서 시행하거나 트리트먼트나 앰플 도포 후에 영양투입을 활성화하기 위해 간단히 행하기도 한다.

① 관리사(준비운동)

고객 관리에 들어가기에 앞서 관리사의 몸을 이완 및 보호하기 위하여 준비운동을 한다.

■ 전체 스트레칭

■ 손 스트레칭

ⓐ 손목의 힘을 뺀 후 손목을 흔들어 준다(10회 실시).

ⓑ 주먹 쥔 손을 앞으로 내밀면서 손가락을 편다(10회 실시).

ⓒ 손목 회전운동을 양손 모두 20회씩 실시한다(반대방향으로도 20회 실시).

ⓓ 깍지끼고 90° 위로 올라가 귀 옆에서 좌 · 우 스트레칭

ⓔ 손목 털기(양손 동시 10회 실시)

② 안내멘트

고객에게 자신을 소개하고 관리 시작을 알린다.

예) 안녕하십니까? 고객님, 저는 트리콜로지스트 OOO입니다.
지금부터 매뉴얼테크닉을 시작하겠습니다.

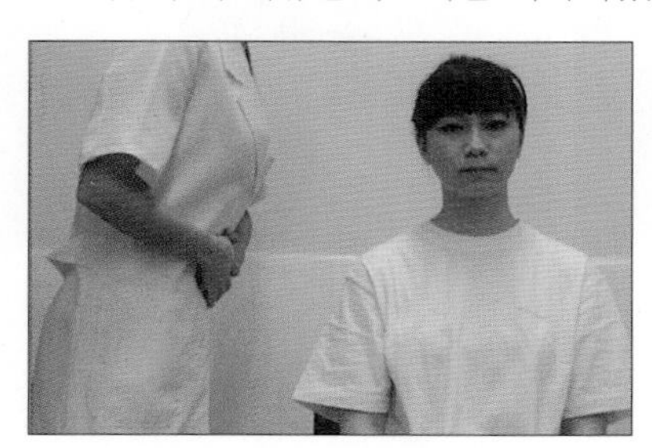

③ 준비자세(고객이 보이지 않는 곳에서 시술 전 준비자세의 과정이다)

氣 정리(두 손 가볍게 비벼 눈 앞면 3초, 백회에서 3초 정지 후 어깨선으로 가볍게 릴렉스하는 단계이다)

❶ 눈에서 3초

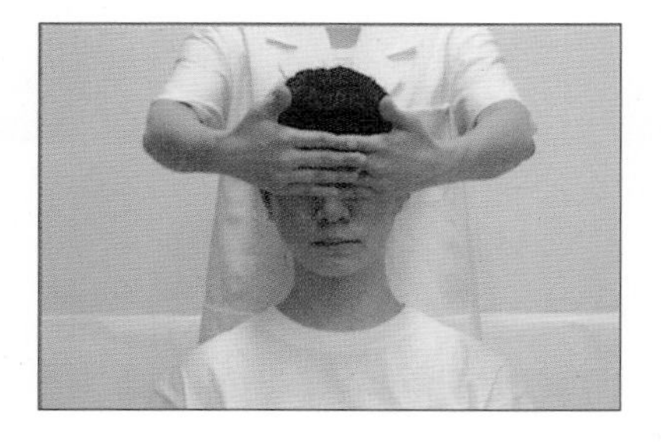

❷ 올라와 백회에서 3초

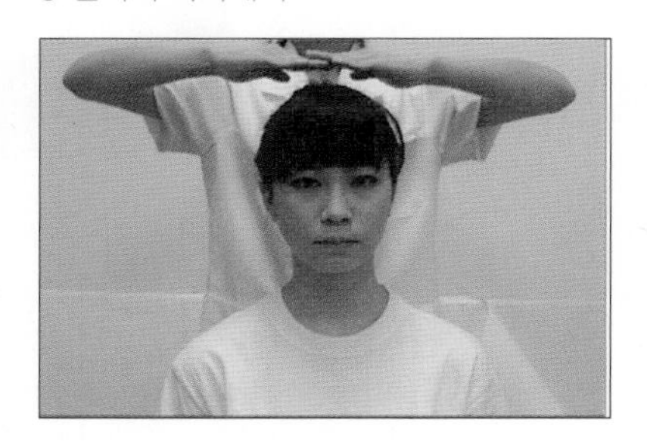

❸ 어깨를 향해 → 팔을 향해(氣 정리)

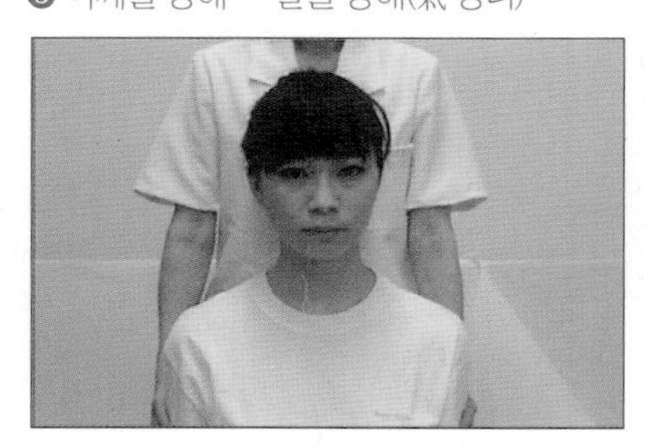

④ 스트레칭(이완)

❶ 견봉: 좌 · 우, 전 · 후 스트레칭(고객 목을 편한 상태로 놓고 어깨를 누르고 지그시 밀어준다)

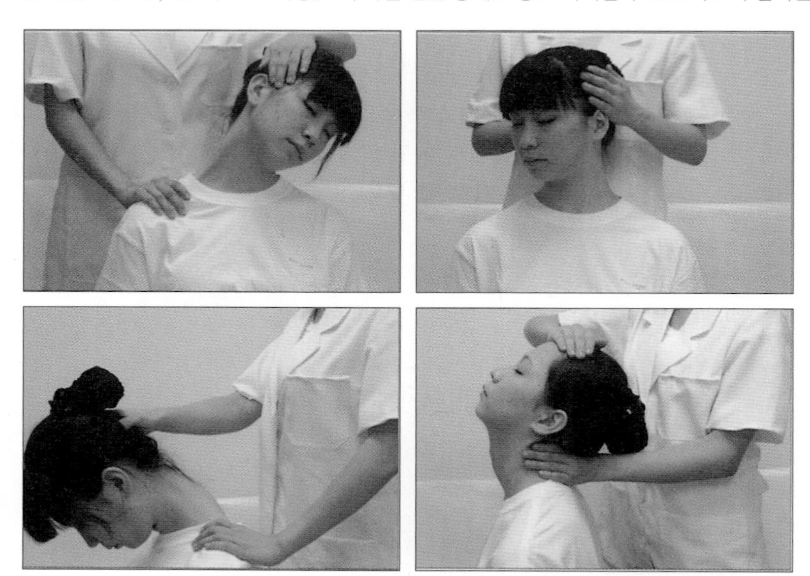

❷ 경추 부위 오지를 이용해 3등분 집어주기

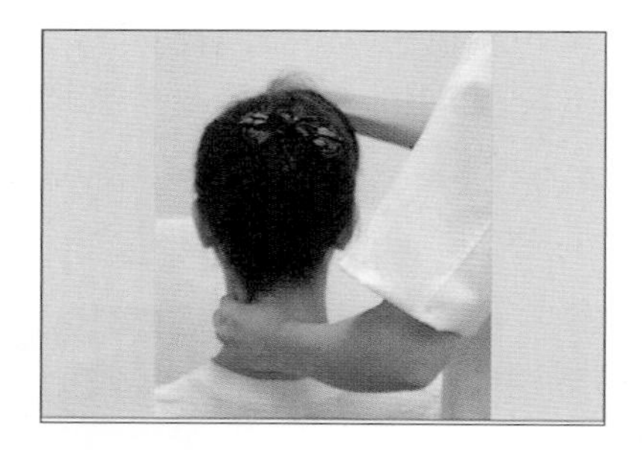

❸ 경추 횡돌기 한쪽 씩 3등분 집어주기

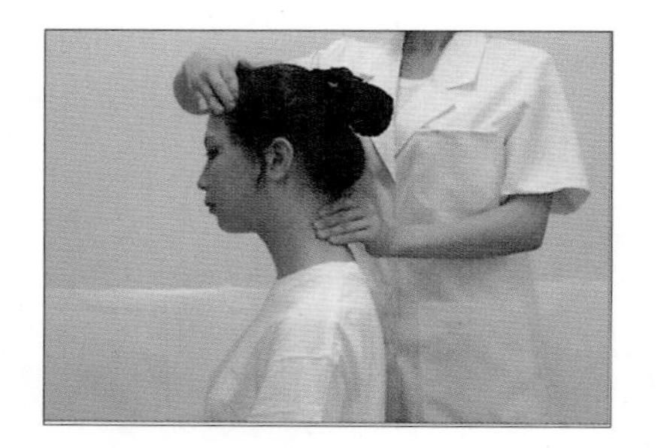

❹ 아문-각 손까지 압(좌 · 우, 삼지 · 사지 이용하여 압)

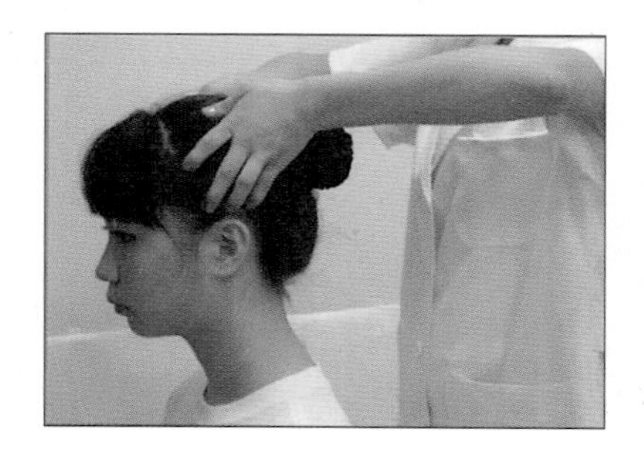

⑤ 어깨 매뉴얼테크닉

❶ 승모근 주무르기(대추-견봉까지 3등분 나누어 왕복 2회)

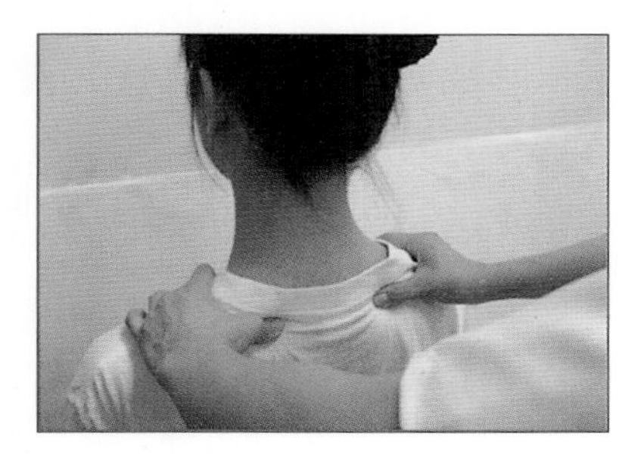

❷ 승모근 당기기(모지 고정하고 3등분으로 당겨준다)

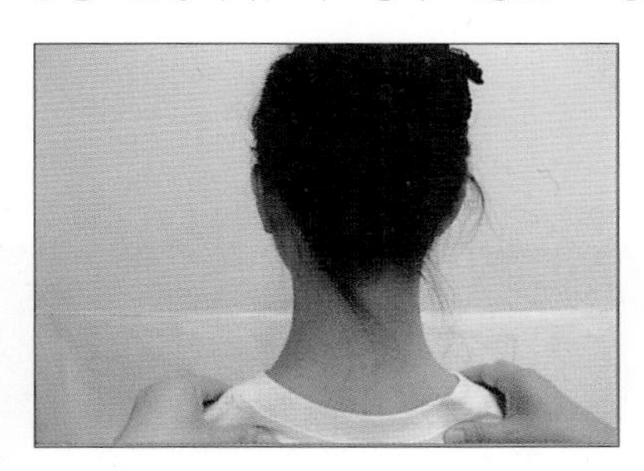

❸ 승모근(견정, 견료, 견우, 천종, 병풍, 견외유, 견중유까지) 2회씩 압주기

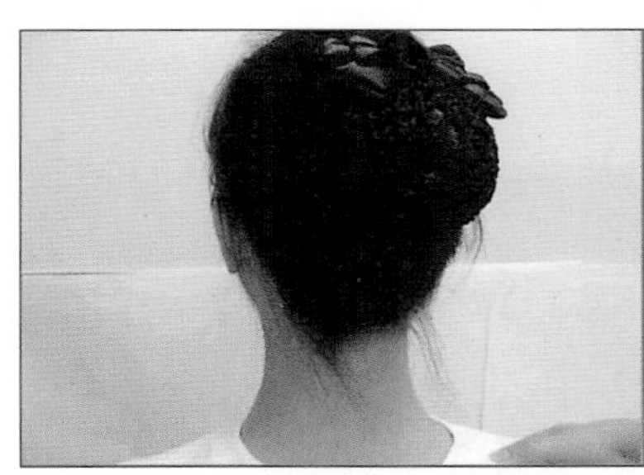
견정압

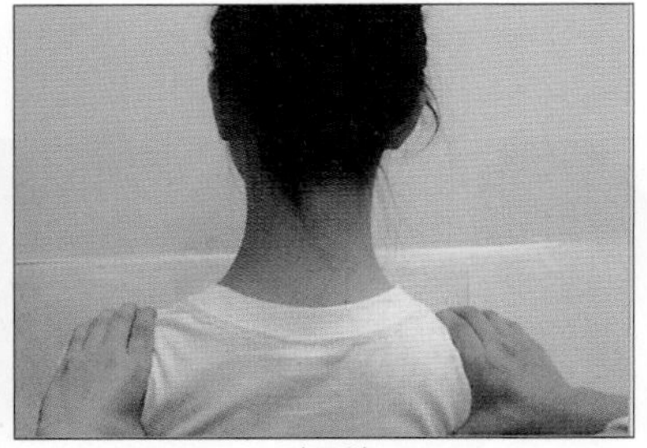
견료압

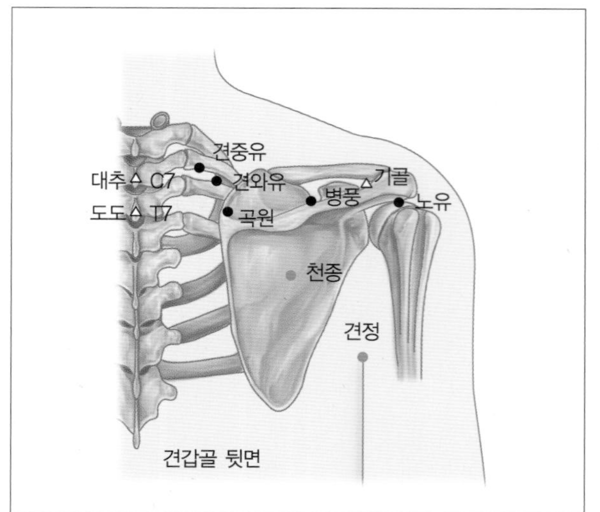

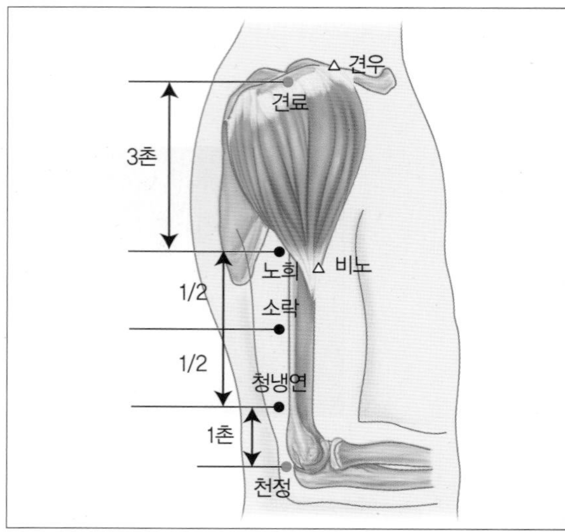

그림 5-16

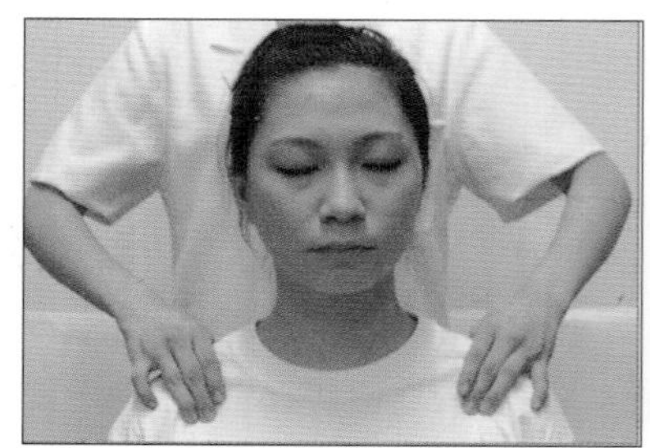
견우압

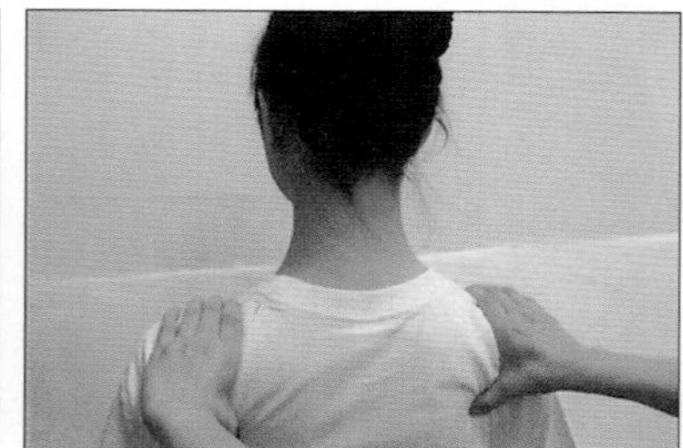
천종압

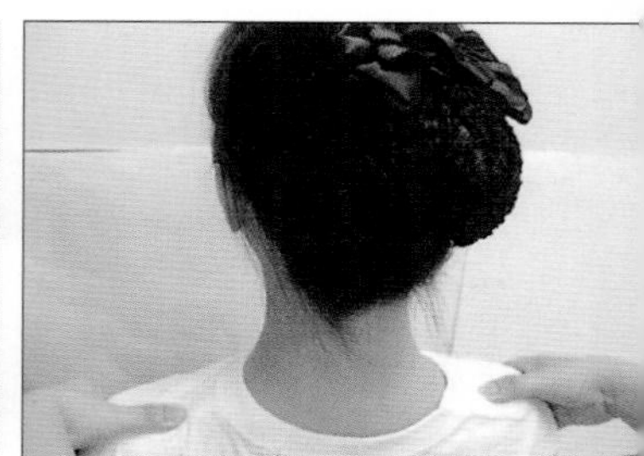
병풍(천종 일직선)압

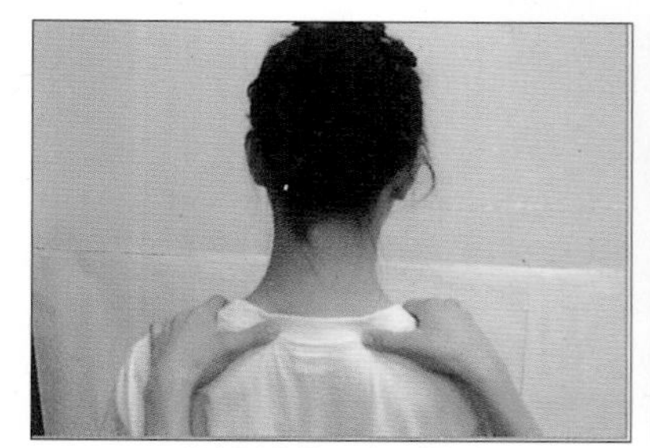
견외유(흉추 1번 3촌)압

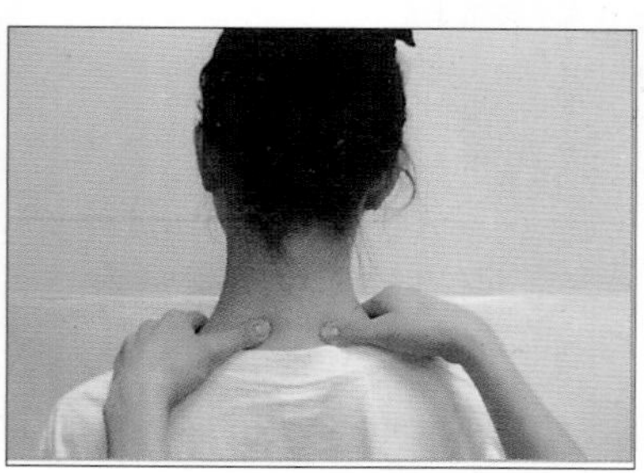
견중유(경추 7번 2촌)압

❹ 흉추(극돌기 양모지압), 흉추(횡돌기) 견봉보조 횡돌기 지압 위-아래 한쪽씩 압

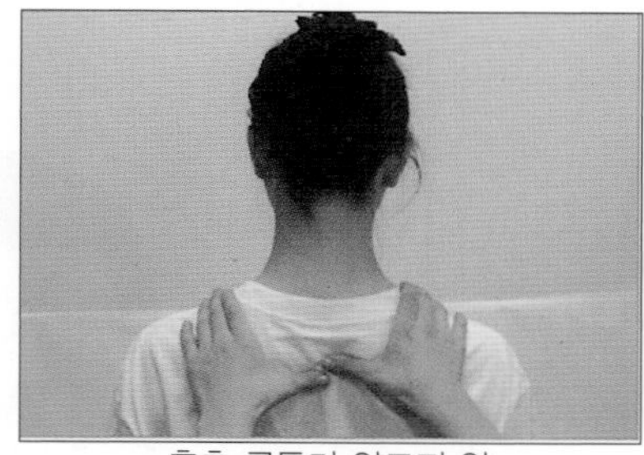
흉추 극돌기 양모지 압

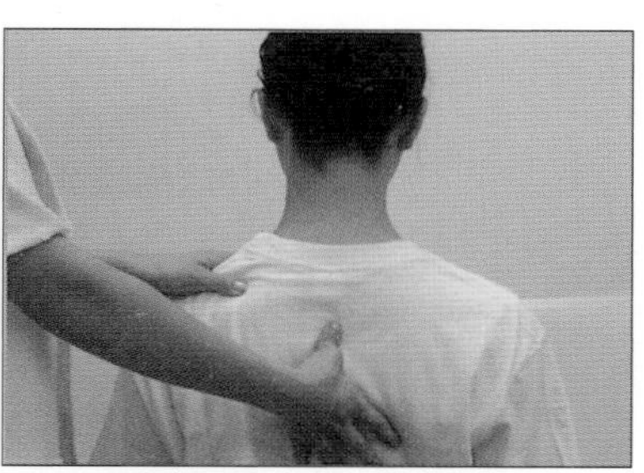
견갑골 삼지사지 압(좌 · 우)

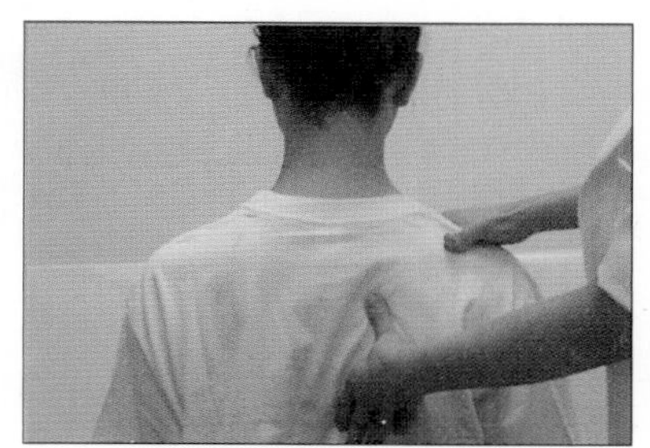
흉추 극돌기 양모지 압

❺ 견갑골 라인 누르기(삼지사지, 수근부 이용 견갑골 라인따라 아래-위로 2회)

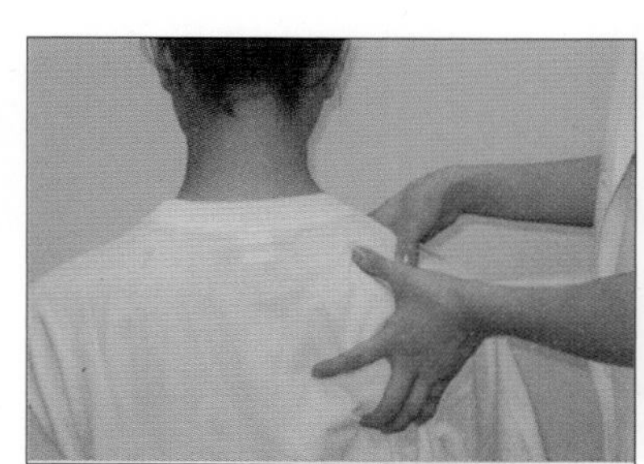
견갑골 삼지사지 압(좌 · 우)

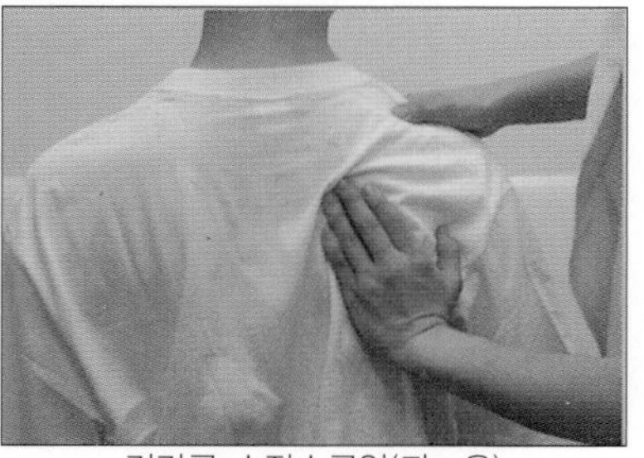
견갑골 수장수근압(좌 · 우)

❻ 쓰다듬기

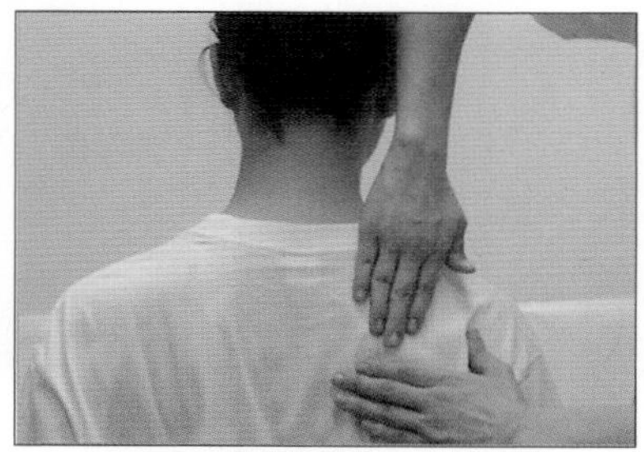
수장수근 이용 T형으로 쓸어 내려주기

❼ 두 손 모아 때려주기

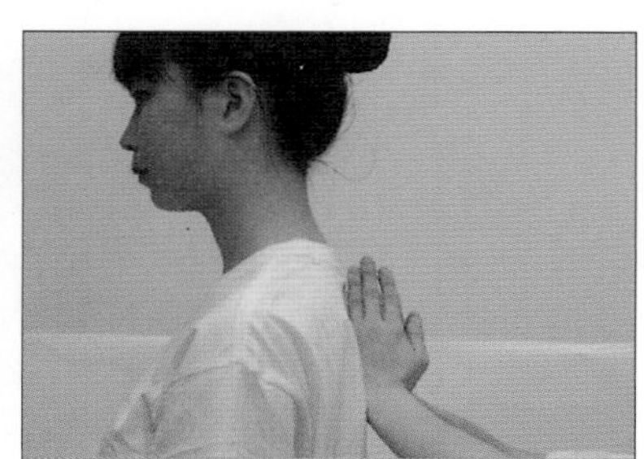
승모근따라 한쪽씩 양손바닥 모아
가볍게 때려준다(좌 · 우).

⑥ 안면 매뉴얼테크닉(고객의 머리를 받쳐주는 얇은 쿠션을 이용한다)

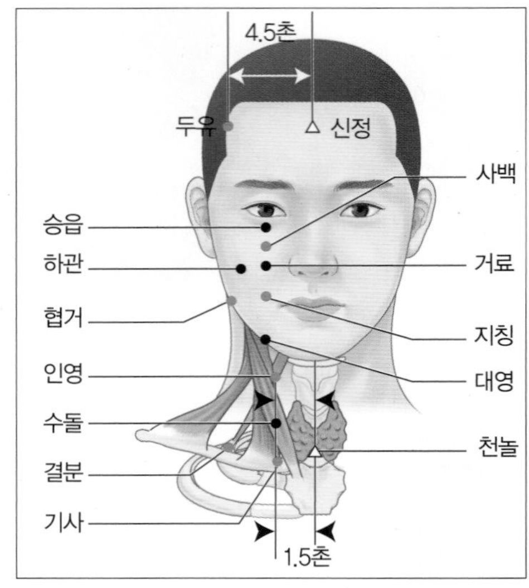

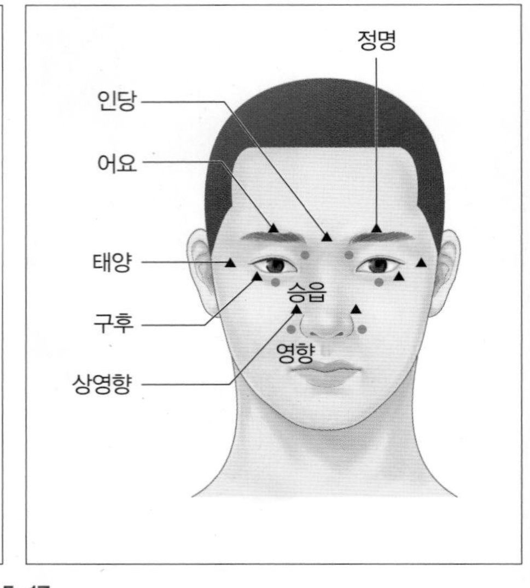

그림 5-17

❶ 인당압

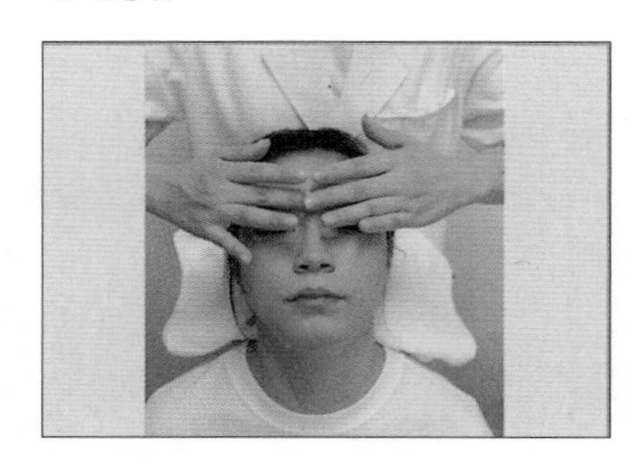

❷ 추미근 찝어주고 사죽공압

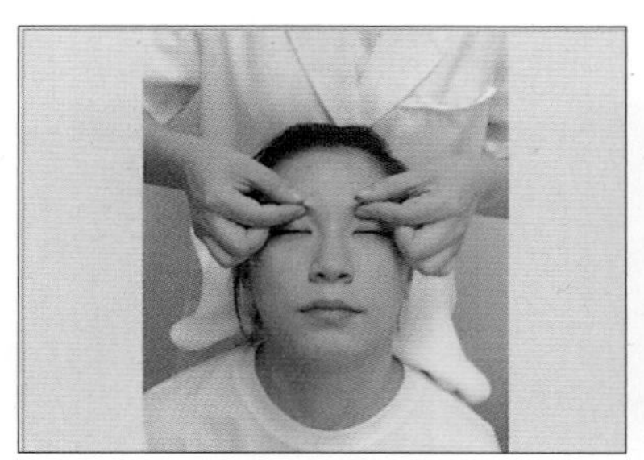

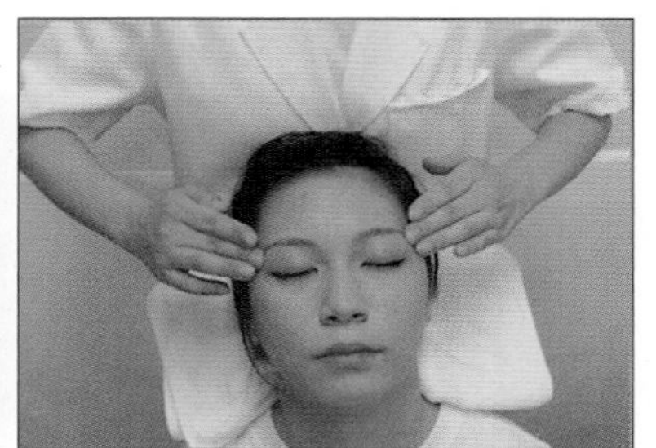

❸ 안륜근 지그시 누르고 정명압

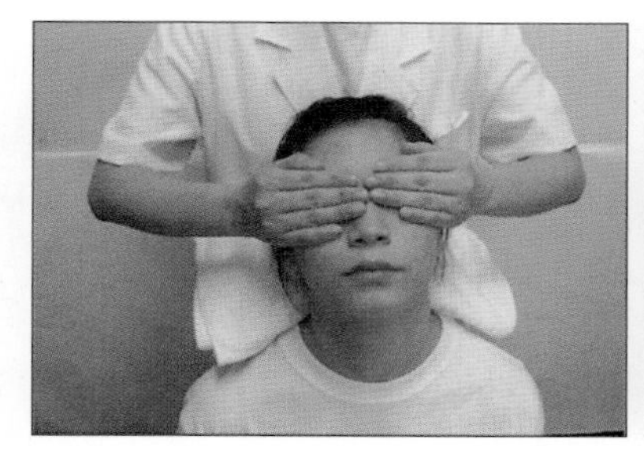
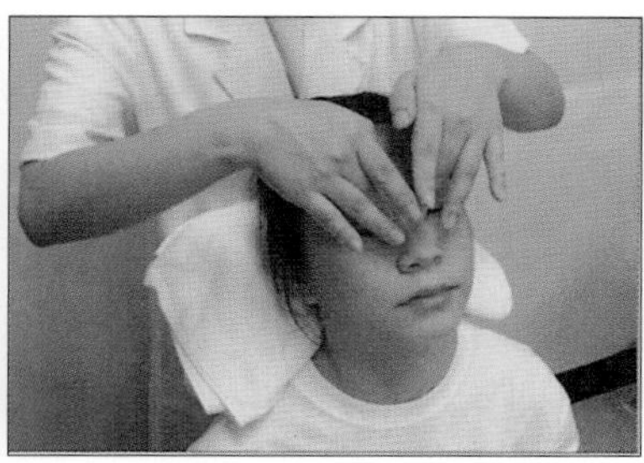

❹ 승읍(양모지)압

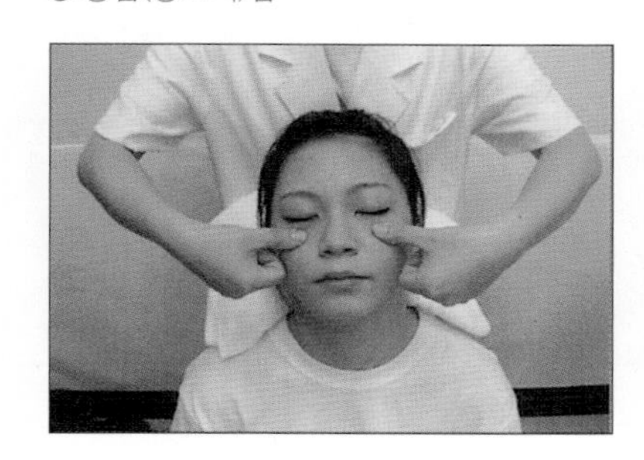

❺ 거료(삼지)압

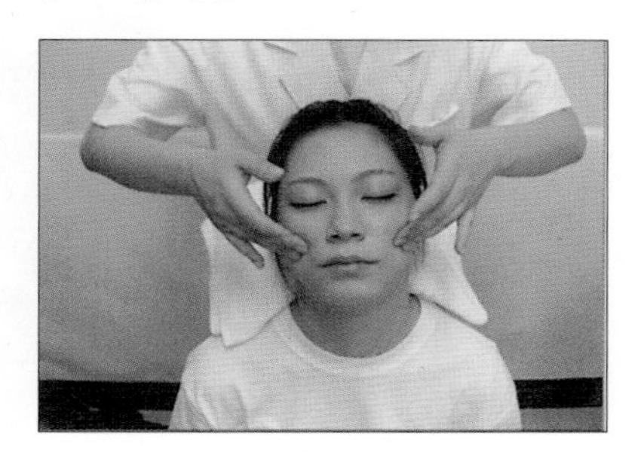

❻ 영향(삼지)압

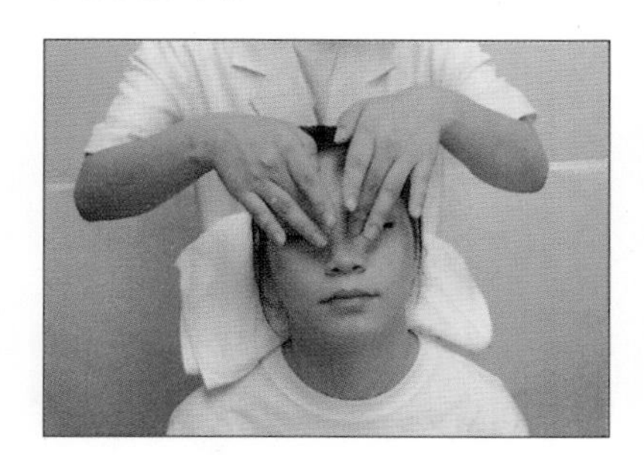

❼ 인중(삼지)압

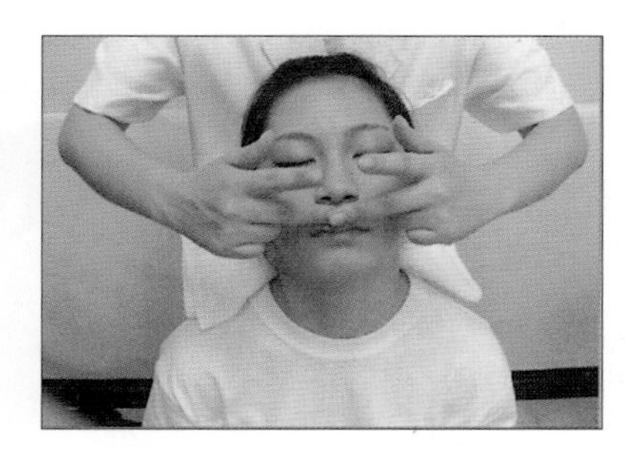

❽ 승장(삼지)압, 지창압

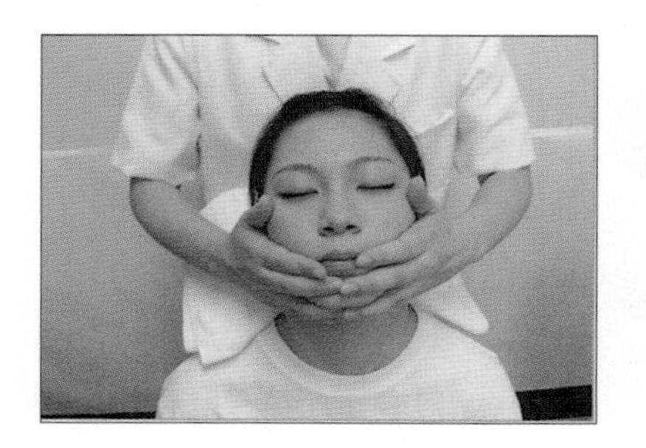

❾ 상염천(삼지)압

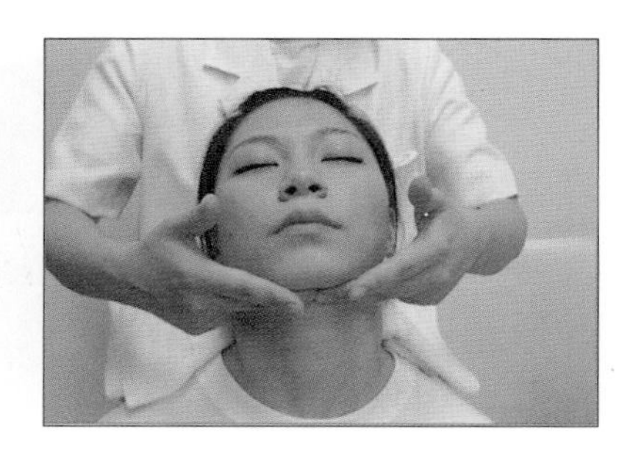

❿ 협거(삼지)압, 하관(삼지)압

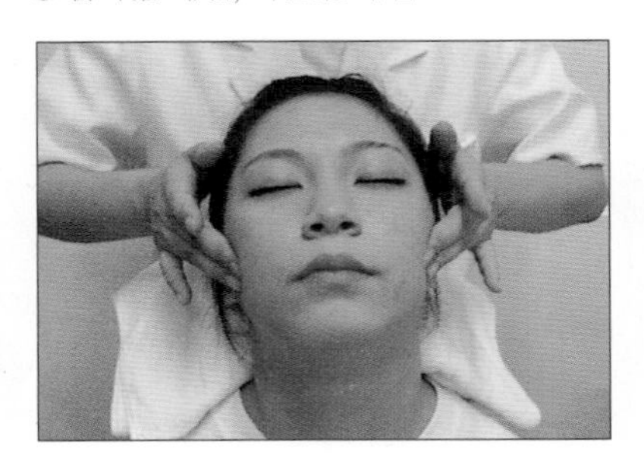

⓫ 상관(삼지)압

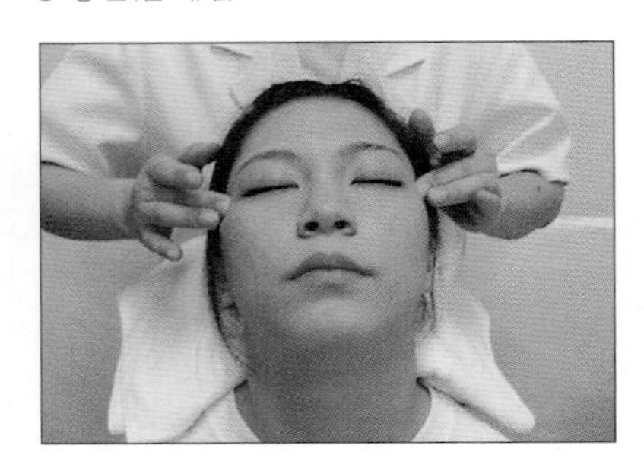

⓬ 태양(삼지)압

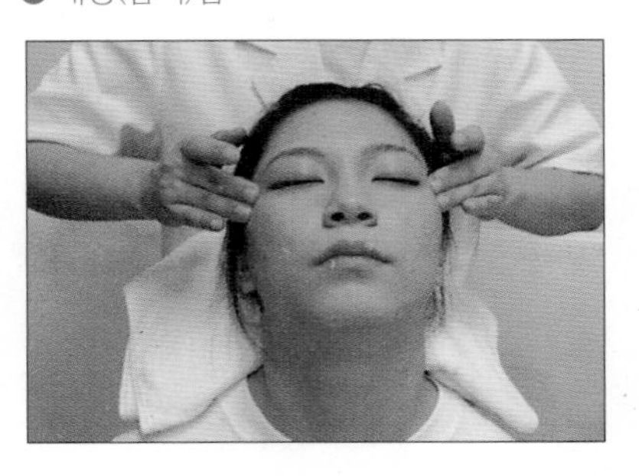

⓭ 수근부 이용하여 태양압

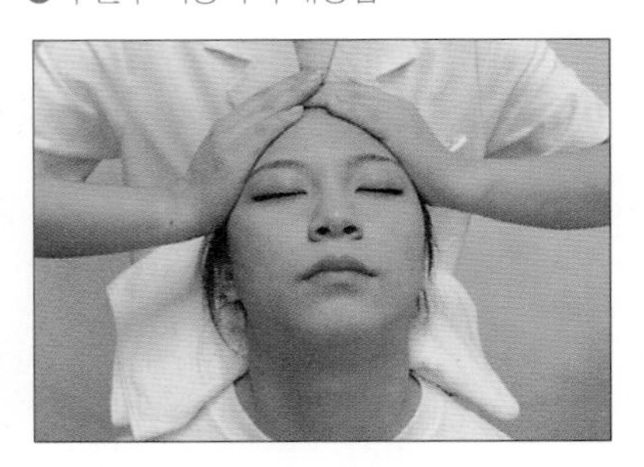

⑦ 귀 매뉴얼테크닉

❶ 이문, 청궁, 청회, 예풍압 주기

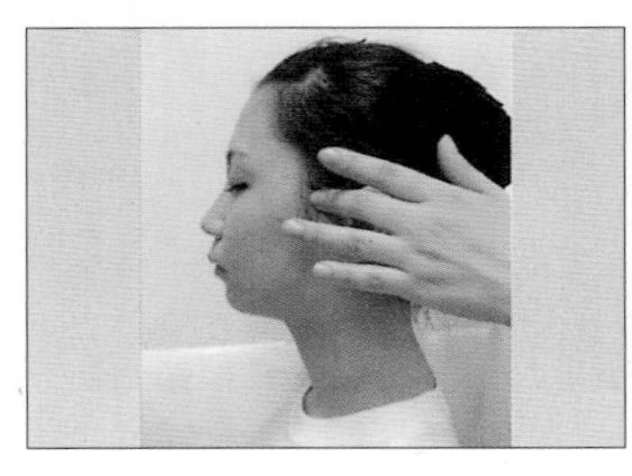

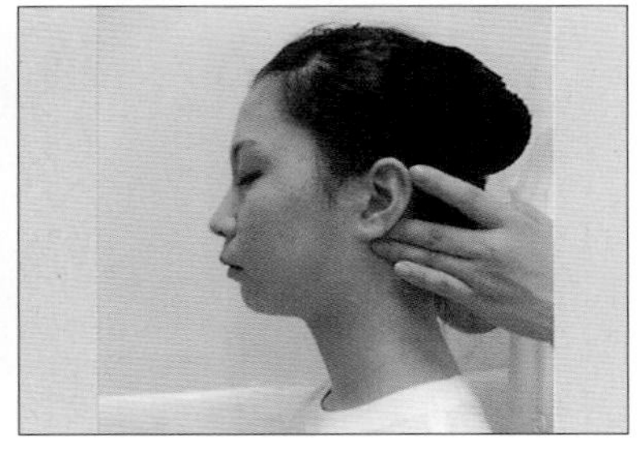

❷ 귀 주무르기

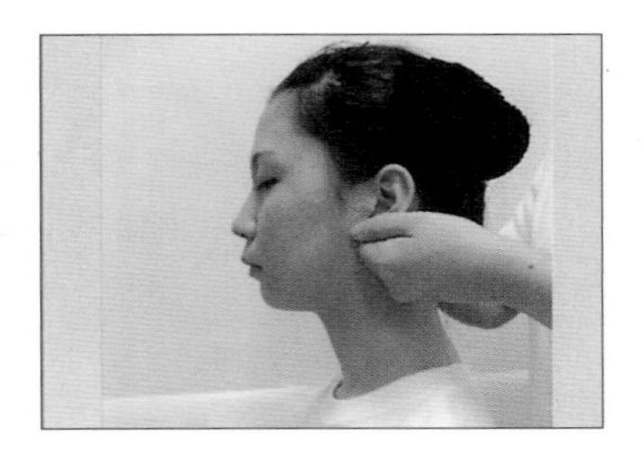

귀아래 – 위쪽으로 가볍게 문지르기(동시)

❸ 당기기

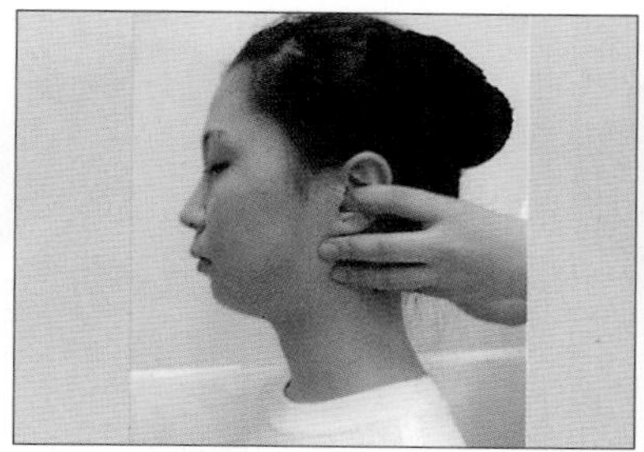

모지 후두부 보조후 귀안쪽 검지로
가볍게 당겨 주기(동시)

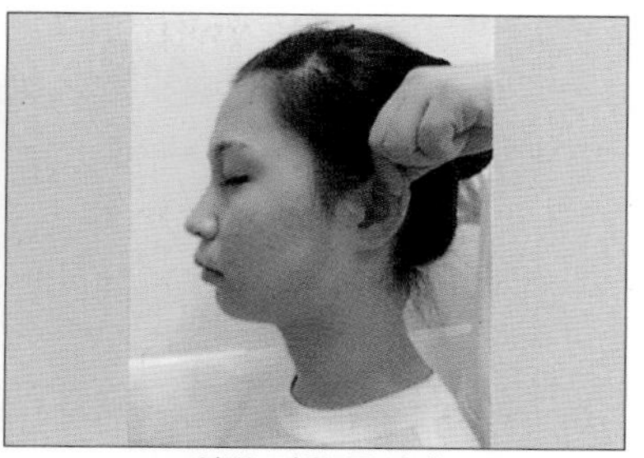

양쪽 귀를 동시에
아래에서 위로 당겨 준다.

❹ 수근부로 귀를 가볍게 접어서 반대 손가락으로 두드려준다(좌?우).

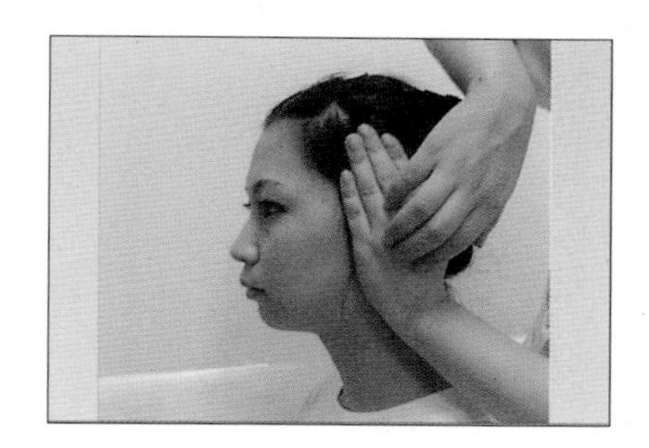

⑧ 두피 매뉴얼테크닉

❶ 신정 – 관자(삼지사지 이용 3초)

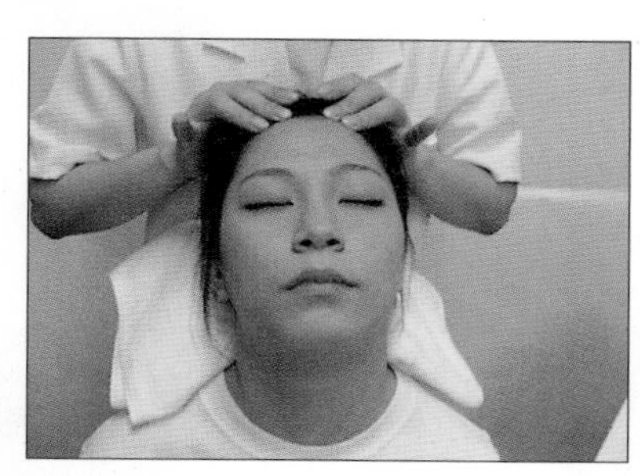

신정에서 헤어라인 따라 태양압

❷ 독맥, 방광경, 담경

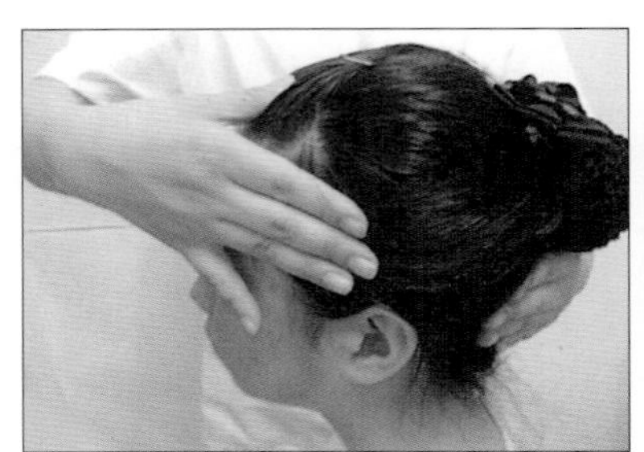
신정 – 아문까지 모지압

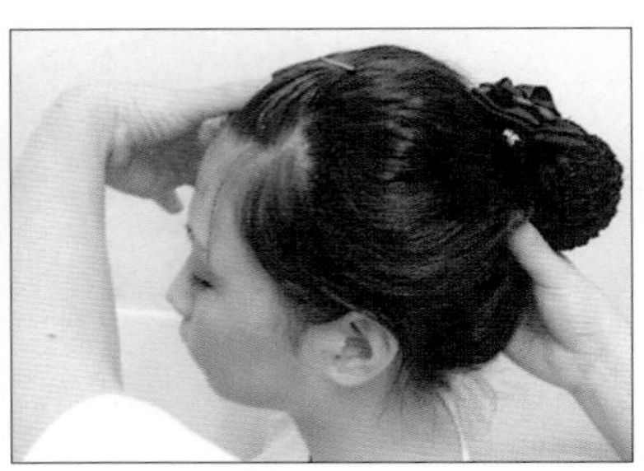
곡차 – 천주까지 모지압

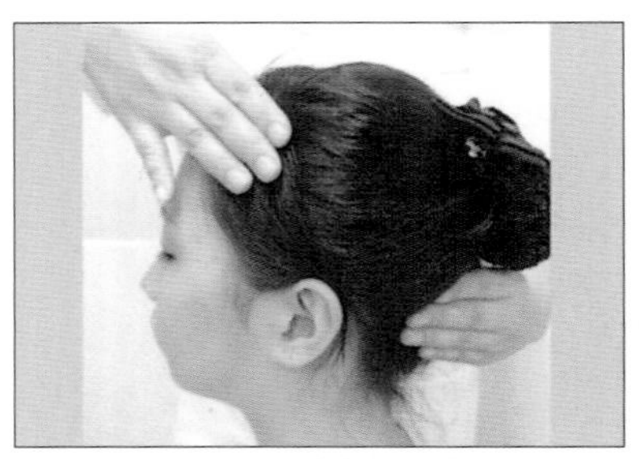
두유 – 풍지까지 모지압

❸ 두피 문지르기(유연법) 측면에서
한 손 보조 후 아래 – 위로 밀착해서 압

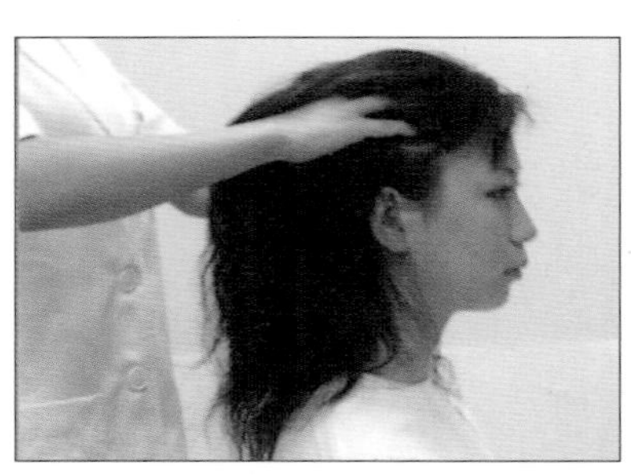

❹ 모근 자극하기
(4등분 분할 위–아래로 측 1, 후 2, 후 3, 측 4)

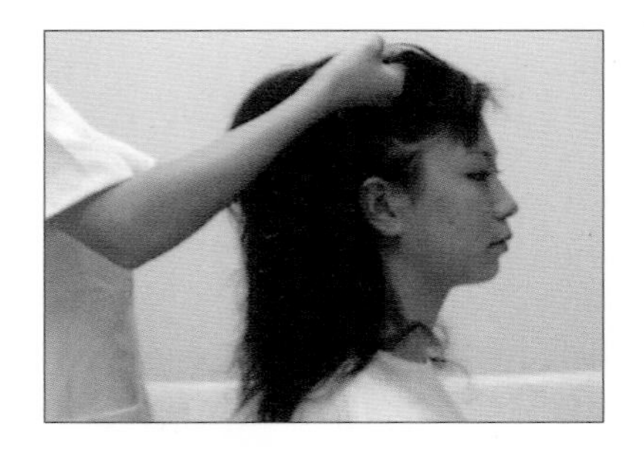

❺ 두피 좌우, 전후 3등분하여 자극하기
(모상건막 끌어올리기)

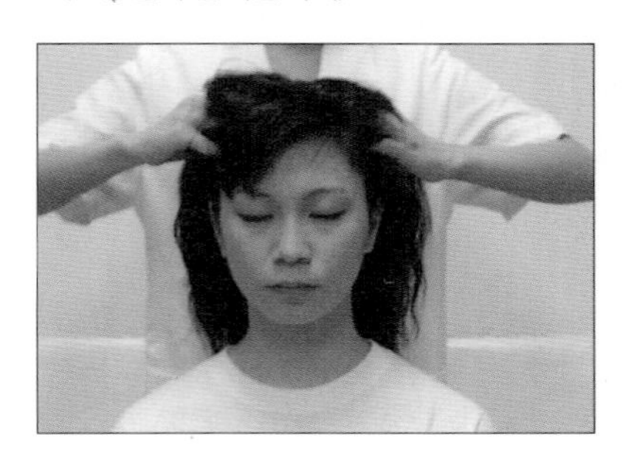

❻ 두피 컵핑해서 두드리기

❼ 양 오지 손끝으로 두드리기

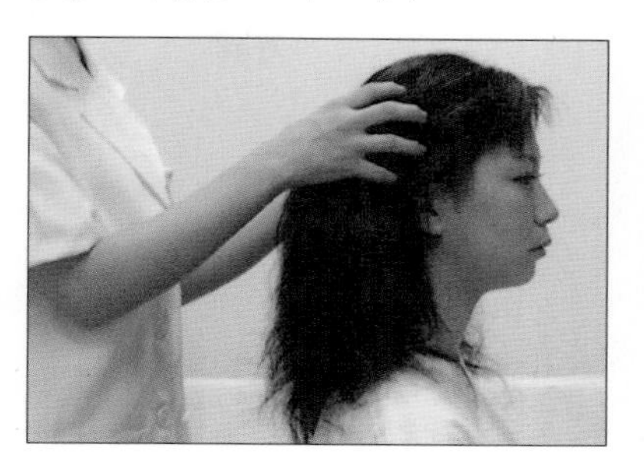

❽ 모발정리

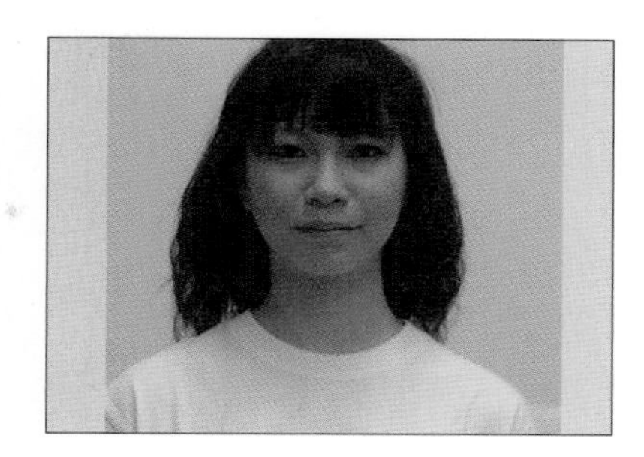

⑨ 상박 매뉴얼테크닉

❶ 상박 주무르기(우측1-좌측2 양오지 이용 상완부 3등분으로 끌어오기-좌 · 우)

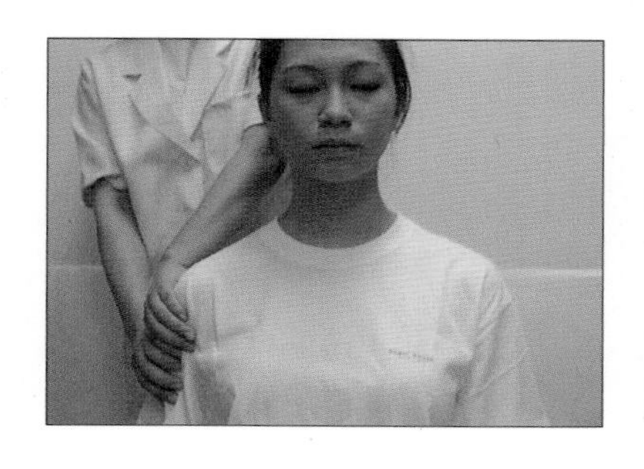

❷ 수근부 이용 상완부 앞쪽으로 동시에 밀어주기(3등분)

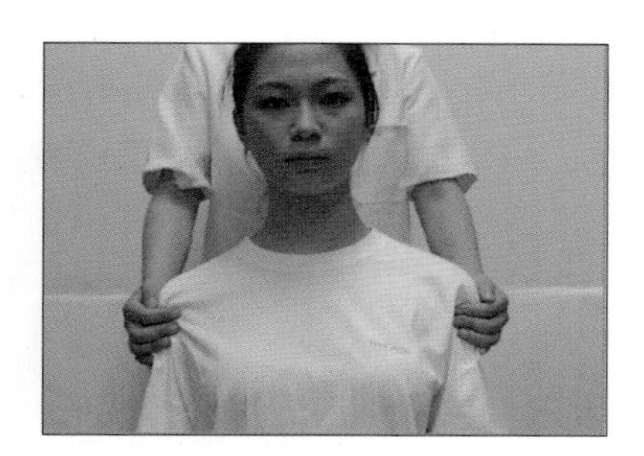

❸ 상박 한쪽씩(좌 · 우) 비틀기

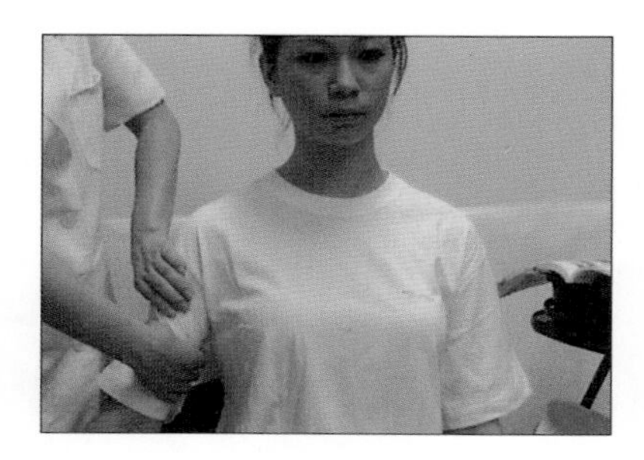

❹ 양상박 동시 컵핑으로 때려주기(좌우 동시 3등분)

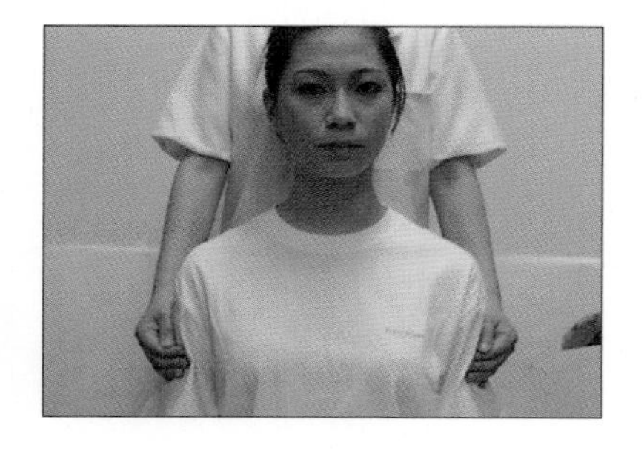

❺ 가볍게 밀착해서 수장수근부를 이용해서 내려준다(측면-후면-전면).

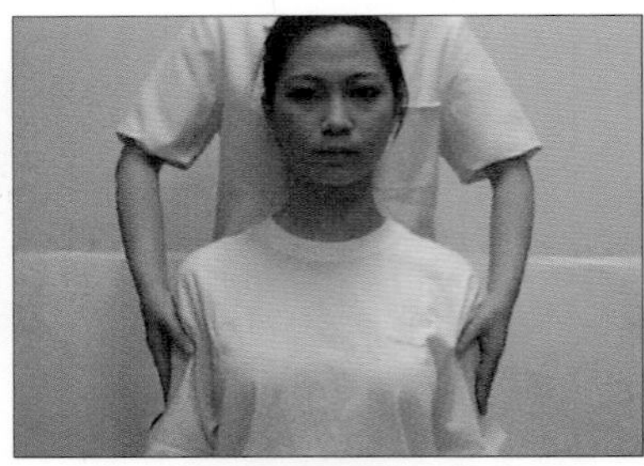
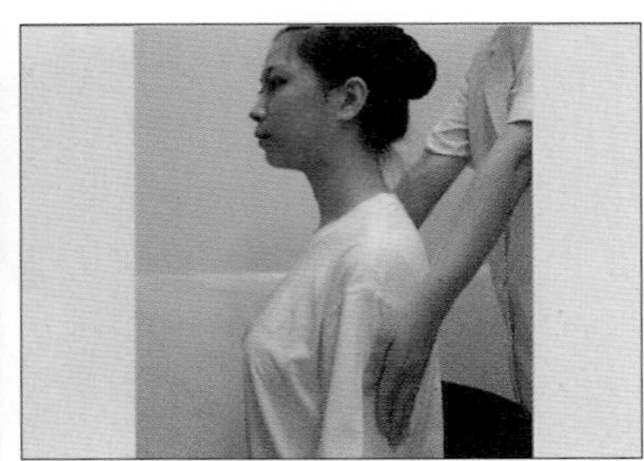
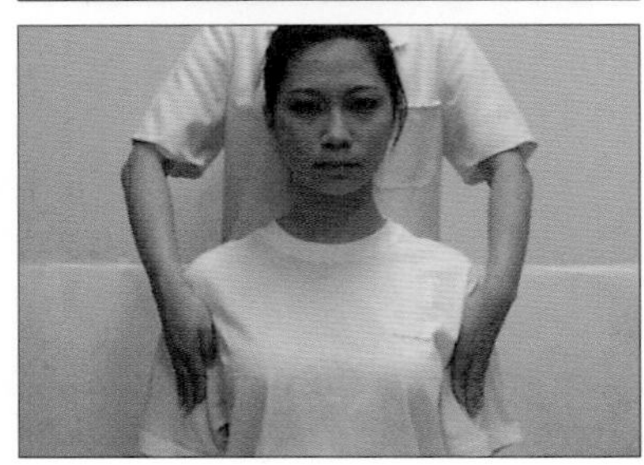

❻ 모델의 두 손을 올려주고 반대쪽 수근부를 이용해 스트레칭

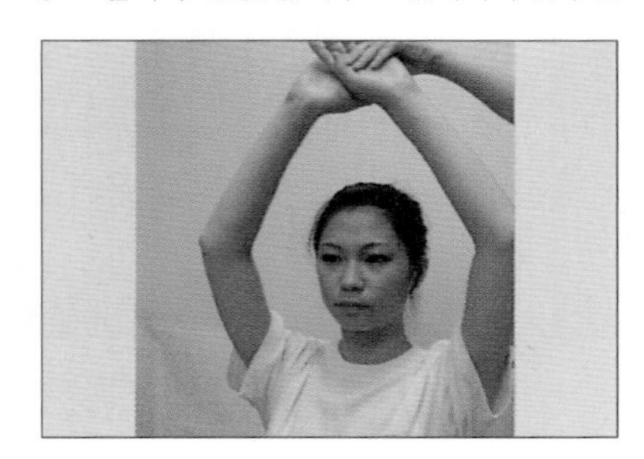

⑩ 마무리자세
氣 정리

❶ 눈에서 3초

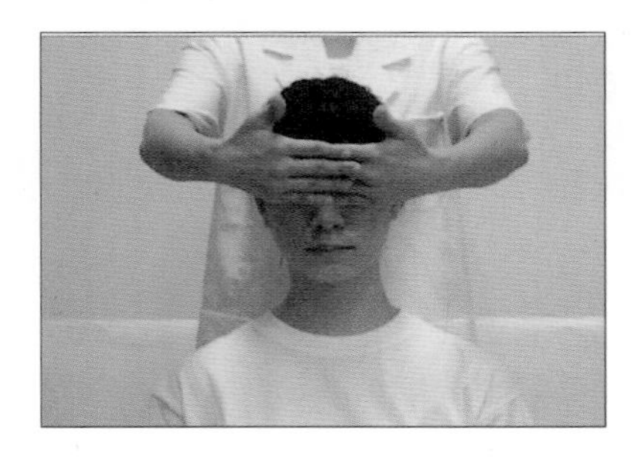

❷ 올라와 백회에서 3초

❸ 어깨를 향해, 팔을 향해 가볍게 내려준다.

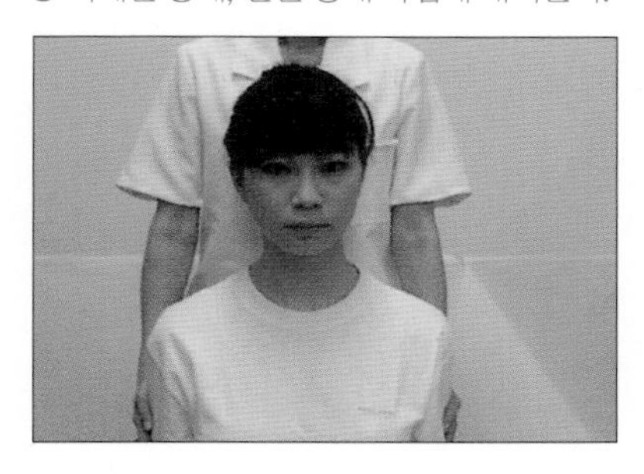

⑪ 마무리 인사

고객님 끝났습니다. 수고하셨습니다!

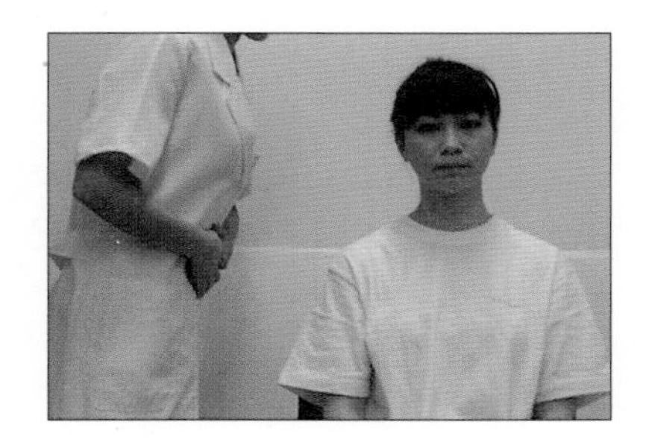

실기테크닉이 끝나면 주변정리를 다시 확인하시고 모델 오른쪽에 서서 심사위원의 지시에 따라 마무리를 짓습니다.

Chapter 6

6장 샴푸

1. 샴푸의 중요성

샴푸는 땀샘이나 피지선에서의 분비물로 인한 세균 증식과 오염의 제거를 위해 시술됨과 동시에 두피의 자극을 통한 모발의 육성을 촉진시킨다. 샴푸는 헤어스타일을 연출하는데 있어서 중요한 단계임과 동시에 가장 기본적인 테크닉이다. 지금까지는 헤어연출과정에서의 부수적인 역할을 해 왔으나, 샴푸도 하나의 서비스 개념으로 본다면 새로운 부가가치 창출로 볼 수 있다. 더구나 두피 관리에 있어서 가장 중요한 부분을 차지하기 때문에 전문가로서의 영역을 더욱 자리매김하기 위해서는 두피 상태에 적합한 샴푸제의 사용을 통하여 보습과 영양 공급이 중요하고, 기본 이론과 더불어 정확한 테크닉을 숙지할 필요가 있다.

2. 샴푸의 목적

샴푸의 목적은 모발을 깨끗이 씻는 것과 동시에 두피에 자극을 주어 모발의 육성을 촉진시키는 것이다.

3. 샴푸 시 주의사항

① 시술자는 반지나 팔지, 긴 목걸이 등의 착용으로 고객의 모발과 얼굴 등에 피해를 주지 않도록 주의해야 한다.
② 고객의 샴푸 받는 자세가 불편하지 않도록 배려해야 한다.
③ 시술자는 손톱이 길지 않아야 한다.
④ 샴푸 전 물의 온도가 적당한 지 고객에게 질문하여 물의 온도를 맞춰야 한다.
⑤ 고객의 얼굴에 물이 튕기지 않도록 작은 타월이나 가리개로 가려준다.

⑥ 펌이나 염색 등을 시술받기 전의 샴푸 시 두피에 자극을 주어서는 안되며 시술 후의 샴푸도 두피를 자극하지 않도록 주의해야 한다.
⑦ 고객이 짧은 옷차림일 경우 무릎 덮개를 준비하여 덮어주도록 한다.
⑧ 시술자는 불쾌한 냄새가 나지 않도록 청결해야 한다.

4. 샴푸 시 사용하는 용어

① 샴푸실로 가시겠습니다(손으로 안내).
② 샴푸의자에 편안하게 앉아 주십시오.
③ 목은 불편하지 않으십니까?
④ 샴푸해 드리겠습니다.
⑤ 물 온도는 알맞습니까?
⑥ 목의 긴장을 푸시고 편안하게 계십시오.
⑦ 샴푸를 마쳤습니다.
⑧ 불편하지 않으셨습니까?
⑨ 수고하셨습니다.
⑩ 이쪽으로 오십시오(손으로 가리키며 담당 관리사 자리로 안내한다).

5. 샴푸 시 사용하는 매뉴얼테크닉 기법

샴푸 시 두피의 각질을 제거하고 혈액순환을 촉진하며 피지를 제거하기 위한 방법으로 여러 가지의 방법이 있는데, 근육?신경피부 경락 및 경혈 등에 대한 인체생리를 이해한 다음 목적에 맞게 샴푸하여야 한다.

1) 경찰법stroking

가볍게 문지르는 방법으로 손바닥이나 네 손가락, 엄지 등을 이용한다.

2) 강찰법friction

강하게 문지르는 방법으로 손바닥이나 네 손가락, 엄지 등을 이용하여 피부를 누르면서 행한다.

3) 유연법kneading

손바닥으로 약지와 엄지를 이용하여 근육을 집었다 놓았다 하며 주물러서 근육을 풀어주는 방법으로 샴푸 마무리 후 목덜미 등에 사용한다.

4) 지그재그법Z-zagging

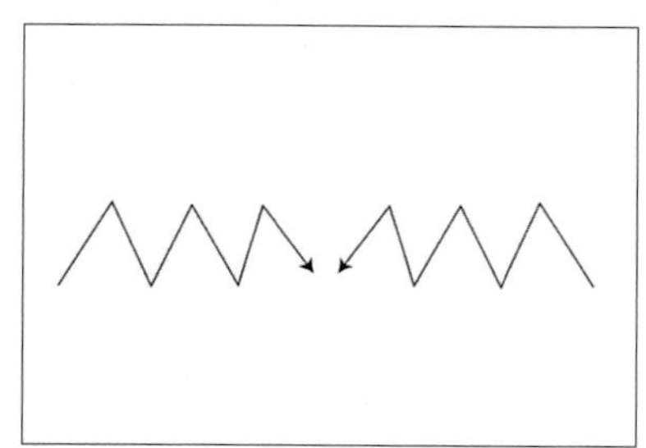

한쪽 손 네 손가락으로 지그재그로 비벼준다.

5) 나선형법spiraling

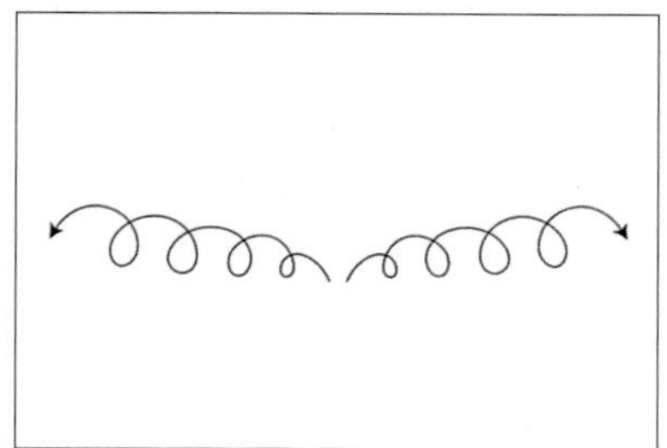

한쪽 손 세 손가락으로 둥글리며 비벼준다.

6) 양손교차법alternating

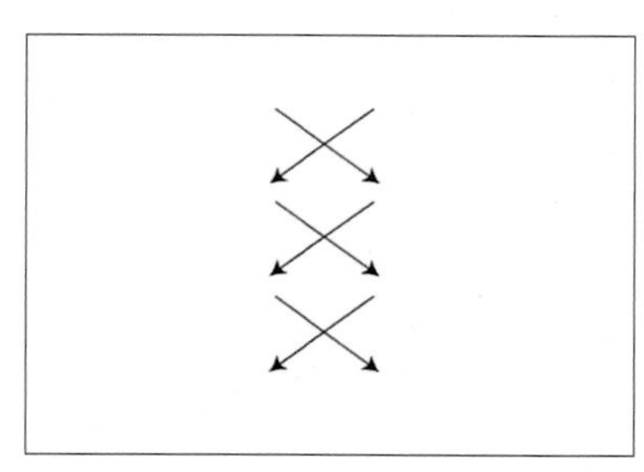

양손으로 헤어라인에서 정수리까지 지그재그 교차하며 비벼준다.

7) 집어 튕기는법pinching

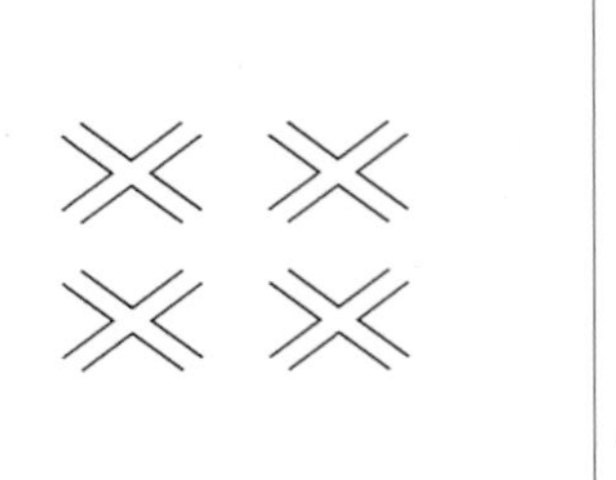

양손으로 두피를 쥐었다 놓았다 하며 짧게 튕겨준다.

6. 샴푸shampoo 테크닉

1) 좌식 샴푸 방법

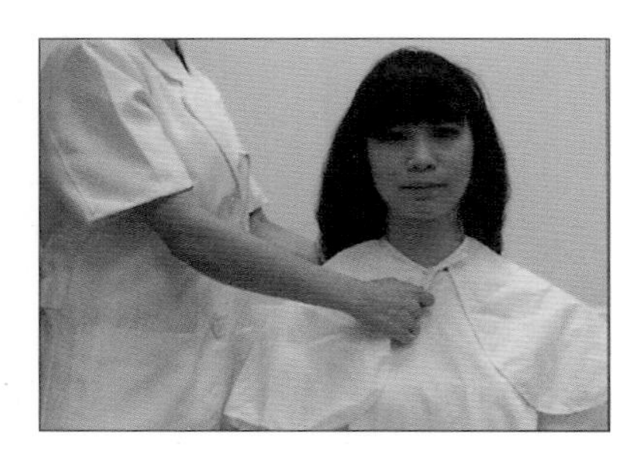

❶ 고객의 어깨에 수건을 올리고 편안한 자세로 샴푸를 받을 수 있도록 한다.

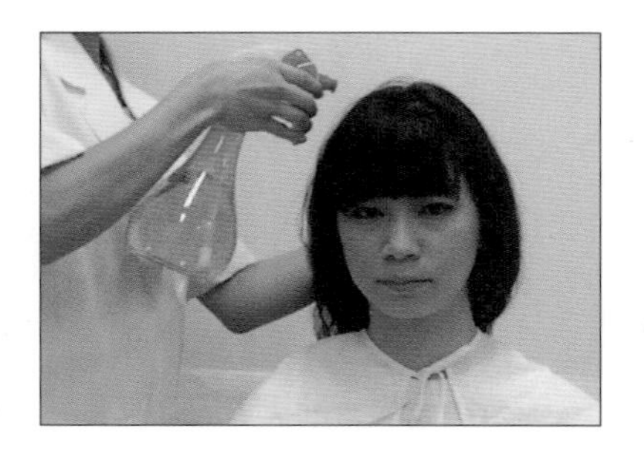

❷ 분무기로 두피와 모발 전체에 물을 충분히 도포한다.
이때 물은 두피 위주로 충분히 도포하며,
물이 많아서 흘러내리지 않을 정도로만 한다.

❸ 손에 샴푸를 덜어 가볍게 거품을 내어 두피전체에 도포한다.
헤어라인, 네이프라인을 중심으로 거품을 충분히
나도록 도포한다.

❹ 헤어라인을 나선형법으로 매뉴얼테크닉한다.

❺ 양 손으로 측두부를 잡고 나선형법으로 정수리 방향을 향해 매뉴얼테크닉한다.

❻ 왼손은 이마를 잡고 오른손으로 오른쪽 후두부에서 정수리 방향으로 나선형법 매뉴얼테크닉한다.

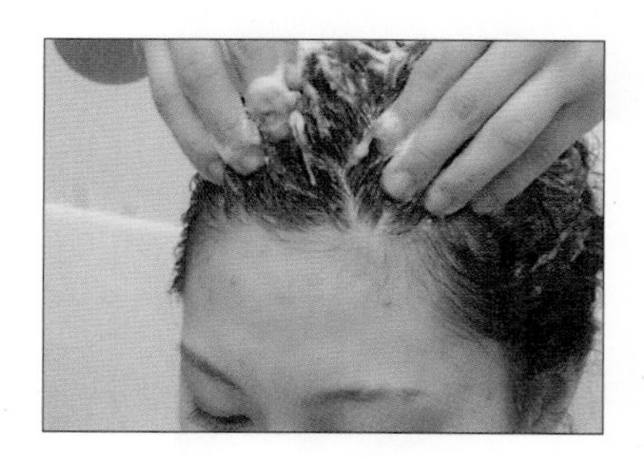

❼ 왼쪽 후두부에서 정수리 방향으로 나선형법 매뉴얼테크닉한다

❽ 양 손을 측두부에 대고 정수리 방향으로 모상건막을 끌어당기듯 올려준다.

❾ 왼손을 전두부에 오른손을 후두부에 대고 정수리 방향으로 모상건막을 끌어당기듯 올려준다.

2) 와식샴푸법(고객을 샴푸대로 안내한다.)

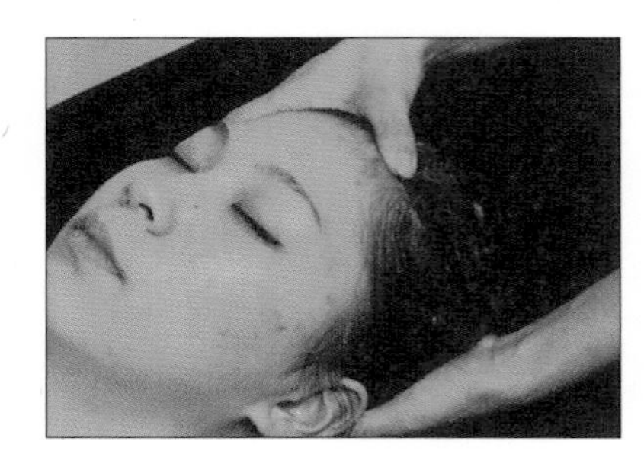

❶ 어깨에 타월을 올리고 샴푸대와 고객의 목이 편안하도록 맞춘다.

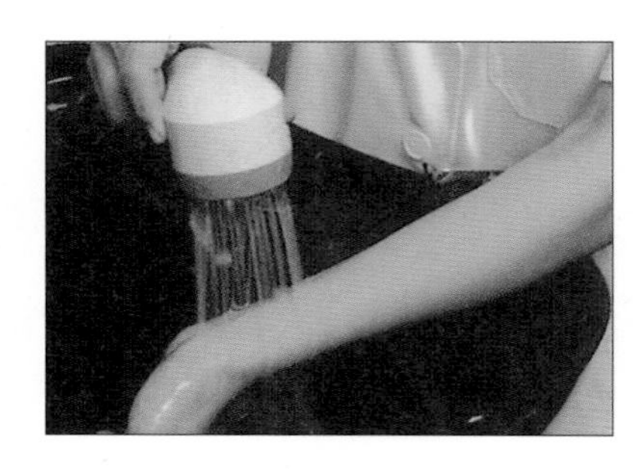

❷ 물 온도를 조절하여 먼저 손등에 확인한다.

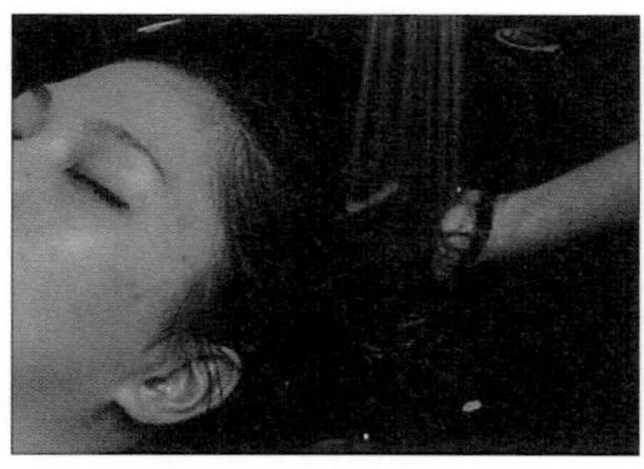

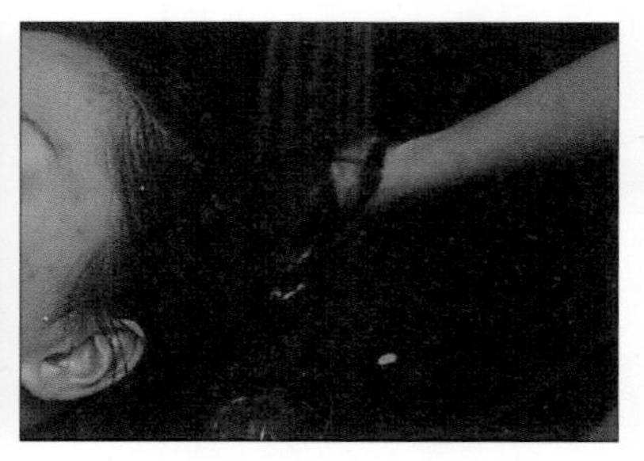

❸ 모발 끝을 적신다.

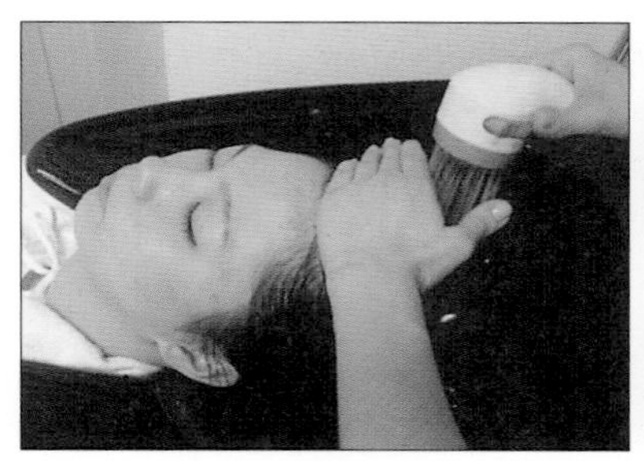

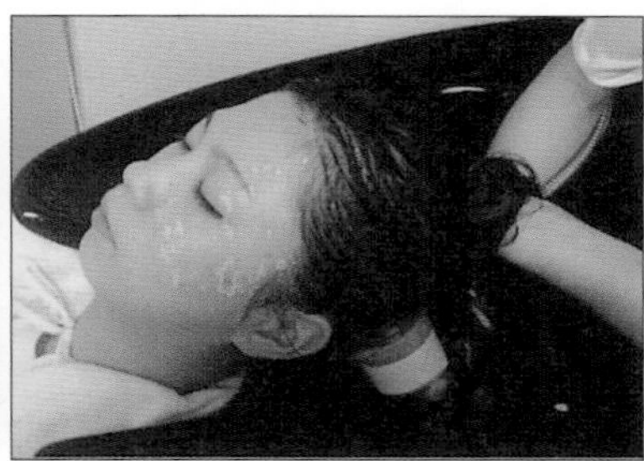

❹ 얼굴, 귀 등에 물이 흐르지 않도록 막아주면서 모발 전체에 물을 적신다.

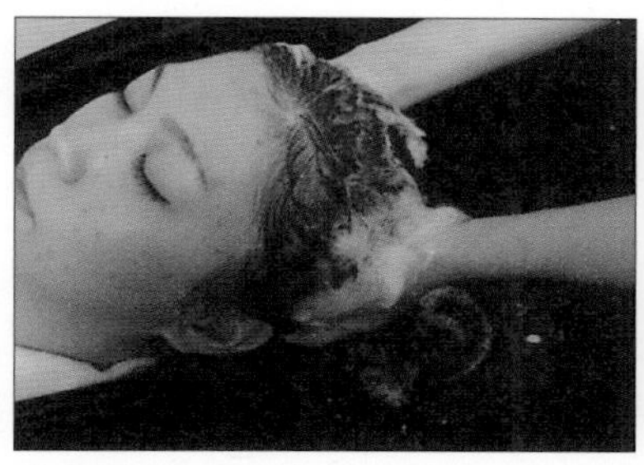 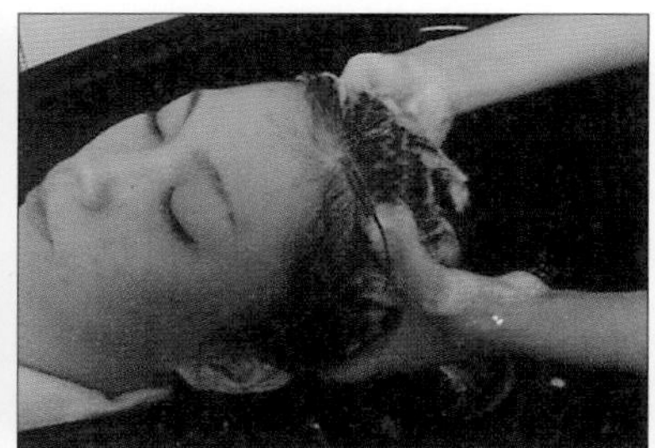

❺ 샴푸를 두피 전체에 골고루 도포한 후 충분하게 거품을 낸다.

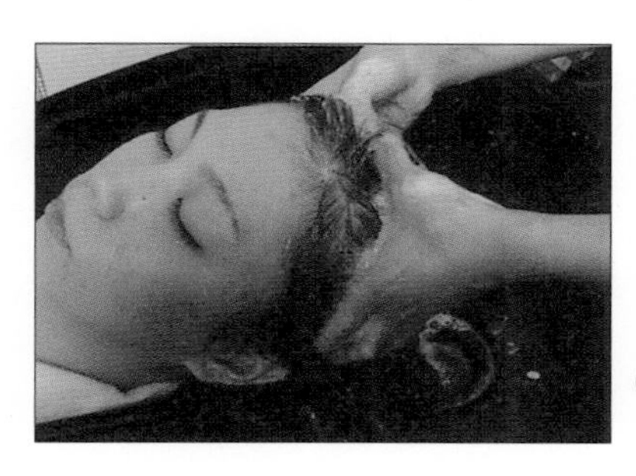

❻ 엄지 손가락을 이용한 양손교차법으로 두피 전체를 매뉴얼테크닉한다.

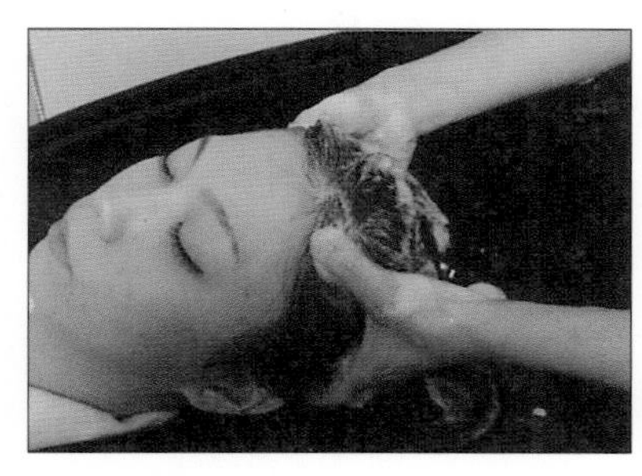

❼ 나선형법으로 헤어라인부터 매뉴얼테크닉한다.

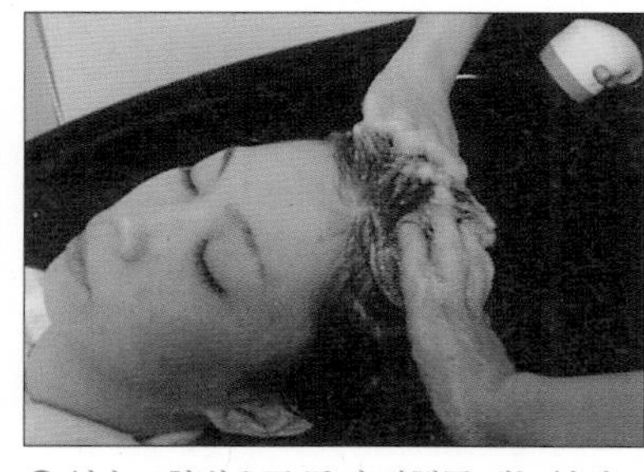 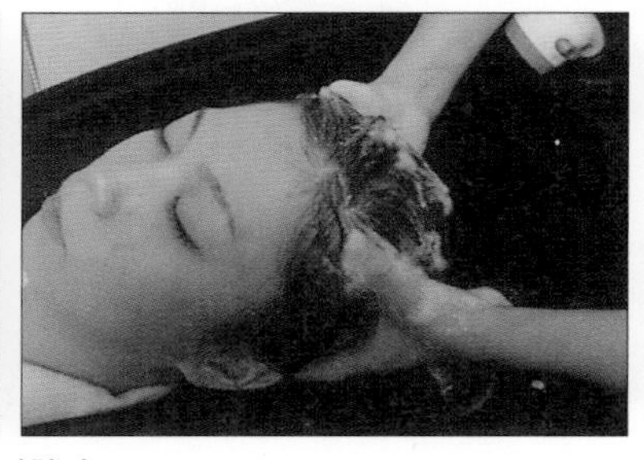

❽ 양손교차법으로 두피 전체를 매뉴얼테크닉한다.

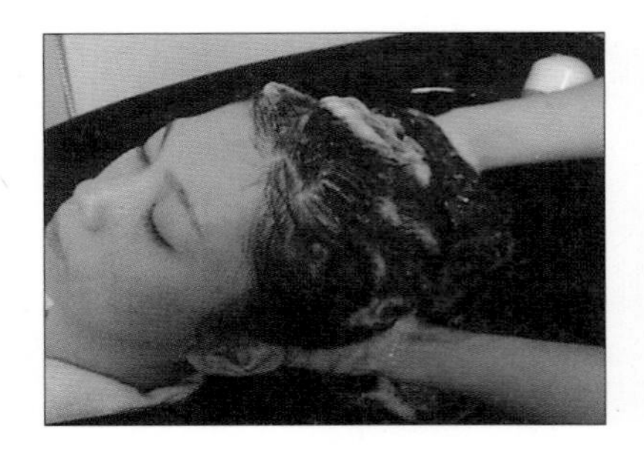

❾ 뒷 목부분도 한 손으로 받쳐들고 매뉴얼테크닉한다.

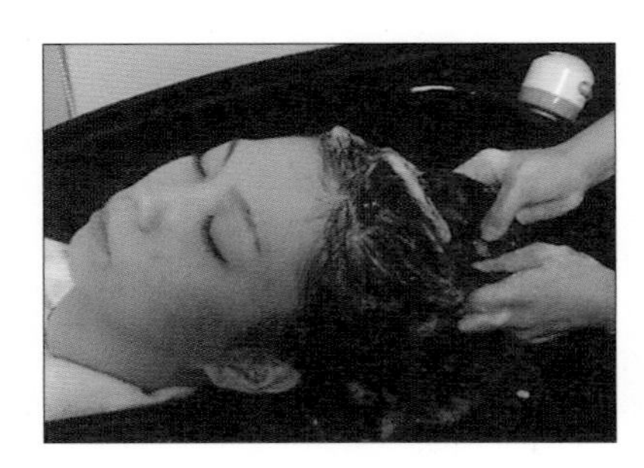

❿ 손가락으로 머리카락을 빗질한 후 모발을 깨끗이 샴푸한다.

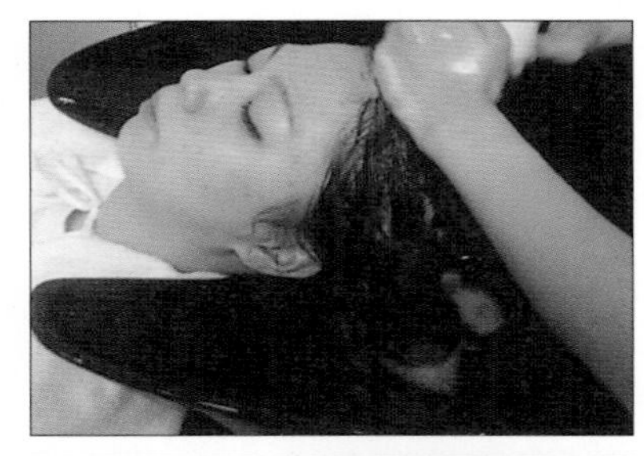

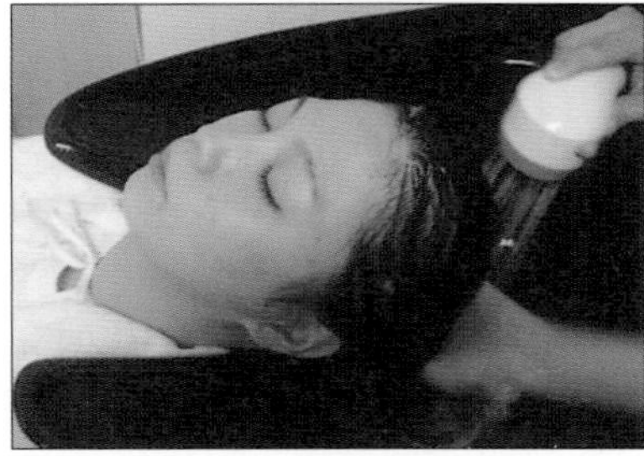

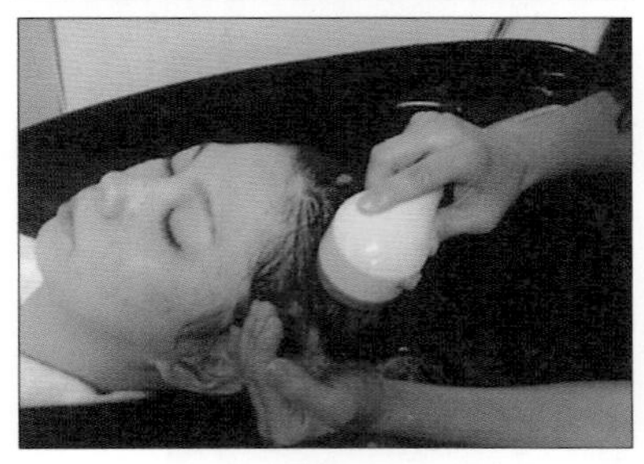

⓫ 페이스라인과 목 뒤, 귀 등을 깨끗하게
헹군다.

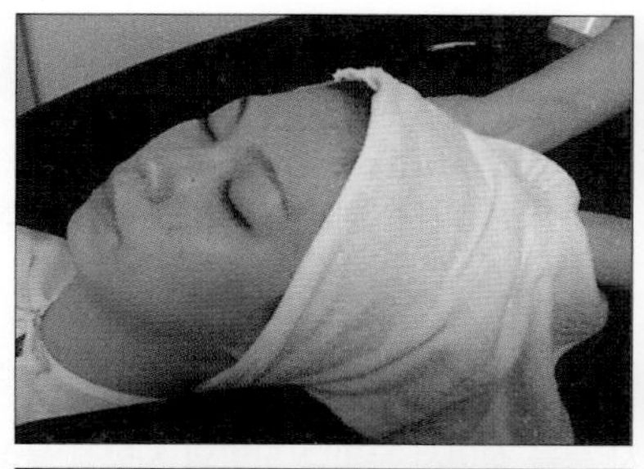

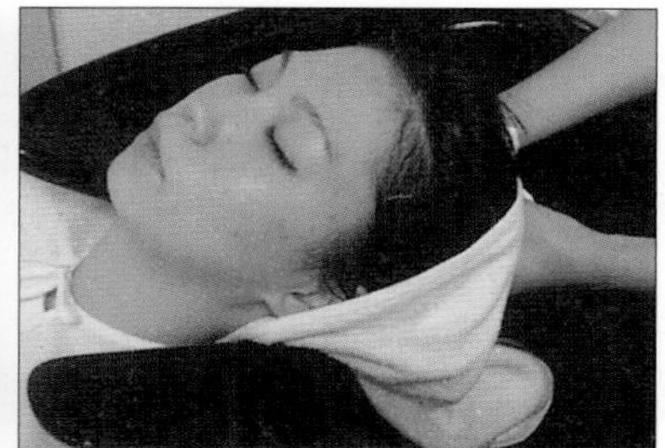

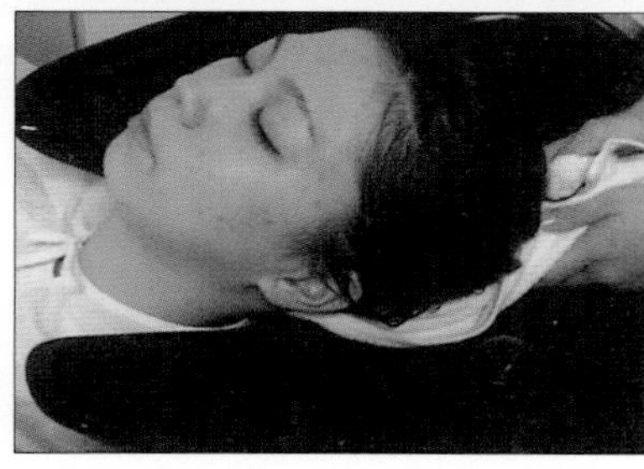

⑫ 타월로 두피 · 모발의 수분을 닦아내고 귀, 얼굴라인 등을 섬세하게 닦아준다.

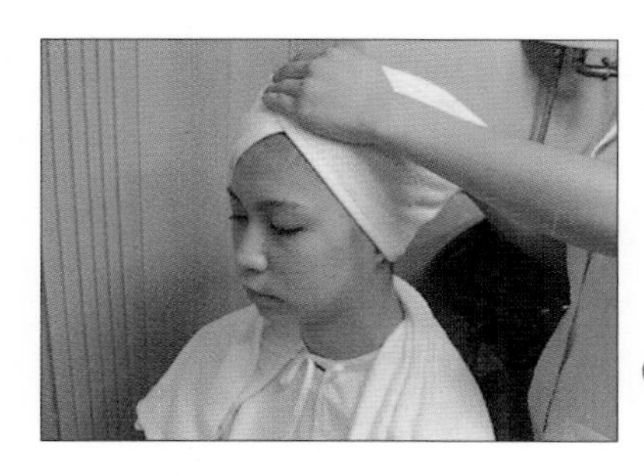

⑬ 샴푸가 끝났음을 알리고, 등이나 어깨를 받쳐 올리면서 "수고하셨습니다."라고 말한다.

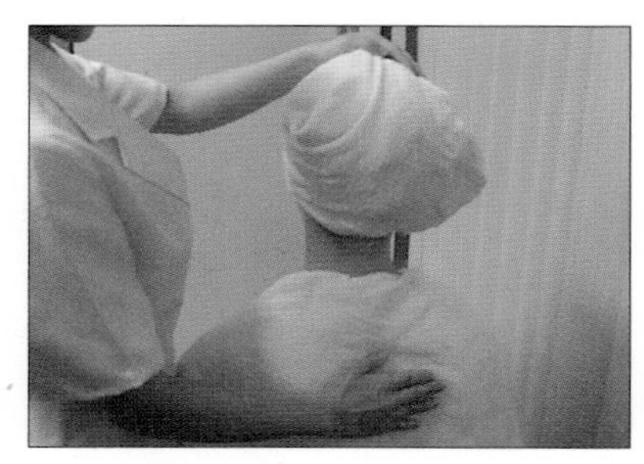

⑭ 타월은 안전하게 머리에 고정시킨다.

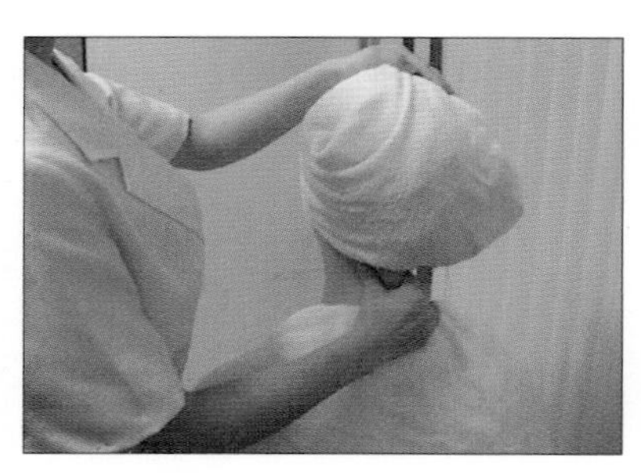

⑮ 목 뒷 부분을 가볍게 주물러 매뉴얼테크닉한 후 자리로 안내한다(손으로 방향 제시).

도움 몸이 불편하신 분들을 위한 샴푸 (예: 노약자)

몸이 불편하신 분들을 위한 샴푸는 물을 사용할 수 없으므로 마른 상태에서 샴푸할 수 밖에 없다. 정상적으로 활동할 수 없는 상태이므로 두피와 모발을 청결하게 하기 위하여 몸이 불편하신 분들을 위한 샴푸방법을 알아야 한다.

1. **분말 샴푸**(powder dry shampoo)
   주로 산성 백토에 카올린, 탄산 마그네슘, 붕사 등을 섞어서 두피나 모발의 지방성 물질을 흡수하는 방법으로, 모발을 빗으로 나누어서 분말을 뿌리고 매뉴얼테크닉 한 후에 브러싱하여 분말을 제거한다. 그리고 헤어토닉을 탈지면 등에 묻혀서 남아있는 분말을 깨끗이 닦아 낸다.

2. **리퀴드 드라이 샴푸**(liquid dry shampoo)
   휘발성의 용제를 사용하여 모발과 두피를 세정한다. 탈지면 등에 벤젠이나 알코올 등을 묻혀서 닦아준다.

3. **에그 분말 샴푸**(egg powder dry shampoo)
   달걀의 흰자만을 사용하여 거품을 낸 후 두피와 모발에 바른 다음, 시간을 방치한 뒤 완전하게 건조해지면 브러싱하여 달걀의 흰자를 제거한다.

4. **토닉 샴푸**(tonic shampoo)
   헤어 토닉 제품을 탈지면 등에 묻혀서 두피와 모발을 닦아낸다.

Chapter 7

7장 린스

1. 린스의 목적

린스라는 말의 본래의 뜻은 씻다, 헹구다라는 의미이지만 보통은 샴푸한 다음, 모발표면을 보호하고 모발을 부드럽고 촉촉하게 정돈하는 것을 의미한다.
생활의 변화와 잦은 샴푸 등으로 인하여 유분이 부족하기 쉽고 외부환경으로부터 손상되기 쉬운 모발을 보호하기 위해서 린스제가 필요하다. 린스는 양이온 계면활성제를 사용한 린스제가 일반적으로 많이 사용되고 있다.

2. 린스제의 조건

1) 모발을 부드럽고 촉촉하게 하며, 수분과 유분을 주어 윤기를 주어야 한다.
2) 외부환경으로부터 모발을 보호하고, 정전기 발생과 모발의 엉킴을 방지해야 한다.
3) 헤어 작업시 영향을 주지 않는 것이어야 한다.
4) 눈이나 두피에 자극이 없고 안정성이 높아야 한다.

3. 린스제의 종류

린스제도 여러 가지 성분으로 구성되어 있다. 특히 가장 많이 린스에 사용하는 것은 양이온성 계면활성제로써 음이온을 띤 모발과 반응하여 젖은 모발에 투과해 들어가 모발표면에 부드럽고 얇은 피막을 형성하고 정전기적으로 결합하기 때문에 빗이나 브러싱에 의한 정전기발생 억제작용도 한다.

4. 린스의 효과

샴푸 사용 후 과도한 피지 제거 등 여러 원인으로 발생하는 손상을 보완해주며, 모발에 광택을 부여하고 빗질을 용이하게 하며 정전기 발생을 막아주는 효과가 있다.

5. 린스 테크닉

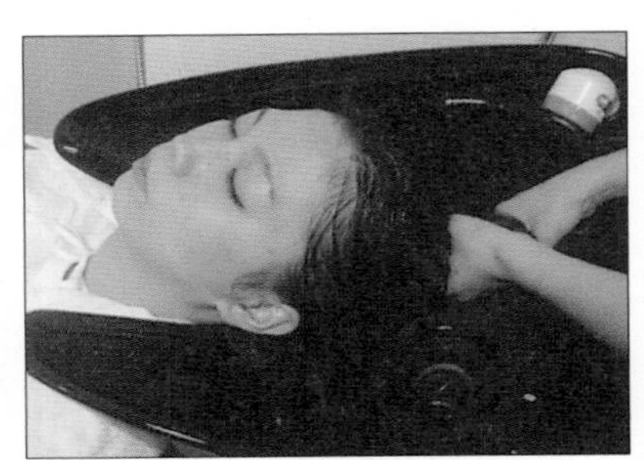

❶ 린스제를 두피에 닿지 않도록 하여 모발에만 골고루 도포한다.

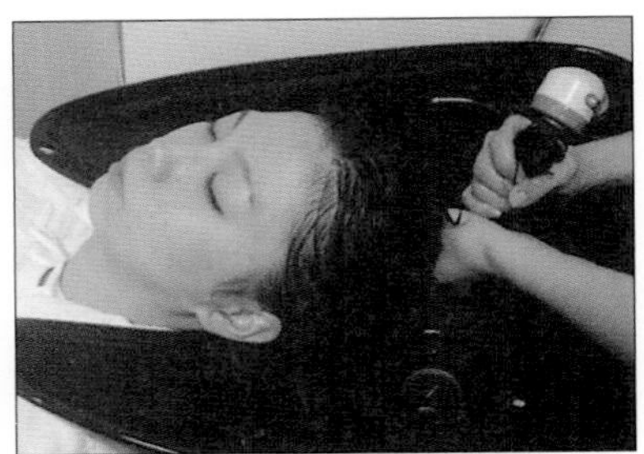

❷ 모발에 충분히 매뉴얼테크닉되도록 주물러 주고, 한쪽 손바닥에 놓고 주먹으로 때린다.

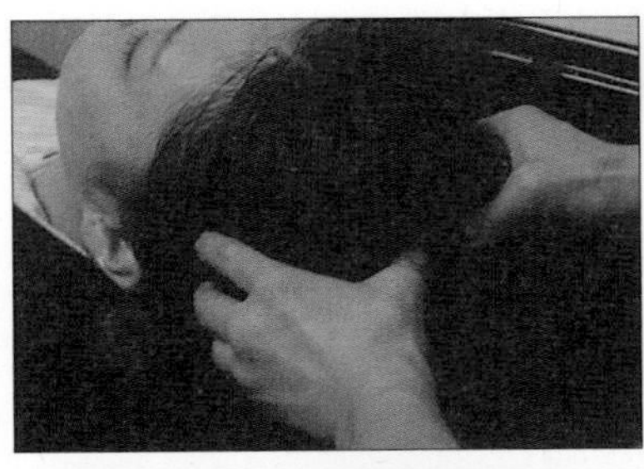

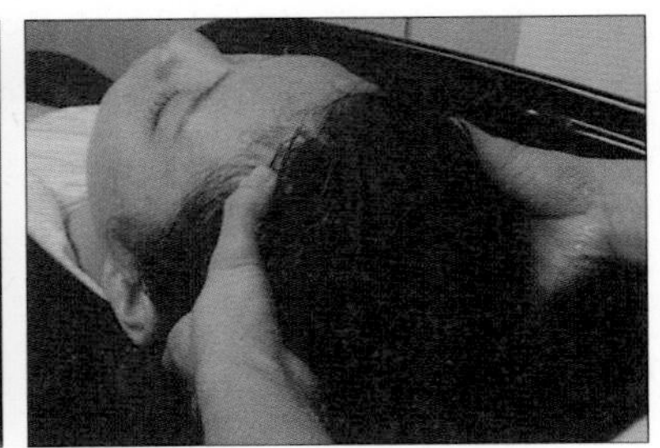

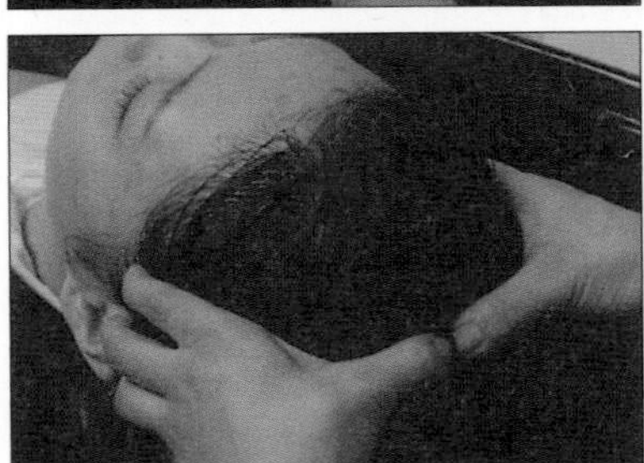

❸ 혈점을 눌러 두피 매뉴얼테크닉를 한다 (신정→백회, 두유→백회, 귀→백회, 풍지→백회).

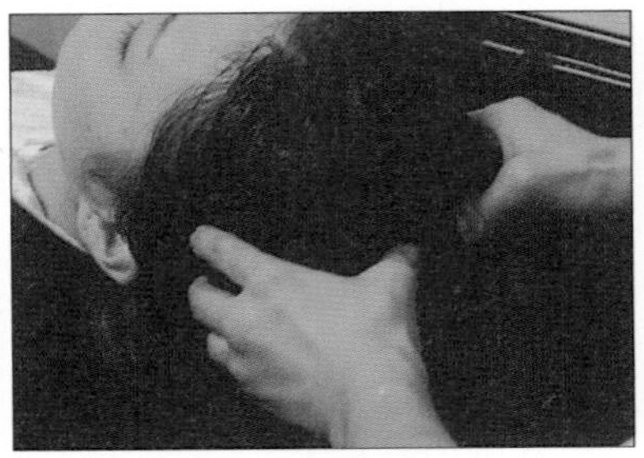

❹ 튕기기법으로 매뉴얼테크닉한다.

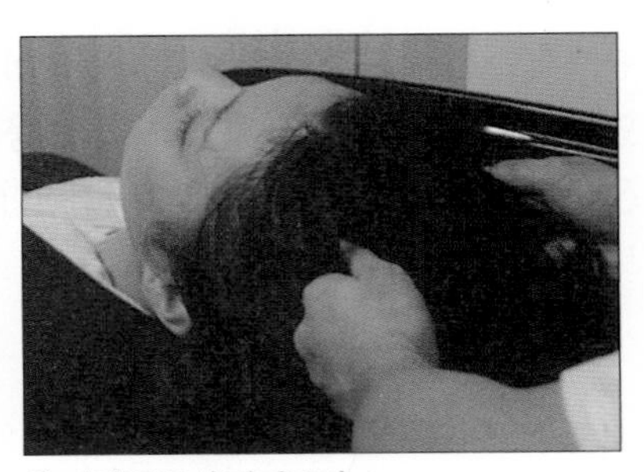

❺ 머리를 모아 당겨준다.

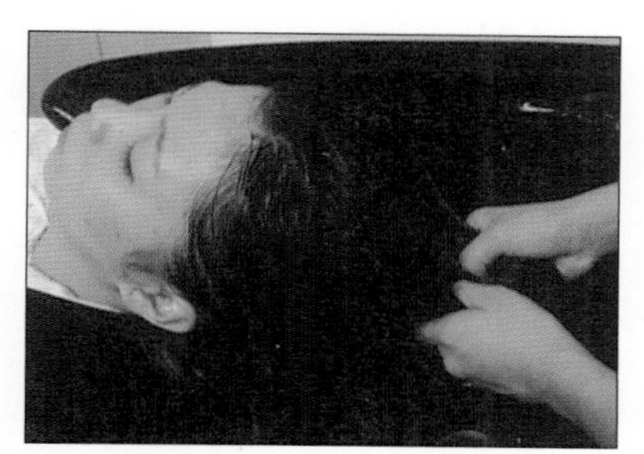

❻ 쓰다듬기

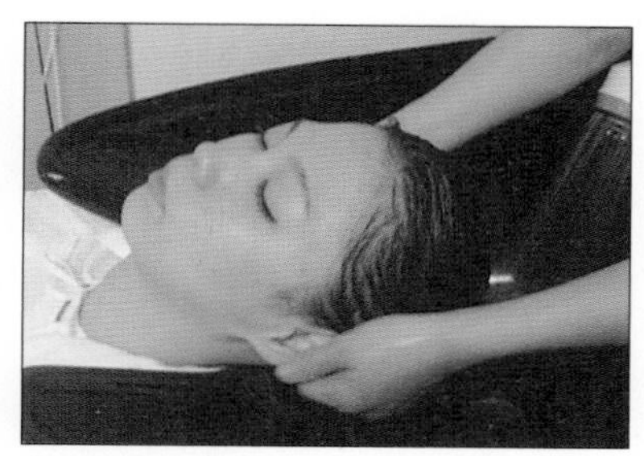

❼ 귀 매뉴얼테크닉

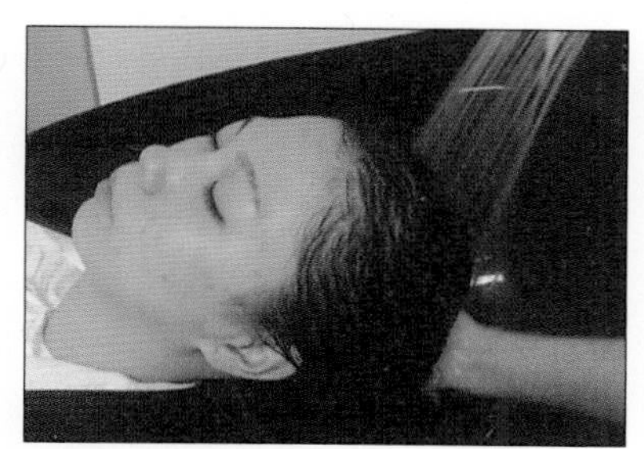

❽ 다시 가볍게 헹군다.

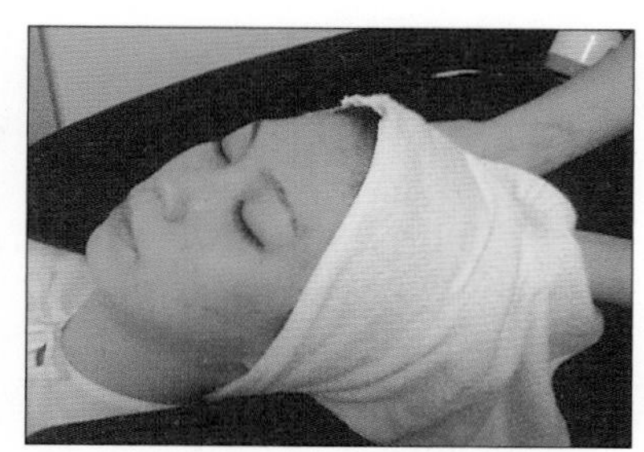

❾ 타월로 헤어라인, 귀 등을 닦고 두피 모발을 감싸 지그시 짜주며 수분을 제거한다.

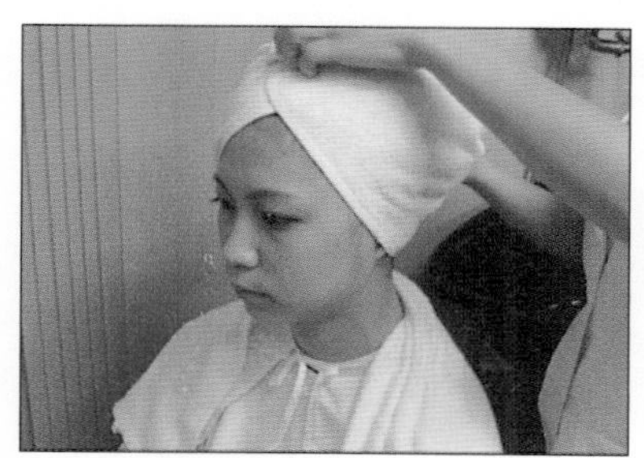

❿ 린스가 끝났음을 알리고 등이나 어깨를 받쳐 올리면서 "수고하셨습니다" 라고 말한다.

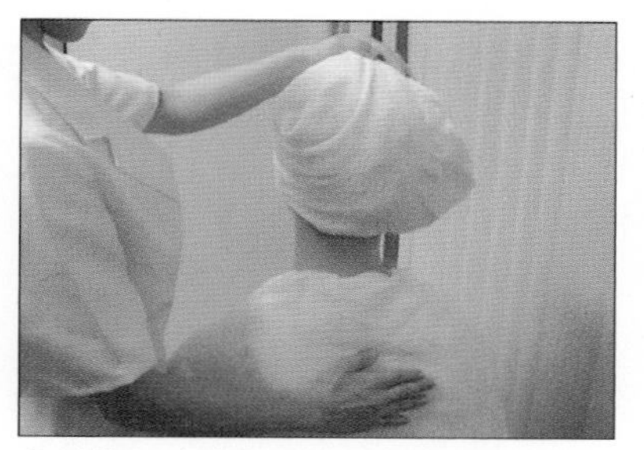

⓫ 타월은 안전하게 머리에 고정시킨다.

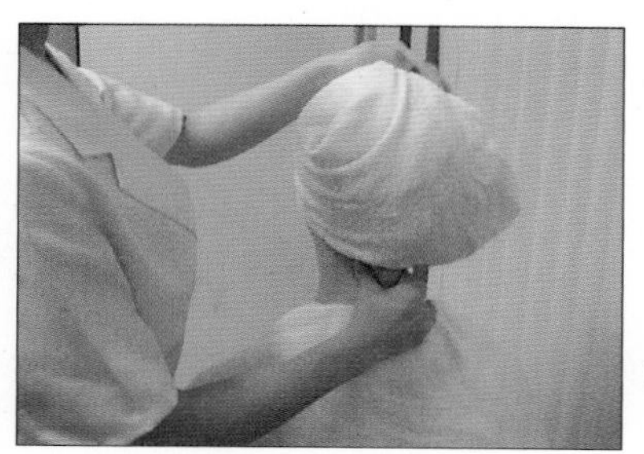

⓬ 목 뒷부분을 가볍게 주물러 매뉴얼테크닉한 후 자리로 안내한다(손으로 방향 제시).

Chapter 8

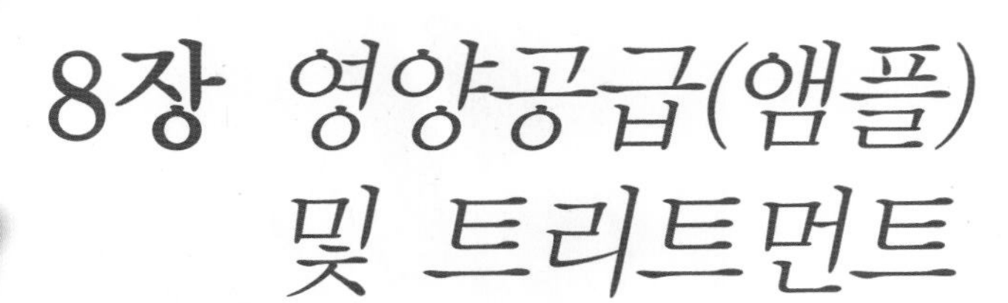

8장 영양공급(앰플) 및 트리트먼트

Scalp structure

두피의 경우 육모제나 피지 조절, 비듬 치료를 위해 앰플을 투여하게 된다. 육모제는 모모세포의 세포 분열을 촉진시키도록 영양공급을 한다.

현 두피 상태에 적합한 제품(앰플, 영양 에센스, 크림)을 각종 기기를 이용하여 모세혈관을 확장 및 혈액순환을 좋게 하여 두피의 문제점을 개선시켜 두피 및 모발에 영양공급을 하는 단계이다.

1. 목적

두피나 모발을 청결히 하고 시원한 느낌과 쾌적함을 주며, 두피의 혈액순환을 촉진시키고 비듬과 가려움증을 제거하여 모근을 튼튼하게 해주는 것을 목적으로 하며 대체적으로 토닉 제품에 멘톨 성분을 사용하여 청량감을 준다. 보습제는 두피의 염증을 완화하고 두피의 건조를 억제하면서 유연성의 작용이 있다. 또한 헤어 토닉에 함유된 유분은 모발을 보호함과 동시에 두피의 염증을 완화하는 작용을 한다.

2. 영양공급(앰플)의 종류

헤어 토닉 기능에 두피의 혈액순환을 촉진시켜 탈모를 예방하고 모발의 성장 촉진 효과를 강화시킨 제품을 육모제라 한다. 양모제는 법적으로 화장품으로 분류되어 있지만 육모제는 효능, 효과가 강조된 것이기 때문에 의약부외품으로 분류되어 있다. 발모제는 원형탈모증이나 남성형 탈모의 치료를 위한 제품을 말하는데 이는 의약품으로 분류되어 있다.

3. 시술과정

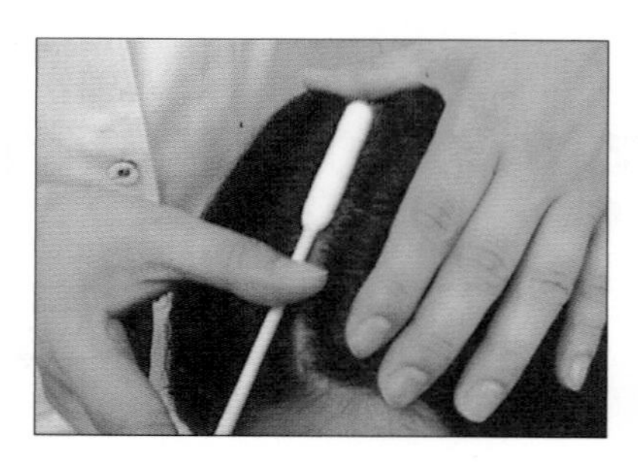

❶ 오른손은 스틱을 잡고 왼손 엄지와 검지로 모발을 정리한다.

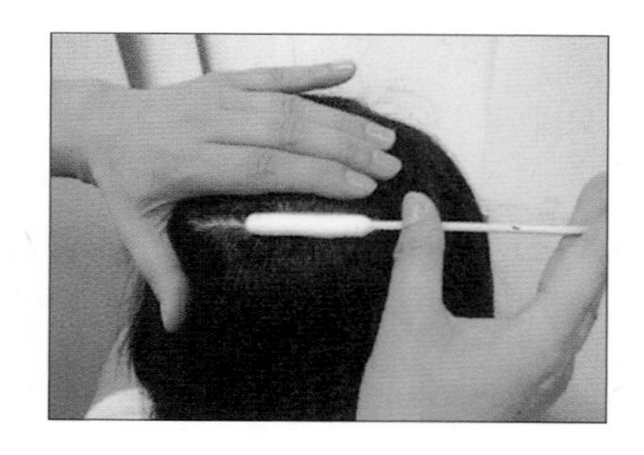

❷ 스틱에 영양을 묻혀 두피에 영양을 도포한다.

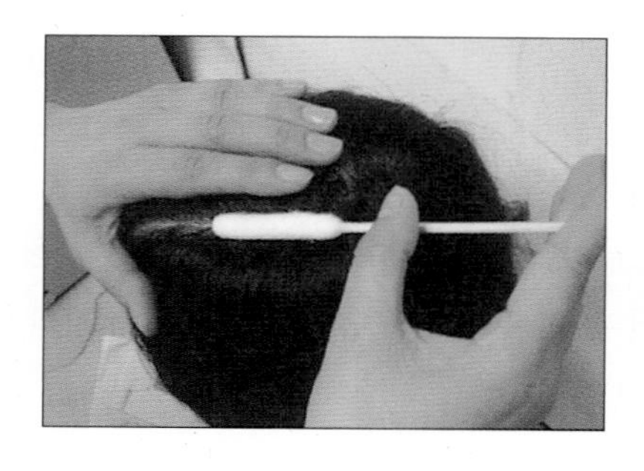

❸ 위에서 아래로 1cm 간격으로 모발을 슬라이싱해가며 영양을 도포한다.

❹ 왼손으로 모발을 정리해 가며 영양을 도포한다.

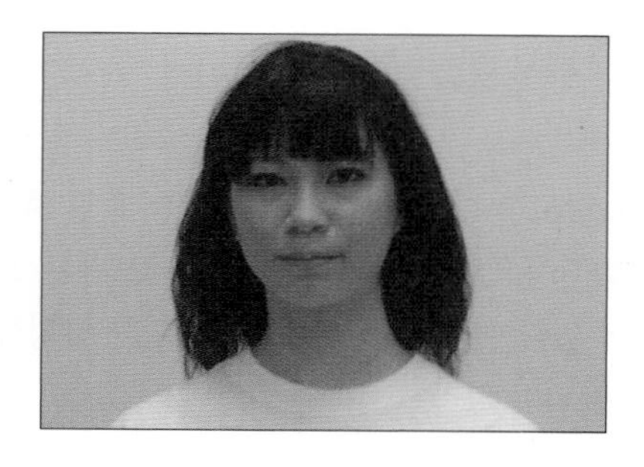

❺ 모발을 정리하여 마무리한다.

4. 모발 트리트먼트

모발 트리트먼트의 경우 헹구어 내는 제품 도포한 다음 헤어 스티머기를 10~15분 정도 사용할 수 있으며, 헹구어 내지 않는 제품은 두피 앰플 사용 후 마무리 제품으로 이용한다. 헹구어 내는 제품의 경우 두피에 묻지 않도록 주의하며 물로 충분히 헹구어 낸다.

1) 크림 타입

트리트먼트는 화장품적 의미로 본다면 손상모 상태로 좋지 않은 모발을 건강한 모발에 가깝도록 도와주는 제품이다. 단백질 성분이 유분과 잘 융화되어 크림처럼 걸쭉하게 농축된다. 적은 양으로도 많은 부위에 도포가 가능하며, 모발에 침투력이 강하고 지속력이 오래간다.

2) 액상 타입

로션 타입으로 농축액이 크림 타입보다 묽다. 모발 내부는 지질이나 모발 보습성분 등의 모발보호 성분을 보충해 주는 작용을 한다. 모발 외부에는 모발의 면을 부드럽고 매끄럽게 하여 모발의 엉킴과 대전방지제 역할을 한다.

3) 스프레이 타입

분무 타입으로 미세한 입자가 샤인 효과와 유분의 공급을 돕는다. 바르거나 뿌리는 형태로 사용하고 마른 모발에 사용하는 것과 형태를 고정시키는 강력스프레이, 약간의 탄력을 주는 부드러운 스프레이, 모발의 광택과 마찰력 감소를 통한 엉킴을 방지하며 빗질을 쉽게 할 수 있도록 도와주는 광택제 스프레이 등이 있다. 이 제품들은 모발에 지속력을 더해준다.

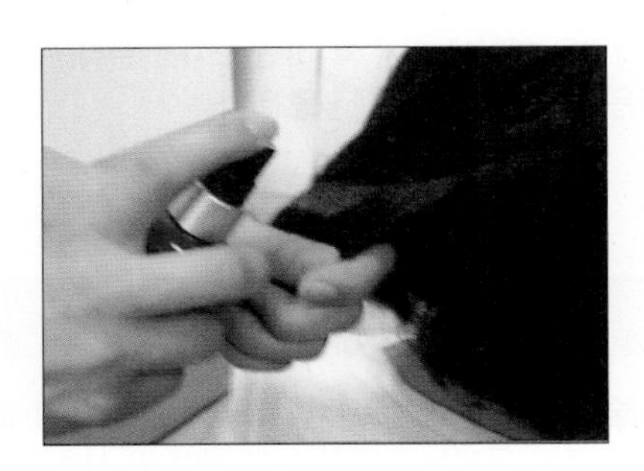

도움 천연 모발 팩 사용법(두피에는 사용하지 않는다)

1. 머드 팩

이 방법은 지성 모발에 효과적이다.

(1) 머드 적당량을 물과 섞어 바르기 좋은 농도가 될 때까지 갠다.
(2) 머드 팩을 머리 전체에 골고루 바른 후 타월을 뜨거운 물에 적신 다음 꼭 짜서 머리 전체에 감아준다.
(3) 10분 정도 지난 후 물로 헹구어 내면 머릿결이 한결 부드러워진다.

2. 다시마 팩

손상된 머리카락 회복에 효과적이다.

(1) 적당량의 물에 다시마 가루를 섞어 덩어리가 지지 않도록 잘 풀어준다.
(2) 손 또는 빗을 이용해 두피와 머리카락에 골고루 바른다.
(3) 시간이 지난 후 헹궈낸다.

3. 양배추 팩

양배추는 유황 성분이 강해서 머리카락의 산화를 방지해 주며 피지막을 감싸서 탄력있는 머릿결을 만들어 준다.

(1) 양배추에 물을 조금 넣고 믹서기에 갈아서 걸쭉한 상태로 만든다.
(2) 맥반석 분말을 1번과 같은 비율로 넣고 잘 섞어 사용하면 된다.

4. 달걀 노른자 + 녹차

녹차가 최고의 머리영양제인 달걀의 비릿한 냄새를 없애준다.

(1) 달걀 노른자에 녹차가루를 넣고 섞어 팩제를 만든다.
(2) 손가락 끝으로 두피 매뉴얼테크닉을 해서 근육의 긴장을 풀어준 다음 빗을 이용해 팩제를 머리 전체에 골고루 발라주고 뜨거운 타월을 머리에 감은 후 비닐 모자를 쓴다.
(3) 30분 정도 지난 후 충분히 헹궈 낸 다음 찬물로 마지막 헹굼을 한다.

도움 앰플 트리트먼트

살롱이나 전문센터에서 시술하는 두피관리 시술의 마지막 단계로 두피 타입에 맞는 영양 앰플이 두피 내에 흡수되어 건강한 두피에 필요한 영양을 주어 문제성 두피의 사전 예방 및 사후관리 목적으로 활용한다. 앰플 트리트먼트 단계는 탈모 억제 및 모발재생 촉진 단계로 모낭의 세포분열을 도와주는 효과가 있다.

- 지성두피용 앰플: 과도한 피지 분비 조절 및 완화
- 탈모두피용 앰플: 모근 영양 공급, 모발 성장
- 비듬두피용 앰플: 비듬균 및 각질 조절 완화

Chapter 9

9장 홈케어

1. 홈케어의 중요성

두피 관리를 주기적으로 받았다 하더라도 그 자체만으로 100%의 완전한 치유가 될 수는 없다. 두피 관리를 받은 그 이후에는 고객 스스로의 노력이 절실히 필요한 것이다. 홈케어 제품은 물론이고 고객의 라이프스타일이나 주변환경, 식생활 등도 사후 관리하는 것이 두피모발관리사의 역할임을 인지해야 한다.

2. 두피 유형별 홈케어 관리

1) 정상 두피

정상 두피는 사전 예방 차원의 홈케어가 필요하고 현 상태를 유지하는 것이 목적이다.

1. 정상적인 두피의 상태가 유지될 수 있도록 관리한다.
2. 어깨 근육을 풀어주어 혈액순환이 잘 되도록 한다.
3. 영양의 균형을 유지하도록 식습관과 생활리듬이 깨지지 않도록 한다.
4. 샴푸는 연령에 따라서 1~3일 중 1회 샴푸한다.

2) 지성 두피

피지 분비를 촉진할 수 있는 음식의 섭취를 줄이고 두피의 강한 자극을 피하며 샴푸 시 피지 분비를 완화하는 세정제를 사용하고 뜨거운 물로 세정은 피해야 한다.

1. 두피를 깨끗하게 세정하고 피지의 조절에 중점을 두어 관리한다.
2. 과다한 피지로 인하여 모공이 막혀 모근세포의 호흡작용이 활발하지 않아 모발이 가늘어지고 탈모가 생길 수 있으므로 막힌 모공을 열어주고 쌓인 피지를 제거한다.

3 염증 등이 생겼을 때에는 염증치료를 받은 다음 관리를 받도록 한다.
4 과다한 피지는 땀과 먼지 등을 흡착하여 세균의 온상이 될 수 있으므로 관리시 세균에 대한 저항력을 키운다.
5 두피 스켈링 후 각질이나 비듬이 관리 전보다 더 나타날 수 있다는 것을 사전에 이해할 수 있도록 고객에게 충분히 설명을 한다.
6 샴푸는 두피상태에 따라 1일 1회에서 2회 샴푸한다.

3) 건성 두피

잦은 두피세정은 피하고 보습력이 있는 식물성 세정제를 사용해 수분, 유분 밸런스에 초점을 맞추어야 한다. 적당한 두피 매뉴얼테크닉은 건성 두피에 도움이 된다.

1 두피가 건조하여 생긴 각질이나 먼지를 제거한다.
2 두피의 막혀있는 모공을 깨끗이 세척한다.
3 두피와 어깨 매뉴얼테크닉을 통하여 혈액순환이 잘 되도록 한다.
4 드라이, 퍼머, 염색 등의 자극을 많이 주지 않아야 한다.
5 유분과 수분을 공급하고 영양을 공급하여 유지막을 형성하고 모발이 가늘어지지 않도록 관리한다.
6 샴푸는 2~3일에 1회 샴푸한다.

4) 민감성 두피

과도한 스타일링제나 뜨거운 사우나 등 민감한 두피에 영향을 줄 수 있는 것을 피하고 모발 건조 시 드라이보다는 자연바람을 이용하는 것이 좋다.

1 스트레스 등으로 두피가 긴장되고 혈액순환 장애가 오지 않도록 주의하고 어깨근육을 매뉴얼테크닉한다.
2 두피의 청결과 세균의 번식 등으로 염증이 발생하지 않도록 주의해야한다.
3 염증이 심할 경우 염증치료를 받고 난 후에 관리한다.
4 두피에 직접적인 매뉴얼테크닉 등으로 심한 자극을 주어서는 안 된다.

5) 비듬성 두피

두피의 청결과 위생에 신경을 쓰고, 비듬을 일으킬 수 있는 두피 환경을 제거하는데 초점을 맞추어야 한다. 건성비듬은 유 · 수분의 공급과 밸런스에 신경을 써야 하고, 지성 비듬은 피지 분비 조절에 초점을 맞추어 두피 세정에 신경을 써야 한다.

1 비듬균에 의해 비듬이 생기므로 비듬균을 억제하는 특수관리와 제품을 사용하여야 한다.

2 두피의 이상으로 나타나는 과도한 비듬은 스켈링을 통해 비듬을 제거하고 수분과 유분영양제를 공급해줘야 한다.
3 두피 매뉴얼테크닉를 해주어 혈액순환을 촉진시킨다.

6) 탈모성 두피

탈모는 단시간에 발생하는 것이 아니므로 관리 역시 오랜 시간이 소요된다. 적당한 두피 매뉴얼테크닉과 두피의 청결 유지 그리고 두피에 영양을 공급해 주고 저자극의 세정제를 사용하는데 초점을 맞춘다.

1 탈모는 유전과 스트레스에 의한 원인이 많으므로 탈모가 진행되지 않도록 관리해야 하며 생활에서의 편안함이 요구된다.
2 두피와 모발의 영양공급과 어깨, 목의 매뉴얼테크닉을 통하여 혈액순환을 좋게 한다.
3 샴푸제는 자극이 적은 탈모전용 샴푸제를 사용한다.

3. 연령별 홈케어 관리법

1) 20대

1 예방차원의 정기적인 두피케어
2 균형잡힌 식생활(Vitamin B_2, B_6 섭취)
3 과도한 음주 , 흡연 및 약물복용 자제
4 두피 및 모발의 상태를 고려한 화학적 시술
5 두피의 상태를 고려한 샴푸제 선택과 샴푸법

2) 30대

1 충분한 수면과 규칙적인 운동
2 본인만의 스트레스 해소법
3 평소의 꾸준한 건강관리

3) 40대

1 꾸준한 건강관리와 운동
2 정기적인 탈모관리
3 충분한 수면
4 단백질 섭취 및 균형잡힌 식생활

4) 50대

1 면역력 강화를 위한 운동과 충분한 휴식
2 단백질 섭취
3 상체 매뉴얼테크닉
4 보습(영양)과 면역력 강화 위주의 관리
5 충분한 물의 섭취

도움 탈모예방법 (홈케어법)

1. 평소의 식습관으로 탈모를 예방한다.
머리카락의 성분의 95% 이상은 젤라틴과 단백질로 구성되어 있다. 따라서 해조류, 야채류 및 단백질을 많이 섭취하는 것이 좋다. 기름진 음식, 설탕, 커피 등은 모발에 나쁜 영향을 끼치므로 주의해야 한다.

2. 올바른 생활 습관을 통하여 탈모를 예방한다.
- **스트레스:** 스트레스가 지속적으로 쌓이게 되면 혈액의 흐름을 저해하거나 만성 피로가 누적 되어서 탈모의 원인이 되므로 스트레스를 해결하는 것이 탈모를 예방하는 방법이다.
- **운동:** 적절한 운동은 혈액순환과 만성 피로를 돕는데 도움이 된다.
- **담배:** 니코틴은 폐의 기능을 저하시키고 혈액순환의 장애를 가져온다. 담배 1개피가 섭씨 1° 의 체온을 내려가게 할 정도로 혈행을 저하시키기 때문에 두피에 나쁜 영향을 끼친다.
- **충분한 수면**과 **적당한 휴식**을 취한다.

3. 올바른 머리 손질법을 통하여 탈모를 예방한다.
- 올바른 샴푸방법으로 머리를 감는다.
- 좋은 샴푸를 선택해야 한다.
- 올바른 방법으로 머리를 말린다.
- 퍼머나 염색은 가급적 피한다.

4. 매뉴얼테크닉으로 탈모를 예방한다.
손가락 끝으로 머리전체 두피와 어깨, 목을 매뉴얼테크닉하면 혈액순환을 촉진시키면서 모발에 영양이 공급되어 두피 건강과 탈모예방에 도움이 된다.

Part 3
예상문제집

Chapter 1

QnA 두피모발관리학

01 두피의 혈액공급이 나쁠 때 모모세포에 미치는 영향으로 맞는 설명은?

① 산소의 공급과다 ② 특별한 영향은 없다.
③ 영양의 공급불량 ④ 피지의 과잉공급

02 과도한 피지 분비가 원인 되는 탈모증상은?

① 원형탈모 ② 남성탈모
③ 지루성탈모 ④ 비듬성탈모

03 비듬발생의 원인에 해당되지 않는 설명은?

① 비누사용 ② 피지선의 강한 활동
③ 잦은 샴푸 ④ 적절한 스트레스 해소

04 모발의 구조를 잘못 설명한 것은?

① 모유두: 혈관과 림프관을 통해 산소와 영양분을 공급받는다.
② 모근: 두피아래 모낭 속에 있는 모발을 말한다.
③ 모낭: 모발을 만들어 내는 곳이다.
④ 피지선: 모낭아래 위치하며 피지를 분비하여 윤기를 준다.

01 혈액공급이 부족하게 되면 산소와 영양소 공급 어렵게 된다.

04 피지선은 모낭벽에 위치

해답 1③, 2③, 3④, 4④

05 다음 설명 중 틀린 것은?

① 모구: 전구모양을 하고 내부는 모질세포와 멜라닌 세포로 구성
② 모모세포: 모유두로 영양과 산소를 받아 모발을 만든다.
③ 입모근: 기모근이라고도 하며 긴장하거나 충격을 받아 털을 세운다.
④ 모근: 두피 윗부분 모낭 속에 있는 모발을 말한다.

05 모근은 두피 아래에 존재

06 모발의 층에 대한 설명 중 틀린 것은?

① 모표피: 모발의 약 10~15% 정도를 차지하며 비늘모양으로 겹쳐있다.
② 모피질: 모발의 대부분인 85~90%를 차지하며 주성분은 세라마이드이다.
③ 모수질: 중앙이 비어있는 형태를 가진 세포이다.
④ 모수질: 내부에는 약간의 멜라닌 색소입자가 존재하며 공기를 함유할 수 있다.

06 모피질의 주성분은 케라틴

07 모발 성장 사이클에 대한 설명으로 틀린 것은?

① 성장기: 전체 모발의 80~90%이며 수명은 3~6년이다.
② 퇴행기: 전체 모발의 1% 정도이며 수명은 약 1개월이다.
③ 휴지기: 전체 모발의 14~15%이며 수명은 약 3~4개월이다.
④ 성장기 → 휴지기 → 퇴행기 → 탈모 순으로 진행한다.

07 성장기 → 퇴행기 → 휴지기 → 탈모

08 모발성장에 영향을 주는 요인이 아닌 것은?

① 병적요인 ② 호르몬에 의한 요인
③ 유전적요인 ④ 기후에 의한 요인

08 병적, 호르몬, 유전적, 연령, 물리화학적 요인이 있다.

09 모발의 일반적인 성향으로 틀린 것은?

① 밀도: 모발색이 밝을수록 평균밀도수치가 높다
② 수명: 여성 4~6년, 남성 3~5년이다.
③ 기온이 시원할 때 모발성장이 빠른 편이다.
④ 기온이 따뜻할 때 모발성장이 빠른 편이다.

09 기온이 따뜻할 때가 시원할 때 보다 성장이 빠르다.

해답 5④, 6②, 7④, 8④, 9③

10 모발의 색상에 대한 설명이다 옳은 것은?

① 인종에 관계없이 유멜라닌과 페오멜라닌의 두 종류를 가지고 있다.
② 인종에 따라 유멜라닌 혹은 페오멜라닌의 종류가 다를 수 있다.
③ 유멜라닌은 황적색계이다.
④ 페오멜라닌은 흑갈색계이다.

10 인종에 관계없이 두종류의 멜라닌 색소를 가지며 흑갈색의 유멜라닌과 황적생계의 페오멜라닌의 수와 색소, 크기, 합성에 따라 모발색상이 달라진다.

11 멜라닌 색소에 대한 설명으로 틀린 것은?

① 모모세포 위에 있는 색소형성세포 중 티로신을 기본물질로 한다.
② 백발은 멜라노사이트에서 멜라닌의 생성이 정지하기 때문에 일어난다.
③ 백발은 일종의 노화현상이다.
④ 백발의 진행과정은 후두부에서 시작하여 정수리 측면으로 진행한다.

11 백발의 진행과정은 측면에서 시작하여 정수리, 후두부로 변화되어 가는 것이 일반적이다.

12 병적인 피부에서 볼 수 있는 탈모가 아닌 것은?

① 염증에 의한 것　② 감염에 의한 것
③ 종양에 의한 것　④ 비듬에 의한 것

13 모발 빈혈에 대한 설명 중 가장 바른 것은?

① 모발 끝으로 갈수록 차츰 노화되고 표면이 손상되어 모발의 윤기와 탄력이 없는 상태
② 화학약품에 의한 큐티클 손상
③ 건조한 모발 상태
④ 영양상태의 불량

13 모발빈혈이란 모발 끝으로 갈수록 차츰 모발이 노화되고 표면이 손상되어 모발의 윤기는 바래지고 빗질이 어려워지며 탄력이 없어지게 되는데 이러한 상태를 지닌 모발을 빈혈성 모발이라고 한다.

해답 10①, 11④, 12④, 13①

14 외인성 모발 빈혈의 경우가 아닌 것은?

① 물리적 원인: 빗이나 브러시에 의한 손상
② 화학적 원인: 세척력이 강한 샴푸의 잦은 사용
③ 자연적 원인: 자연재해나 재난에 의한 손상
④ 환경적 원인: 자외선, 비, 바닷물, 바람에 의한 모발끼리의 마찰에 의한 손상

15 내인성 모발빈혈의 경우가 아닌 것은?

① 수술 전
② 수술 후 회복기
③ 일반적인 빈혈
④ 감기 또는 임신

16 건조모가 되는 원인으로 적당하지 않은 것은?

① 자외선
② 잘못된 미용시술
③ 알칼리
④ 약산성

16 모발은 알칼리에 약하며 산성에는 다소 강하다.

17 두피의 각질형성 세포의 사이클에 대한 설명으로 잘못된 것은?

① 세포재생주기가 비정상적인 경우에 트러블이 생기기 쉽다.
② 세포재생주기가 느리면 민감해지는 원인이 된다.
③ 세포재생주기가 빠르면 민감해지는 원인이 된다.
④ 세포재생주기가 느리면 뾰루지가 생기기 쉽다.

17 세포재생 주기가 느리게 되면 뾰루지가, 빠르면 민감해지는 원인이 된다.

18 두피 표피의 알칼리 중화능력에 대한 설명이다. 틀린 것은?

① 두피는 약 알칼리성을 띠고 있어 외부 감염으로부터 살균력을 갖고 있다.
② 두피는 약 산성을 띠고 있어 세균, 박테리아로부터 두피를 보호하는 역할을 한다.
③ 두피는 일시적으로 알칼리화 된다고 하여도 15분에서 2시간 정도면 정상화 된다.
④ 알칼리성을 중화하여 원상태의 pH로 회복시키는 능력을 일컫는다.

해답 14③, 15①, 16④, 17②, 18①

19 지성두피의 특징으로 틀린 것은?

① 지루성 염증 ② 피지의 산화
③ 가는모발 ④ 청색빛의 두피

20 두발을 샴푸할 때 매뉴얼테크닉과 거품을 낼 때 사용하는 손가락의 부위는?

① 손톱 ② 손바닥
③ 손가락 지문 ④ 엄지손가락

21 비듬이 있는 지성 두피의 관리로 가장 먼저 해야 하는 것은?

① 비듬제거 ② 피지제거
③ 매뉴얼테크닉 ④ 혈액순환

22 건강한 두피의 색은?

① 청백의 우유빛 ② 핑크빛
③ 투명 ④ 흰색

23 탈모증상의 일반적인 사항이 아닌 것은?

① 비듬과 가려움이 동반된다.
② 두피가 경화되고 유분이 많다.
③ 피지가 지나치게 많거나 적다.
④ 두피의 상태는 약산성이다.

해답 19④, 20③, 21①, 22①, 23④

24 모간부의 설명이다 틀린 것은?

① 에피큐티클: 모표피의 가장 안쪽이며 수증기는 통하나 물은 통과하지 못한다.
② 엑소큐티클: 연한 케라틴질의 층으로 시스틴이 많이 포함되어 있고 불안정하다.
③ 엔도큐티클: 모표피의 가장 내측으로 에피큐티클층과 반대의 성향을 가진다.
④ 폴리펩타이드체인: 펩타이드 결합, 시스틴결합, 이온결합, 수소결합을 가지고 있다.

24 에피큐티클은 모표피의 가장 바깥층이며 수증기는 통하지만 물은 통과하지 못하며 알칼리에 강하고 친유성이며 딱딱하기 때문에 물리적인 작용에 약하다.

25 탈모치료를 위한 약물치료 방법으로 FDA 승인을 받은 약품이 아닌 것은?

① 프로스카 ② 미녹시딜
③ 테스토스테론 ④ 프로페시아

25 FDA 승인 탈모치료제로는 프로페시아(프로스카), 미녹시딜, 아보다트(두타스테리드)가 있다.

26 다음 중 머리비듬의 발생원인이 아닌 것은?

① 영양의 과잉 섭취 ② 피부각질의 이상적인 변화
③ 심한 피지분비와 땀, 먼지 ④ 변비와 위장장애

27 다음 모발에 관한 사항 중 틀린 것은?

① 두발의 색은 멜라닌 색소가 다량이면 금발이 되고 소량이면 흑발이 된다.
② 케라틴은 모발의 주성분이다.
③ 비타민 E를 먹으면 두발이 윤택해 진다.
④ 영양이 부족하면 두발이 갈라진다.

27 멜라닌 색소가 다량이면 흑발이 되며 소량이면 금발이 된다.

해답 24①, 25③, 26①, 27①

28 모발의 생리에 관한 다음 사항 중 틀린 것은?

① 모발의 성장은 하루 중에는 낮보다 밤에, 1년 중에는 5~6월에 가장 잘 자란다.
② 모발속에 멜라닌 색소가 많으면 흑발, 적으면 금발이 된다.
③ 동양인이 후천적으로 흑인처럼 모발이 둥글게 말리는 것은 적외선을 너무 많이 받아도 나타날 수 있는 현상이다.
④ 비타민 E와 F가 많이 함유된 깨나 콩을 풍부하게 잘 섭취하면 모발의 결이 좋아진다.

28 모발이 둥글게 말리는 것은 자외선을 너무 많이 받아 나타나는 현상이다.

29 모발을 구성하고 있는 케라틴 중에 제일 많이 함유하고 있는 아미노산은?

① 알라닌 ② 로이신
③ 바린 ④ 시스틴

30 비듬균의 총칭으로 맞은 것은 무엇인가?

① Pityrosporum ovale ② Wooly hair
③ Trichosasis spinulosa ④ Trichorrhexis nodosa

31 지성(비듬)두피에 대해 설명한 것 중 틀린 것은?

① 두피에 피지가 과도해 기름기가 흐르고 비듬과 각질이 피지와 엉켜있다.
② 두피와 모발이 청결하지 못하고 피지 덩어리가 붙어있으며, 산화물로 냄새가 난다.
③ 피지 분비물이 모공을 막고 있어 모낭 염증을 유발하고, 탈모의 위험이 크다.
④ 당분을 충분히 섭취하면 호전될 수 있다.

31 지성두피는 지나친 매뉴얼테크닉, 스트레스, 당분, 자극적인 음식을 최소화 해야 한다.

해답 28③, 29④, 30①, 31④

32 예민성 두피에 대한 설명으로 잘못된 것은?

① 전체적으로 두피톤이 붉으며 부분적으로 모세혈관 확장과 혈액순환 저하에 의해 나타난다.
② 짧은 신생모가 많으며 가늘고 탄력이 없다.
③ 피지 덩어리와 노화 각질이 모공을 막고 있다.
④ 두피의 청결과 세균 번식의 억제 및 예방에 주력하고 과민반응을 막도록 한다.

33 탈모성 두피의 특징으로 잘못 설명한 것은?

① 청백색을 띠며 적당한 지방막으로 싸여 있다.
② 두피가 가렵고 피지 분비가 과도하며 비듬이 많아지고 점차적으로 두피가 딱딱해지고 광택을 띈다.
③ 묵은 각질이 많고 비듬과 과다한 피지가 모공을 막고 있다.
④ 모근부의 영양 공급과 혈액순환 및 스트레스 해소에 초점을 두어야 한다.

34 효소 5 알파 환원 효소는 무엇을 화학변화 시키는가?

① DHT에서 테스토스테론으로
② DHEA에서 DHEAS로
③ 테스토스테론에서 DHT으로
④ androstenedione에서 테스토스테론으로

35 피지에 대하여 잘못 설명한 것은?

① 피지는 하루 동안 시간에 따라 다르게 분비된다.
② 새벽과 아침에 다량, 밤이 시작될 때 최소량이 분비된다.
③ 자정에서 새벽 2시에 최대로 분비된다.
④ 하루 종일 변화가 없이 분비된다.

32 짧은 신생모가 많으며 가늘고 탄력 없는 모발은 탈모성 두피에서 나타나는 특징이다.

33 청백색의 두피에 적당한 지방막으로 싸여 있으며 정상적인 각화작용을 하는 것은 정상두피이다.

해답 32②, 33①, 34③, 35④

36 손상모가 세로방향으로 잘 끊어지는 현상을 고려할 때 모발의 화학결합 가운데 가장 강한 결합력은?

① 폴리펩티드 결합 ② 시스틴 결합
③ 염결합 ④ 수소결합

37 모표피층에 대한 설명이 틀린 것은?

① 피질 내의 간충물질과 수분의 손실을 막는다.
② 표피층이 손상되면 모발의 광택이 없어진다.
③ 생선비늘 같은 모양으로 겹쳐있고, 큐티클 층이 적을수록 건강모이다.
④ 멜라닌 색소는 없다.

38 모발에 대한 설명 중 틀린 것은?

① 모발은 피부의 일부가 변화된 것이다.
② 모발의 세포증식은 모근부에 있는 모든 세포에서 이루어져 각화한다.
③ 모발은 경단질인 케라틴으로 구성되어 있다.
④ 모발은 알칼리 강산에 의해 팽창된다.

39 모모세포가 분열하여 모발로 성장되는데 필요한 영양분을 공급하는 기관은?

① 모공 ② 피지선
③ 모유두 ④ 입모근

40 모발의 화학결합력 가운데 드라이에 의한 헤어 스타일링과 관계가 깊은 것은?

① 시스틴 결합 ② 폴리펩티드 결합
③ 염 결합 ④ 수소 결합

해답 36④, 37③, 38②, 39③, 40④

41 모발의 성장주기(hair growth cycle) 용어들이다. 맞는 단어끼리 연결이 제대로 되지 않은 것은?

① 퇴화기 카타겐　　② 성장기 아나겐
③ 휴지기 탈로겐　　④ 성장기 탈로겐

42 다음의 사항 중 틀린 것은?

① 모표피는 반투명하다.
② 흑갈색의 모발은 페오멜라닌이 많은 모발이다.
③ 사람마다 각기 다르게 나타나는 모발의 자연 색 및 헤어라인의 모양 등은 유전적인 요인에 의한 것이다.
④ 모발 내 간충 물질은 그 양이 많을수록 모발이 윤기 있고 건강해 보인다.

43 멜라노 사이트에 관한 설명으로 옳지 않은 것은?

① 주위에 돌기를 가진 세포이다.
② 티로시나제라고 하는 산화효소를 함유한다.
③ 적혈구에 옮겨진 티로신이라는 아미노산을 변화시켜 멜라닌 색소를 형성한다.
④ 황금색 모발에만 존재한다.

44 유멜라닌(Eumelanin)의 특징이 아닌 것은?

① 페오멜라닌(phelmelanin)보다 큰 알갱이 형태이다.
② 모발의 어두운 색을 결정하여 흑색에서 적갈색을 나타낸다.
③ 대부분의 동양인이 서양인보다 모발의 색상이 어두운 것은 유멜라닌(Eumelanin)의 양이 많기 때문이다.
④ 모발의 밝은 색을 결정하며 적색에서 창백한 노랑을 나타낸다.

해답 41④, 42②, 43④, 44④

45 헤어사이클에 대한 설명이 잘못된 것은?

① 모발의 일생은 성장기, 퇴화기, 휴지기를 반복하면서 일어난다.
② 성장기는 여성보다 남성이 더 길다.
③ 모발성장은 낮보다 밤이, 가을 겨울보다는 봄 여름이 더 빠르다.
④ 영양상태, 호르몬, 기온 등의 영향을 받는다.

46 모발을 구성하는 주요 성분은?

① 헤모글로빈 ② 멜라닌
③ 케라틴 ④ 칼슘

47 모발의 색과 멜라닌 색소의 설명으로 부적당한 것은?

① 흑갈색 모발은 유멜라닌(Eumelanin)과 페오멜라닌(Phaeomelanin) 둘 다 지니고 있다.
② 페오멜라닌(Phaeomelanin)은 노란색과 붉은 색상을 나타낸다.
③ 모발에서 발견할 수 있는 색소는 유멜라닌(Eumelanin)과 페오멜라닌(Phaeomelanin)이다.
④ 동양인의 모발은 유멜라닌(Eumelanin)에 비해 페오멜라닌(Phaeomelanin)이 더 많은 비율을 차지하고 있다.

48 20~30대의 여성이 출산 후 나타나는 탈모증에 대해 올바른 사항은?

① 영양소의 불균형
② 출산 후 1~2년은 계속 탈모가 된다.
③ 신속하게 전문의를 찾아가 진료한다.
④ 체력의 회복과 함께 원기가 돌아오면 크게 염려하지 않아도 된다.

49 다음 중 모발의 색상에 결정적인 역할을 하는 구성성분은 무엇인가?

① 멜라닌 ② 케라틴
③ 큐티클 ④ 아미노산

해답 45②, 46③, 47④, 48④, 49①

50 모피질에 대한 설명으로 맞는 것은?

① 모발의 색상을 결정하는 멜라닌 색소를 함유하고 있다.
② 비늘모양의 큐티클층이 4~10겹으로 겹쳐져 있다.
③ 모발의 중심부에 위치하고 있다.
④ 손상되면 광택이 소실된다.

51 멜라닌 색소에 대하여 잘못된 설명은?

① 피부를 보호하는 중요한 물질이다.
② 티로신에서 출발하여 복잡하게 화합하여 멜라닌을 생성한다.
③ 한번 생성된 멜라닌은 활성산소의 생성을 방지하여 피부를 보호한다.
④ 멜라닌 색소는 모발의 칼라, 피부의 칼라 표현 외엔 아무 의미가 없다.

52 피지선에서 분비되는 피지의 역할에 대한 설명 중 잘못된 것은?

① 피부와 모발의 건조함을 막아준다.
② 약산성으로 대부분의 세균생성을 막는다.
③ 비듬을 막기 위해서는 피지분비가 많을수록 좋다.
④ 피지가 딱딱해지고 모공이 막히면 여드름이 생긴다.

53 두피의 혈액 환경이 나빠질 때 모모세포에는 어떠한 영향을 미치는가?

① 산소의 공급과다
② 특별한 영향은 없다.
③ 영양의 공급불량
④ 피지의 과잉공급

54 인체 표피층의 순서대로 바르게 나열되어 있는 것은?

① 각질층 – 투명층 – 과립층 – 가시모양세포층 – 기저층
② 각질층 – 과립층 – 투명층 – 가시모양세포층 – 기저층
③ 투명층 – 각질층 – 과립층 – 가시모양세포층 – 기저층
④ 투명층 – 과립층 – 각질층 – 가시모양세포층 – 기저층

해답 50①, 51④, 52③, 53③, 54①

55 피하조직에 대한 다음 설명 중 잘못된 것은?

① 지방을 다량 함유하고 있어서 피하지방 조직이라고 한다.
② 두께는 성별, 신체부위, 연령에 따라서 차이가 난다.
③ 뼈나 근육 등을 외부 압력으로부터 보호하는 기능이 있다.
④ 모세혈관과 말초신경이 분포되어 있다.

56 모낭이 자리하고 있고 피부의 탄력성과 영양공급과 관련이 있는 세포층은?

① 표피층 ② 진피층
③ 기저층 ④ 피하조직

57 모발의 성장을 억제하고 체모의 성장과 피지분비를 촉진하는 호르몬은?

① 여성호르몬 ② 남성호르몬
③ 갑상선 호르몬 ④ 부신피질 호르몬

58 폴리펩티드 체인은 무엇으로 형성되어 있는가?

① 아미노산 ② 공기층
③ 원섬유 ④ 모피질

59 비듬이 있는 지성두피에 탈모가 진행되는 것을 관리하려고 한다. 가장 먼저 관리를 해야 하는 것은?

① 기름기 많은 모근 ② 탈모문제
③ 비듬제거 ④ 피지제거

해답 55④, 56②, 57②, 58①, 59③

60 다음 보기는 어떤 것을 설명한 것인가?

> 너무 두꺼워진 각질층이 피지를 밖으로 흘러 나가는 것을 방해하며 그것이 뿌리에 남아 있다.

① 건조한 두피　② 지성상태의 두피
③ 정상적인 두피　④ 비듬이 있는 두피

61 모발의 손상원인에 해당 되지 않는 것은?

① 강한 드라이의 열　② 화학약품
③ 오버 프로세싱　④ 헤어 팩

62 탈모방지와 지연을 위한 방법으로 거리가 먼 것은?

① 균형 잡힌 식생활과 스트레스의 해소
② 두피 타입에 맞는 샴푸제를 선택한다.
③ 영양공급을 위해 동물성 지방을 많이 섭취한다.
④ 모발과 두피를 항상 청결히 한다.

63 두피에 각질이 많이 남아 있는 이유에 해당하는 것은?

① 각질화된 노폐물이 떨어져 나가지 못해서
② 피부를 보호하기 위해서
③ 신진대사가 활발해서
④ 샴푸를 잘못 사용해서

64 비듬에 관한 설명 중 잘못된 것은?

① 비듬에는 지성 비듬과 건성 비듬으로 구분된다.
② 두피상태에 관계없이 오일이 함유된 트리트먼트가 효과적이다.
③ 신체적, 화학적 자극으로 인한 세포의 과잉생산과 곰팡이균에 의한 염증이다.
④ 결막염과 안검염에 의해서도 발생할 수가 있다.

해답 60④, 61④, 62③, 63①, 64②

65 다음 보기는 어떤 것을 설명한 것인가?

> 피부표면은 완벽한 조직을 보여준다.
> 죽은 세포들, 피지, 수분이 보호막을 형성한다.
> 좋은 피부 톤과 매끄럽고 유연한 촉감을 둔다.

① 수분 부족한 건조표피 ② 비듬이 있는 두피
③ 지성두피 ④ 정상적인 두피

66 건성 두피에 대한 설명으로 틀린 것은?

① 두피 표면에 각질이 쌓여 모공을 막을 수 있다.
② 피지막이 없어 두피가 건조하다.
③ 모발이 끈적이고 힘이 없어 가라앉는다.
④ 각질 비듬이 보이고 모공이 함몰되어 있다.

67 비듬을 제거하는 방법으로 부적당한 것은?

① 모발을 감고 두피의 수분을 잘 말린 후 묶거나 수면을 취한다.
② 하루에 여러 번 따뜻한 물로 샴푸한다.
③ 헤어 스프레이, 젤, 염색약 등 두피를 자극하는 제품의 지나친 사용을 피한다.
④ 비듬방지용 샴푸와 두피타입에 맞는 샴푸를 병행해서 사용한다.

68 피부와 근육을 집어 올려 주물러서 푸는 매뉴얼테크닉 법으로 노폐물의 제거, 신진대사 촉진을 목적으로 하는 것은?

① 압박법 ② 강찰법
③ 유연법 ④ 고타법

해답 65④, 66③, 67②, 68③

69 탈모의 원인으로 거리가 먼 것은?

① 내분비의 장애
② 지나친 스트레스
③ 영양결핍과 피지의 과다
④ 유분 부족으로 인한 모발의 건조

70 다음 중 건강모의 큐티클 상태를 바르게 설명하고 있는 것은?

① 모발 끝이 들쑥날쑥하게 불규칙한 패턴
② 부분적으로 떨어져나가 불규칙함
③ 표면이 매끈하고 규칙적인 패턴
④ 표면이 뜨거나 벗겨진 상태

71 갑상선 기능의 항진과 저하에 관여하며 결핍 시 탈모를 진행시키고 해초류에 많이 들어있는 무기질은?

① 철분　　② 아연
③ 요오드　　④ 셀레늄

72 유일하게 피부표면에서 합성되는 비타민으로 탈모 후 모발 재생에 효과가 있는 비타민은?

① Vit A　　② Vit B_6
③ Vit D　　④ Vit C

73 다음 중 모상건막에 대한 설명으로 틀린 것은?

① 모상건막은 두정골 부분을 싸고 있다.
② 모상건막이 움직임에 따라 전두근, 측두근, 후두근이 움직인다.
③ 측두부와 후두부의 모상건막이 늘어짐에 따라 목에 주름이 생긴다.
④ 전두부의 모상건막이 늘어짐에 따라 이마에 주름살이 생긴다.

73 모상건막은 스스로 움직일 수 없으며 스트레스 등에 의해 전두근, 측두근, 후두근이 당겨지면 모상건막도 늘어진다.

해답 69④, 70③, 71③, 72③, 73③

74 생명력이 없는 무색 · 무핵의 투명한 세포로 되어 있으며 주로 손바닥과 발바닥에 존재하는 피부층은?

① 각질층 ② 투명층
③ 과립층 ④ 유극층

74 투명층은 편평하고 투명한 세포로 되어 있으며 모든 피부에 존재하나 얇은 피부에서는 식별이 쉽지 않고 손바닥과 발바닥에서 뚜렷이 관찰된다.

75 세포분열이 일어나지 않고 표피의 각질화가 시작되는 층으로 외부로부터 이물질 및 수분의 침투에 대한 방어역할과 피부내의 수분증발을 막는 층은?

① 각질층 ② 투명층
③ 과립층 ④ 유극층

75 과립층에서부터 표피의 각질화가 시작되며 이보다 외층에서는 핵과 소기관이 소실되고 급속히 각화가 일어난다.

76 표피의 대부분을 차지하는 층으로 5~10층의 다각형 세포로 구성 되어 있으며 세포간교가 발달한 층은?

① 투명층 ② 과립층
③ 유극층 ④ 기저층

76 유극층은 표피 중에서 가장 두꺼운 층이며 세표의 표면에는 가시모양의 돌기가 있어 인접세포와 다리모양으로 연결되어 있다.

77 다음 중 피부의 기저층에 관하여 잘못 설명한 것은?

① 신체가 활발히 움직일 때 기저층에서의 새로운 세포생성도 활발해진다.
② 표피의 가장 깊은 곳에 위치한 세포층으로 타원형의 핵을 갖고 있으며 진피와 경계를 이루는 물결모양의 단층이다.
③ 기저층을 이루는 기저세포는 각질세포로 변화된다.
④ 케라틴을 만드는 각질형성세포와 피부색을 좌우하는 색소형성세포를 갖고 있다.

77 기저층에서의 새로운 세포의 생성은 신체의 긴장감이 가장 풀렸을 때 즉, 일반적으로 잠든 후 2시간이 지났을 때 가장 왕성해진다.

해답 74②, 75③, 76③, 77①

78 다음 중 피부의 진피층에 관하여 잘못 설명한 것은?

① 유두층과 망상층으로 되어 있으나 그 경계가 뚜렷하지는 않다.
② 망상층의 위쪽에는 기저층이 있으며 아래쪽에는 유두층이 있다.
③ 피부의 90% 이상을 차지하며 표피를 지지하는 결합조직으로 콜라겐 섬유와 엘라스틴 섬유로 구성되어 있다.
④ 표피의 아래에 있는 두께 2~3mm의 비교적 단단한 층이다.

78 유두층은 기저층의 바로 아래에 있고 망상층의 아래쪽에는 피하조직이 있다.

79 표피와 진피의 경계부분에 존재하며 모세혈관이 풍부하게 분포되어 있어 혈관분포가 없는 표피에 영양소와 산소를 이동시키는 역할을 하는 것은?

① 콜라겐 ② 엘라스틴
③ 망상층 ④ 유두층

79 유두층은 얇은 교원섬유가 성글게 배열되어 있는 느슨한 결합조직의 형태를 가지며 표피와 진피의 경계가 물결모양의 파형(波形)이기 때문에 피부가 옆으로 당겨질 때 신축성이 있게 피부모양을 유지 한다. 또한 유두층에는 표피 가까이로 모세혈관과 신경종말이 풍부하게 분포되어 있어 혈관분포가 없는 기저층에 영양소와 산소를 이동시키거나 신경을 전달한다.

80 진피에 있는 섬유 성분 중 비교적 적은 부분을 차지하나 무정형의 불용성 단백질로서 탄력성과 신축성을 제공하는 섬유는?

① 교원섬유 ② 탄력섬유
③ 기질섬유 ④ 결합섬유

80 탄력섬유는 진피 중량의 2%에 불과하지만 탄력소(elastin)가 90%를 차지하며 그외에 미세섬유 단백질로 구성되어 있다. 탄력섬유의 주요 기능은 변형된 모습이 원래의 모습으로 돌아오도록 하는 탄력성을 제공하는 것으로 굵기 10nm의 가는 섬유가 교원섬유 사이를 꿰매듯이 지나가 고무처럼 교원섬유를 서로 붙게 하여 피부의 탄력성을 유지하게 한다.

81 진피의 결합섬유 사이를 채우고 있으면서 자기 몸무게의 수백 배에 해당하는 다량의 수분을 보유할 수 있는 물질은?

① 결합섬유 ② 기질
③ 엘라스틴 ④ 콜라겐

81 기질은 교원섬유와 탄력섬유 사이를 채우고 있는 당단백질로서 수분저장 기능이 있다.

해답 78②, 79④, 80②, 81②

82 다음 중 피하지방과 관련된 설명으로 적합하지 않은 것은?

① 진피보다 아래쪽에 위치하고 근육과 뼈 사이에서 그물 모양을 하고 있다.
② 다량의 지방을 포함한 지방세포가 있어서 지방을 만들거나 세포내에 저장하는 역할을 한다.
③ 피하조직은 매우 단단한 결합조직으로 탄력성이 적다.
④ 충격흡수 기능이 있어서 근육을 보호할 수 있다.

82 피하조직은 밀고 잡아당기는 성질을 지닌 느슨한 결합조직으로 탄력성이 매우 좋아 충격흡수 장치와 같은 역할을 한다.

83 피지선에 관하여 바르게 설명한 것은?

① 입술, 구강점막, 눈꺼풀에 피지선이 있다.
② 피지선은 모낭의 입모근 아래쪽에 붙어있다.
③ 피지선은 손바닥보다는 발바닥에 많다.
④ 피하지방층에 피지선이 위치한다.

83 피지선은 피지를 분비하는 선으로 진피층에 위치하고 모낭의 입모근 위쪽에 붙어 있으며 손바닥과 발바닥을 제외하고는 몸 전체에 분포한다. 피지선 중에는 털과 관계없이 독립하여 존재하는 것을 독립 피지선이라 하며 입과 입술, 구강점막, 눈과 눈꺼풀, 젖꼭지에는 독립 피지선이 있다.

84 한선에 대한 설명으로 올바른 것은?

① 에크린 한선은 태어날 때부터 입과 입술의 일부를 제외하고는 거의 전신에 분포되어 있다.
② 아포크린 한선은 피부표면으로 직접 열려있다.
③ 소한선에서 분비되는 땀은 대한선에서 분비되는 땀에 비해 양이 적다.
④ 에크린 한선은 모낭과 연결되어 피부표면으로 통하게 되어 있다.

84 에크린 한선은 피부표면으로 직접 열려 있는 반면 아포크린 한선은 모낭과 연결 되어 피부표면으로 통하게 되어 있다. 아포크린 한선의 분비는 진피의 깊숙한 곳에서 시작되며 에크린 한선에 비해 분비되는 양이 적고 배출되면 빨리 건조하여 모공에 말라붙는다.

85 피부의 색에 관하여 바르게 설명한 것은?

① 피부가 자외선에 노출되면 멜라닌세포에서 멜라닌 합성속도가 느려진다.
② 부신피질에서 코르티솔(cortisol)이 결핍되면 부신피질자극호르몬(ACTH)의 생산도 느려진다.
③ 멜라닌세포에서 멜라닌을 합성하지 못하면 백색증(albinism)이 생긴다.
④ 음식을 통해 섭취한 카로틴은 피부색을 붉게 만든다.

85 피부가 자외선에 노출되면 물리화학적 반응에 의해 멜라닌세포에서 멜라닌 합성속도가 빨라지고 각질세포로 멜라닌을 빠르게 이동시켜 검게 타는 현상이 나타난다. 부신피질에서 코르티솔(cortisol)이 결핍되면 부신피질자극호르몬이 과도하게 생산되어 피부에 색소침착을 일으킨다. 피부색에 있어 멜라닌은 검은색, 헤모글로빈은 빨간색, 카로틴은 노란색을 나타낸다.

해답 82③, 83①, 84①, 85③

86 다음 중 두피의 보호 작용에 관한 설명으로 틀린 것은?

① 두피표면이 약산성이므로 알칼리성 물질에 대한 보호작용이 우수하다.
② 두피표면은 pH 4.5~5.5의 약산성으로 세균침입으로부터 보호한다.
③ 기저층의 멜라닌 색소는 광선에 대한 방어기능이 있다.
④ 두피는 물리적인 충격으로부터 뇌를 보호한다.

86 두피표면은 pH 4.5~5.5의 약산성이드로 산이 닿으면 단백질이 응고하기 때문에 그 장해는 비교적 표층에 머물지만 알칼리에 침해당할 경우 단백질이 용해되기 때문에 장해가 깊은 곳까지 미치는 경향이 있다. .

87 다음 중 두피의 배설작용에 관하여 잘못 설명한 것은?

① 피지선에서는 피지를 분비하고 한선에서는 땀을 분비한다.
② 피지선은 털에 부속되어 있고 손바닥과 발바닥을 제외한 전신에 분포되어 있다.
③ 한선의 땀은 수분과 염분으로 구성되어 있고, 하루에 0.3~0.4L가 분비된다.
④ 두피에 각질 및 노폐물이 피지와 섞여 모공을 막으면 배설작용이 원활하지 않다.

87 땀은 하루 0.7~0.9L가 분비되며, 여름철에 운동할 때에는 하루 2L정도 분비된다.

88 다음 중 두피의 감각작용에 관하여 잘못 설명한 것은?

① 피부는 외부의 자극을 즉각 뇌세포에 전달하여 촉각, 통각, 압각, 온각, 냉각 등을 느끼게 한다.
② 통각은 피부에 통증을 느끼게 하며 가벼운 통증은 가려움을 동시에 유발시킨다.
③ 샴푸할 때 손톱으로 긁거나 세게 빗질할 경우 모세혈관이 확장되어 두피가 붉어진다.
④ 피부는 온각에 대해 민감하고 통각에 대해 가장 둔감하다.

88 피부에는 1cm²당 온점 1~2개, 냉점 1[illegible]개, 압점 6~8개, 촉점 25개, 통점 100~200개의 비율로 분포해 있어 고통에 대해 민감하고 따뜻함에 대해서는 가장 둔감하다.

89 모발이 생성, 성장하는 장소로서 볼록한 전구모양의 형태로 아랫부분은 움푹 패어있으며 진피세포층에서 나온 모유두와 맞물려 있는 것은?

① 모낭 ② 모구
③ 모근 ④ 모유두

89 모구는 진피세포층에서 나온 모유두와 맞물려있다.

해답 86①, 87③, 88④, 89②

90 모낭의 가장 아래쪽에 위치하며 수많은 모모세포로 덮어져 있고 내부에 모세혈관과 자율신경이 있어서 모발의 생장에 주요한 영향을 미치는 것은?

① 모모세포 ② 모구
③ 모근 ④ 모유두

90 모유두는 유두(乳頭)와 같은 모양을 하고 있으며 그 안에 모세혈관과 자율신경이 들어 있어서 모발생장과 직접적인 관련이 있다.

91 모유두를 덮고 있으면서 모유두로부터 영양을 공급받아 끊임없이 세포분열을 하면서 증식을 되풀이 하는 것은?

① 모모세포 ② 모구
③ 모근 ④ 모낭

91 모구부의 오목한 부분과 모유두가 접한 부분에서 모모세포가 모유두를 덮고 있으며 세포분열을 통해 모발을 만든다.

92 모피질 또는 모수질의 색소를 형성하는 세포는?

① keratinocyte ② melanocyte
③ follicle ④ papilla

92 모발의 색을 결정하는 멜라닌 색소는 melanocyte에서 생성되어 모피질 또는 모수질의 색소를 형성한다.

93 모발과 가장 가까이 접하고 있으며 모구부에서 생성된 모발을 감싸서 완전히 각화가 될 때까지 보호하여 표피 밖으로 운송하는 역할을 한 후에 비듬과 같이 탈락되는 것은?

① 모낭 ② 내모근초
③ 모모세포 ④ 모근

93 모근부는 모낭으로 둘러 싸여 있는데 모발에 가장 가까이 접하고 있는 층이 내모근초와 그의 외측인 외모근초로 덮여져 있다. 이들은 모구부에서 생성된 모발을 감싸서 완전히 각화가 완성될 때까지 보호하여 표피 밖으로 운송하는 역할을 한후에 자연히 탈락된다.

94 다음 중 모경지수에 관하여 잘못 설명한 것은?

① 모발단면의 단경(최소직경)을 장경(최대직경)으로 나눈 값이다.
② 모경지수가 1이면 완전한 원형이다.
③ 모경지수가 1보다 작을수록 타원형에서부터 편평한 형태로 된다.
④ 직모의 단면 형상은 편평한 형태에 가깝다.

94 모경지수가 1이면 완전한 원형이며 1보다 작을수록 타원형에서부터 편평한 형태로 된다. 따라서 직모의 단면형상은 원형에 가깝고 파상모는 타원형, 축모는 편평한 형태에 가깝다.

해답 90④, 91①, 92②, 93②, 94④

95 친유성의 성질을 가지고 있으며 물과 약제의 침투에 대한 저항력이 있고 외부환경으로부터 모발내부를 보호하는 것은?

① 외모근초 ② 내모근초
③ 모표피 ④ 피질세포

96 피질세포와 세포간 결합물질로 구성되어 있으며 모표피의 안쪽에 있는 것은?

① 엔도큐티클(endocuticle) ② 엑소큐티클(exocuticle)
③ 헤어 큐티클(hair cuticle) ④ 헤어 코텍스(hair cortex)

97 과립상의 황색부터 짙은 갈색의 멜라닌 색소를 함유하고 있으며 친수성부분으로 약제의 작용을 쉽게 받기 때문에 펌 또는 염색이 가능한 부분은?

① 엔도큐티클(endocuticle) ② 엑소큐티클(exocuticle)
③ 헤어 큐티클(hair cuticle) ④ 헤어 코텍스(hair cortex)

98 최외표피층(epicuticle)에 관하여 잘못 설명한 것은?

① 물은 최외표피층(epicuticle)을 통과할 수 있지만 수증기는 통과하지 못한다.
② 최외표피층(epicuticle)은 딱딱하여 부서지기 쉽고 물리적인 자극에 약하다.
③ 이 층에는 아미노산 중 시스테인의 함유량이 많다.
④ 친유성이며 알칼리 용액에 대한 저항성이 강하다.

99 일반적인 모발의 1일 성장속도는?

① 0.05mm ② 0.15mm
③ 0.25mm ④ 0.35mm

95 모표피는 모발의 최외층에 있으면서 모피질을 보호한다. 따라서 모표피가 손상 되거나 박리되면 모피질이 손상을 받게 된다.

96 헤어코텍스(hair cortex)는 모표피의 안쪽에 위치하고 피질세포와 세포간 결합물질로 되어있다.

97 과립상의 황색부터 짙은 갈색의 멜라닌 색소를 함유하고 있으며 친수성부분으로 약제의 작용을 쉽게 받기 때문에 펌 또는 염색이 가능한 부분은 헤어 코텍스(haircortex)이다.

98 최외표피층(epicuticle)은 약 100Å의 얇은 막으로 되어있으며 수증기는 통과하지만 물은 통과하지 못한다.

99 모발의 성장속도는 영양상태, 체질, 질병, 연령, 유전, 환경 등의 요인에 의해 달라질 수 있으나 일반적으로 하루에 0.35mm 가량 자란다.

해답 95③, 96④, 97④, 98①, 99④

100 모발의 굵기에 관한 설명으로 적합하지 않은 것은?

① 굵기가 0.07mm 이상인 모발은 경모에 속한다.
② 굵기가 0.06mm 이하인 모발은 연모에 속한다.
③ 페이스 라인(face line)의 모발은 연모이다.
④ 모발의 굵기는 모낭의 직경에 따라 다르다.

100 굵기가 0.1mm 이상인 모발을 경모라고 한다.

101 두피 및 모발의 성분에 관하여 잘못 설명한 것은?

① 모발의 80~90%는 케라틴 단백질로 아미노산이 50개 이상 모여서 단백질을 구성한다.
② 피부와 모발의 단백질 구조가 같은 것은 아미노산의 배합방식이 같기 때문이다.
③ 모발을 구성하는 아미노산 중 시스틴의 함유량은 약 16% 정도이다.
④ 모발의 수분함유량은 보통 10~15% 정도이나 샴푸 후에는 30% 정도이며 온도와 습도에 영향을 받는다.

101 피부와 모발의 주성분은 단백질이지만 아미노산의 배합방식이 다르기 때문에 서로 다른 단백질 구조를 가지고 있다. 피부는 주로 콜라겐 단백질, 모발과 손발톱, 피부각질은 케라틴 단백질로 구성되어 있다.

102 다음 중 취모에 관해 바르게 설명한 것은?

① 피부의 대부분을 덮고 있는 섬세한 털로 출생 후 성장함에 따라 부위별로 성모로 바뀐다.
② 길고 굵은 털로 머리카락, 눈썹, 속눈썹, 수염, 겨드랑이를 구성하고 있는 털이다.
③ 연모와 성모의 중간 굵기의 털이다.
④ 태아의 피부에 존재하는 부드러운 털이며 출생할 무렵에 탈락하고 연모로 대치된다.

102 ①번은 연모, ②번은 경모, ③번은 중간모(보통모)에 관한 설명이다.

103 모발의 형태에 관하여 바르게 설명한 것은?

① 직모는 곧은 모양의 머리이며 횡단면의 모양은 원형에 가깝다.
② 파상모는 약간 곱슬머리이며 횡단면의 모양은 원형에 가깝다.
③ 축모는 강한 곱슬머리이며 횡단면의 모양은 원형에 가깝다.
④ 황인종에게는 직모가 많은 반면 백인종에게는 축모가 많다.

103 파상모의 횡단면은 타원형이며 축모의 횡단면은 납작하거나 다양한 모양의 부정형이다. 백인종의 모발은 파상모가 많고, 흑인종의 모발은 축모이다.

해답 100①, 101②, 102④, 103①

104 헤어 사이클에 관한 설명으로 올바른 것은?

① 모발성장은 밤보다는 낮에 왕성하고 가을이나 겨울보다는 봄과 여름에 왕성하다.
② 사람은 평생 동안 성장기, 퇴화기, 휴지기, 발생기를 총 5회 반복한다.
③ 여성보다 남성의 모발 성장기가 길다.
④ 모발성장은 호르몬과 기온의 영향을 받는다.

105 헤어 사이클 중 성장기가 끝나고 모발의 형태를 유지하면서 대사과정이 느려지는 시기는?

① 성장기 ② 퇴화기
③ 휴지기 ④ 발생기

106 헤어 사이클 중 퇴화기에 속하는 모발의 양은 전체 모발 중 몇 %를 차지하는가?

① 약 1% ② 약 10%
③ 약 20% ④ 약 30%

107 모발전체가 성장하는 기간으로 모유두에 있는 모모세포가 신속하게 유사분열을 진행시켜 신체의 어느 세포보다 빠르게 모발을 생산하는 단계는?

① 성장기 ② 퇴화기
③ 휴지기 ④ 일생기

108 전체모발의 모유두가 위축되고 모낭도 차츰 위축되어 모근이 위쪽으로 밀려 올라감에 따라 빠지기 쉬운 모발상태가 되는 시기는?

① 성장기 ② 퇴화기
③ 휴지기 ④ 발생기

104 모발성장은 낮보다 밤에 더 빠르며, 사람은 일생동안 약 14~16회의 헤어 사이클을 반복한다. 남성의 모발성장기는 3~4년인 반면 여성의 모발성장기는 4~6년이다.

105 퇴화기에는 대사과정이 느려지며 세포분열이 정지되어 더 이상 케라틴을 만들어 내지 않는다.

106 퇴화기에 속하는 모발은 전체 모발의 약 1%를 차지한다.

107 성장기에는 모유두의 활동이 왕성해서 세포분열이 활발하고 모발이 빠르게 성장한다.

108 퇴화기를 거쳐 모발이 휴지기에 이르면 모낭과 모유두가 완전히 분리되고 모낭이 위축되므로 모발이 쉽게 빠지게 된다.

해답 104④, 105②, 106①, 107①, 108③

109 다음은 헤어 사이클 중 휴지기에 관한 설명이다. 잘못된 것은?

① 휴지기의 기간은 약 3~5개월이다.
② 휴지기에는 모유두가 활동하지 않는다.
③ 휴지기에 해당하는 모발은 전체 모발의 약 1%이다.
④ 휴지기 상태의 모발이 20% 이상이면 비정상적인 탈모로 간주한다.

109 휴지기에 해당하는 모발은 전체 모발의 약 10%이다.

110 모낭이 발생하는 시기는?

① 태생 2주 ② 태생 5주
③ 태생 9주 ④ 태생 15주

110 모낭은 태생 9주에 만들어지기 시작한다.

111 신체부위 중 제일 먼저 모낭이 발생되는 곳은?

① 머리 ② 팔
③ 가슴 ④ 다리

111 모낭의 발생순서는 머리에서 발쪽으로 차례로 형성된다.

112 다음 중 모유두에 관한 설명으로 적당한 것은?

① 모근의 아래쪽에 원형으로 부풀려져 있는 부분이다.
② 멜라닌 색소를 만들어 내는 세포이다.
③ 세포분열이 왕성하여 끊임없이 분열증식을 반복한다.
④ 모발의 성장조절물질을 분비하여 모발의 성장을 조절한다.

112 모유두에는 모세혈관과 신경이 풍부하며 모유두는 모발의 성장조절물질을 분비한다.

113 모낭의 측면에 붙어 있으며 피지를 분비하여 피부와 모발에 윤기를 제공하는 것은?

① 내모근초 ② 외모근초
③ 입모근 ④ 피지선

113 피지선은 피지를 분비하며 분비된 피지는 모발 또는 모낭의 벽을 따라 피부 표면으로 나와서 피부와 모발에 윤기를 준다.

해답 109③, 110③, 111①, 112④, 113④

114 입모근에 관한 설명으로 잘못된 것은?

① 표피 근처에 연결된 평활근 섬유다발이다.
② 추위나 공포를 느낄 때마다 이완된다.
③ 자율신경에 의해 지배된다.
④ 진피의 유두부분에서 사선으로 내려가 모낭에 붙어있다.

114 입모근은 추위나 공포를 느낄 때 자율적으로 수축하여 피부에 소름이 돋게 한다.

115 모발의 가장 바깥층으로 케라틴 단백질로 된 비늘모양의 각질세포는?

① 모수질 ② 모피질
③ 모표피 ④ 모간

115 모표피는 모발의 가장 바깥층으로 외부의 자극으로부터 모피질을 보호한다.

116 작은 섬유다발들이 모발의 길이 방향으로 늘어진 구조로 되어 있으며 섬유다발들 사이에 간충물질이 채워져 있는 곳은?

① 모표피 ② 모피질
③ 모수질 ④ 모근

116 모피질은 모표피 안쪽에 위치하면서 각화된 케라틴 단백질의 피질세포가 모발의 길이방향으로 배열된 세포집단이다.

117 에피큐티클(epicuticle)에 관한 설명으로 적합한 것은?

① 최내층에 위치한다.
② 두께가 약 30μm 정도이다.
③ 얇은 막이므로 물이 통과할 수 있다.
④ 아미노산 중 시스테인 함유량이 많다.

117 에피큐티클은 최외층에 위치하는 두께 10μm 정도의 얇은 막으로 수증기는 통과하지만 물은 통과하지 못한다. 이층은 아미노산 중 시스테인의 함유량이 많으며 각질 용해성 또는 단백질 용해성의 약품에 대한 저항성이 강하다.

118 엑소큐티클(exocuticle)에 관한 설명으로 적합하지 못한 것은?

① 연한 케라틴질의 층이다.
② 시스틴이 많이 함유되어 있다.
③ 시스틴 결합을 절단하는 약품에 약하다.
④ 단단하기는 하나 부스러지기 쉽다.

118 엑소큐티클은 연한 케라틴질의 층이므로 부드럽다.

해답 114②, 115③, 116②, 117④, 118④

119 엔도큐티클(endocuticle)에 관한 설명으로 적합하지 못한 것은?

① 친유성이다.
② 시스틴 함유량이 적다.
③ 내부 면에는 세포막 복합체가 있어 인접한 표피를 밀착시키고 있다.
④ 단백질 침식성 약품에는 약하다.

120 모발이 수분을 흡수할 수 있는 이유는?

① 모발의 유지흡착성 때문에
② 케라틴 단백질의 친수성 때문에
③ 모발의 대전성 때문에
④ 모발의 탄력성 때문에

121 모발에서 유지가 가장 잘 흡착될 수 있는 부분은?

① 모수질 ② 모피질
③ 모표피 ④ 내모근초

122 다음 중 시스틴 결합에 관한 설명이 아닌 것은?

① 황(S)을 함유하고 있는 아미노산인 시스테인 두 개가 결합한 것이다.
② 세로결합 가운데 가장 강한 결합이다.
③ 기계적인 힘으로는 간단히 끊어지지 않지만 화학적 반응에는 약하다.
④ 환원제의 작용을 받으면 쉽게 절단된다.

119 엔도큐티클은 가장 안쪽에 있는 친수성의 층으로 시스틴 함유량이 적고 단백질 침식성 약품(알칼리성 용액)에 약하다.

120 모발이 수분을 흡수하는 것은 케라틴 단백질의 친수성 때문이며 모발 내에 침투한 수분은 모발섬유 사이에 모세관과 같은 공공(空孔)의 벽에 흡착된다.

121 모피질은 친수성이 있고 모표피는 친유성이 있기 때문에 유지의 흡착은 대개 모표피의 표면에서 이루어진다.

122 시스틴 결합은 가로결합 중 가장 강한 결합이다.

해답 119①, 120②, 121③, 122②

123 모발의 측쇄결합 중 가장 많은 부분을 차지하고 있는 반면 물분자에 의해 쉽게 절단되는 결합은?

① 시스틴 결합 ② 펩티드 결합
③ 이온 결합 ④ 수소 결합

123 수소결합은 가로결합하고 있는 아미노산 사슬에 있는 산소와 수소사이의 결합으로 건조한 상태에서는 어느 정도의 결합력을 가지고 있고 수적으로 다른 결합보다 많아서 모발의 강도를 유지하는데 상당한 역할을 담당하지만 물에 의해서 간단히 절단된다.

124 주로 갈색이나 검은색을 나타내는 색소로 흑인이나 동양인의 피부색과 모발색을 결정하는 요소는?

① 티로신 ② 멜라노사이트
③ 유멜라닌 ④ 페오멜라닌

124 흑인이나 동양인은 서양인에 비해 유멜라닌이 많다.

125 노랑색이나 빨강색 머리의 주색소로 서양인들의 피부나 모발색을 결정짓고, 검은 모발색소에 비해 입자가 훨씬 작은 색소는?

① 헤모글로빈 ② 카로틴
③ 유멜라닌 ④ 페오멜라닌

125 페오멜라닌은 유멜라닌에 비해 색소대립자가 훨씬 더 작고 타원형으로 표면이 움푹 들어가 있다.

126 백발의 발생 원인으로 볼 수 없는 것은?

① 멜라노사이트의 감소 또는 소실
② 티로시나아제의 불활성
③ 자연스런 노화
④ 비타민 A와 철분의 과잉섭취

126 백발이 생기는 것은 멜라노사이트의 감소 또는 소실, 멜라닌 형성효소인 티로시나아제의 불활성, 노화 외에도 유전, 비타민 A와 철분의 섭취부족, 정신적인 스트레스 때문이다.

127 다음은 모발이 손상되는 요인들이다. 물리적인 손상요인에 해당하는 것은?

① 아이론 사용에 의한 손상
② 스트레스에 의한 손상
③ 영양부족에 의한 손상
④ 염색에 의한 손상

127 스트레스와 영양부족에 의한 손상은 생리적 요인, 염색에 의한 손상은 화학적 요인에 해당된다.

해답 123④, 124③, 125④, 126④, 127①

128 모발의 기능이 아닌 것은?

① 외부의 자극으로부터 보호기능
② 감각기능
③ 중금속 저장기능
④ 미에 대한 다양한 욕구를 충족시켜주는 기능

129 모낭벽에 붙어 있는 작은 근육으로 추위나 공포를 느끼면 수축되어 피부에 소름이 돋게 하는 역할을 하는 것은 무엇인가?

① 모유두 ② 기모근
③ 모구 ④ 피지선

130 모발색을 결정하는 색소인 유멜라닌(eu-melanin)과 페오멜라닌(pheo-melanin)에 관한 설명으로 옳지 않는 것은?

① 유멜라닌(eu-melanin)은 주로 갈색, 검은색을 나타낸다.
② 페오멜라닌(pheo-melanin)은 주로 노란색, 파랑색을 나타낸다.
③ 유멜라닌(eu-melanin)은 흑인과 동양인의 피부, 모발색을 결정한다.
④ 페오멜라닌(pheo-melanin)은 주로 백인들의 모발색을 결정하며 입자가 작다.

131 다음 중 옳지 않은 설명은?

① 인체는 머리, 목, 몸통, 사지로 구분한다.
② 머리는 전두부, 두정부, 측두부, 후두부로 나누어진다.
③ 머리덮개근을 모상건막이라고 한다.
④ 머리뼈는 모두 6개로 구성되어 있다.

128 모발은 인체에 유해한 중금속을 배출하는 기능을 한다.

129 기모근을 입모근이라고도 하며 수축되면 피부에 소름이 돋으면서 털이 세워진다.

130 페오멜라닌은 주로 노랑색과 빨간색을 나타낸다.

131 머리뼈는 모두 8개로 전두골, 후두골 2개, 두정골 2개, 후두골, 사골과 접형골로 이루어짐

해답 128③, 129②, 130②, 131④

132 다음 설명에서 말하고자 하는 것은 무엇인가?

> 일명 머리 널힘줄 이라고 하며 두피의 두정골부분을 싸고 있으면서 전두근, 측두근, 후두근을 잡고 있다.

① 뒷판상근 ② 안륜근
③ 전두엽 ④ 모상건막

133 다음 설명 중 올바른 것은?

① 모근에 영양을 주는 혈관을 싸고 있는 것이 자율신경이다.
② 스트레스를 받았을 때 오감을 통해 심장이 가장 빨리 자극을 받는다.
③ 두피와 모발에는 신경말단은 존재하지 않는다.
④ 스트레스는 피부에 아드레날린의 생성을 증가시킨다.

134 스트레스를 받았을 때의 반응을 순서대로 올바르게 표기한 것은?

① 뇌하수체선 → 몸이 싸우거나 도망가기 위한 반응준비 → 아드레날린분비 → 내분비선 조직을 지배 → 몸의 일반적 기능 붕괴
② 몸이 싸우거나 도망가기 위한 반응준비 → 뇌하수체선 → 아드레날린분비 → 내분비선 조직을 지배 → 몸의 일반적 기능 붕괴
③ 아드레날린분비 → 내분비선 조직을 지배 → 몸이 싸우거나 도망가기 위한 준비 → 몸의 일반적기능 붕괴 → 뇌하수체선
④ 뇌하수체선 → 내분비선 조직을 지배 → 몸이 싸우거나 도망가기 위한 반응준비 → 아드레날린분비 → 몸의 일반적 기능 붕괴

133 스트레스는 피부에 노르아드레날린의 생성을 증가시키며, 오감을 통해 두뇌의 시상하부를 자극하게 된다.

해답 132④, 133①, 134④

135 다음 중 두피 구조에 대한 설명으로 옳지 않은 것은?

① 피부는 가장 넓고 특별한 조직인 세포막으로 주요 완충제 역할을 한다.
② 표피에서부터 표피, 진피, 피하조직의 순서로 3개층을 형성한다.
③ 층 내부에는 혈관, 분비선, 감각수용체와 신경을 포함한 많은 조직들이 있다.
④ 두피에는 땀샘은 없고 피지선만 분포한다.

135 두피는 털과 땀샘, 피지선 모두 분포한다.

136 다음 중 멜라닌 세포가 존재하는 층은?

① 유극층 ② 과립층
③ 기저층 ④ 투명층

136 멜라닌 세포가 존재하는 층은 기저층이다.

137 다음설명에 해당하는 조직은?

대부분이 콜라겐이란 교원섬유와 탄력섬유, 기질로 이루어져 있다.

① 유두층 ②피하조직
③ 망상층 ④ 한선

138 다음 두피에 대한 설명 중 올바르지 않은 것은?

① 세포분열 및 DNA의 합성과 복제, RNA의 생성 및 소기관 등 각종 물질을 합성한다.
② 표피의 재생기간은 평균 4~6주 정도이다.
③ 손 · 발톱은 표피의 투명층이 변형된 것이다.
④ 피부 부속기로 한선에는 소한선과 대한선이 있다.

138 손 · 발톱은 표피의 각질층이 변형된 것이다.

해답 135④, 136③, 137③, 138③

139 다음 중 기저층에 대한 설명이 아닌 것은?

① 표피의 가장 아래쪽에 있다.
② 단층의 원주형, 입방형 세포이다.
③ 손바닥과 발바닥에만 보이는 무색, 무핵세포이다.
④ 표피세포의 증식을 담당하며 케라틴의 합성에 관여한다.

139 투명층이 손바닥과 발바닥에만 보이고 다른 부위에 존재하지 않는다.

140 다음 중 진피층에 대한 설명으로 옳지 않은 것은?

① 각질세포 사이에 멜라닌 세포와 랑게르 한스 세포가 있다.
② 표피밑의 가장 두꺼운 층으로 피부의 90% 이상을 차지한다.
③ 유두층과 망상층의 2개층으로 구별되나 경계가 뚜렷하지 않다.
④ 모발의 근원인 모낭이 발생하여 성장하는 곳이다.

140 멜라닌과 랑게르한스세포는 표피층에 존재한다.

141 소한선에 해당하지 않는 설명은?

① 귀언저리, 겨드랑이, 젖꼭지, 배꼽 등에 존재한다.
② 소한선은 에크린선이라 불리운다.
③ 태어날 때부터 입과 입술의 일부를 제외하고는 거의 전신에 분포되어 있다.
④ 마치 실밥을 둥글게 말아놓은 것 같은 모양이다.

142 피부 부속기에 대한 설명으로 옳지 않은 것은?

① 피지를 분비하는 선으로 신경의 지배를 받지 않는다.
② 모낭의 입모근 위쪽에 붙어 있는 분비선이다.
③ 소한선에서 분비되는 땀이 대한선 보다 농도가 짙고 독특한 냄새가 난다.
④ 털과 관계없이 독립하여 존재하는 것을 독립피지선이라 한다.

142 소한선보다 대한선에서 독특한 땀냄새가 나며 농도도 짙다.

해답 139③, 140①, 141①, 142③

143 두피의 각화과정에 대한 설명이 올바르지 않은 것은?

① 기저세포는 세포분열 및 DNA의 합성과 복제 등 각종물질을 합성한다.
② Keratohyalin 과립 등 단백질 합성과 핵, 세포소기관 소실이 나타난다.
③ 표피의 재생기간은 평균 4~6개월이다.
④ 기저세포의 분열이 진행함에 따라 기저층 – 유극층 – 과립층 – 각질층으로 각화되어간다.

143 표피재생기간은 평균 4~6주(39일 정도)이다.

144 (　　) 안에 들어갈 말을 고르시오.

> 피부의 색에 관여하는 성분은 멜라닌, 헤모글로빈, (　　)이 있다.

① 멜라노 사이트　　② 카로틴
③ 시스테인　　④ 케라틴

145 다음 두피의 작용과 관계없는 것은?

① 피지선에서 피지를 분비하고 한선에서 땀을 분비하는 작용이 있다.
② 외부의 자극을 즉시 뇌세포에 전달하여 촉각, 통각, 압각, 온각, 냉각 등을 느끼게 한다.
③ 기름샘, 땀샘, 림프관, 혈관 등의 기능으로 체온조절작용이 있다.
④ 두피 표면은 약알칼리성으로 되어있어 보호작용을 한다.

145 두피는 약산성(pH 4.5~6)으로 되어 있다.

146 두피와 모발에 대한 설명으로 옳지 않은 것은?

① 모발의 수는 두피에 약 130~140만개이다.
② 모발의 성장속도는 하루에 0.35mm 자란다.
③ 모발은 인종, 색, 모질 등에 따라 개인차가 있다.
④ 일반적으로 남성보다 여성이 모발 수가 많다.

146 모발의 수는 전신에 약 130~140만개이며 두피에는 10만개 정도이다.

해답 143③, 144②, 145④, 146①

147 모발의 굵기를 설명한 것으로 옳은 것은?

> 경모는 ( )mm이고, 보통모발은 ( )mm이고, 연모는 ( )mm 이다.

① 0.1mm, 0.07~0.085mm, 0.06mm
② 0.1mm, 0.05~0.07mm, 0.0006mm
③ 0.1mm, 0.02~0.05mm, 0.02mm
④ 0.1mm, 0.06~0.05mm, 0.01mm

148 다음 설명에 해당하는 모발형태는?

> 매우 강한 곱슬머리이며, 횡단면의 모양은 납작하거나 다양한 모양의 부정형이다. 흑인종이 이에 속한다.

① 축모 ② 연모
③ 파상모 ④ 직모

149 모발의 결합성질에 관한 설명이다. 옳지 않은 것은?

① 주쇄결합이 측쇄결합에 비해 결합력이 더 강하다.
② 모발은 가로보다 세로로 더 쉽게 끊어지는 성질이 있다.
③ 세로의 결합은 폴리펩티드끼리의 결합으로 측쇄결합이라고 한다.
④ 모발의 기본구조는 세 가닥의 케라틴단백질이 결합하여 이루어진다.

150 다음의 설명이 말하는 것은?

> 결합력은 약하고 물에 의해서도 간단히 절단된다.
> 모발의 강도유지에 상당한 역할을 한다.

① 펩티드 결합 ② 수소 결합
③ 염 결합 ④ 측쇄 결합

147 경모 -0.1mm, 보통모발은 0.075~0.085mm이고, 연모는 0.06mm이다.

해답 147①, 148①, 149③, 150②

151 백발에 대한설명으로 바르지 않은 것은?

① 멜라닌 과립이 각화세포로 전달시킬수 없어 발생한다.
② 멜라노사이드의 수의 감소와 소실로 인해 발생한다.
③ 백발화는 두정부에서 시작되어 측두부, 후두부로 진행된다.
④ 유전적 소인이 크고, 비타민 A의 결핍으로 인해 백발화 되기 쉽다.

151 백발화는 측두부에서 시작, 두정부로, 후두부로 진행된다.

152 다음 중 모발손상의 요인이 다른 것은?

① 유전 ② 스트레스
③ 일광 ④ 호르몬

152 일광은 환경적 요인이며 나머지는 생리적 요인이다.

153 다음 중 모발손상의 화학적 요인이 아닌 것은?

① 펌 ② 염색
③ 스타일링제품 ④ 세팅

153 세팅은 물리적 요인에 속한다.

154 다음의 두피관리방법의 설명에 해당하는 두피는?

① 건성 두피 ② 예민성 두피
③ 비듬성 두피 ④ 지성 두피

155 다음 두피에 대한 설명은 어느 두피에 해당하는가?

> 외관상 예민성두피와 지성 두피의 혼합형이며, 피지분비가 많아 염증과 지성비듬이 자주 발생한다.

① 문제성 두피 ② 중성 두피
③ 비듬성 두피 ④ 지루성 두피

해답 151③, 152③, 153④, 154④, 155④

156 다음 중 휴지기성 탈모에 해당하지 않는 것은?

① 압박성 탈모 ② 분만후 탈모
③ 남성형탈모 ④ 내분비질환에 의한 탈모

157 다음 중 남성형 탈모에 대한 설명으로 옳지 않은 것은?

① 전두부에서 두정부에 걸쳐 널리 퍼져 탈모하거나 전두부가 후퇴하여 간다.
② 17세(청소년기)부터 시작하여 30대후반에는 급격하게 탈모된다.
③ 대부분 지성두피이며, 유전적 요인이 많다.
④ 모근의 형태가 곤봉상과 같다.

158 다음 탈모에 대한 설명으로 옳지 않은 것은?

① 지루성탈모는 발진과 함께 휴지기모의 탈모가 많아지게 되면서 시작된다.
② 갑상선 기능 저하증은 호르몬분비가 너무 많아서 생기며 새로운 성장기모가 발육에 저해된다.
③ 단식, 거식증은 피부건조화와 함께 탈모가 유발된다
④ 여성의 남성형탈모는 대부분 앞머리 부분과 정수리의 모발이 가늘어지면서 발전하다.

159 비듬의 확인 방법으로 올바르게 짝 지워진 것은?

① 건성두피 & 비듬 – 머리 밖에서 보이진 않지만 마른 느낌의 비듬
② 지성두피 & 비듬 – 머리 밖에서 보이진 않지만 기름기가 느껴지는 비듬
③ 건선 – 거칠고, 두꺼워진 두피
④ 독성과 과각화증에 의한 비듬 – 머릿결을 타고 떨어지는 비듬

156 압박성 탈모는 성장기성 탈모에 해당한다.

157 모근의 형태가 곤봉상과 같은 것은 자연탈모이다.

158 갑상선 기능 저하증은 머리 전체에 무력감이나 기능저하로 탈모가 된다.

159 건성두피 & 비듬은 머릿결을 타고 떨어지는 비듬이며, 건선은 특정부위에 국부적으로 붉은 스켈링이다.

해답 156①, 157④, 158②, 159②

160 피하조직에 대한 설명 중 틀린 것은?

① 혈관, 림프관, 신경관 등이 연결되어 있다
② 노폐물과 이산화탄소를 거두어 들인다.
③ 여성보다는 남성이 성인보다는 소아가 발달되어 있다.
④ 에너지를 저장하고 열 이동 차단, 체온발산을 막는 역할을 한다.

160 남성보다 여성이 발달되어 있고 여성 호르몬의 영향에 의해 사춘기 이후 여성스러운 체형으로 바뀐다.

161 대한선에 대한 설명으로 틀린 것은?

① 아포크린선이라고도 하며 소한선보다 크다.
② 귀 언저리, 겨드랑이, 젖꼭지, 배꼽, 음부 등 몸의 전체에 분포되어 있다.
③ 소한선의 담보다 농도가 짙고 독특한 냄새가 난다.
④ 겨드랑이에서 악취가 나는 것을 '액취증' 또는 '암내' 라고 한다.

161 몸 전체에 분포되어 있는 것은 소한선이다.

162 표피의 재생기간은?

① 1~2주 ② 2~3주
③ 3~4주 ④ 4~6주

162 표피의 재생기간은 평균4~6주(39일) 정도이다.

163 다음 중 두피의 작용으로 틀린 것은?

① 보호작용 ② 체온조절작용
③ 흡수작용 ④ 저장작용

163 두피는 보호작용, 흡수작용, 배설작용, 각화작용, 체온조절작용, 감각작용, 표현작용, 비타민 D 작용, 항체생성작용 등이 있다.

해답 160③, 161②, 162④, 163④

164 모발은 세포분열과정 중 어디에서 만들어지는가?

① 외배엽 ② 중배엽
③ 내배엽 ④ 수정란

164 외배엽 – 피부, 모발, 뇌, 신경계가 만들어짐
중배엽 – 골격, 근육, 심장, 혈관, 신장,생식선이 만들어짐
내배엽 – 소화기 계통의 내장이 만들어짐
수정란 – 난자와 정자가 만나 수정된 것을 말함

165 다음 중 모발의 기능에 대한 설명 중 틀린 것은?

① 외부의 물리적 충격으로부터 완충작용함
② 외부의 오염물질로부터 인체를 보호해줌
③ 눈썹과 속눈썹은 햇빛, 땀방울로부터 눈을 보호해줌
④ 헤어스타일의 연출에 따라 인상변화 없음

166 모발의 굵기에 따른 종류에 대한 설명 중 틀린 것은?

① 모근의 형성과 함께 만들어진 첫 번째 털을 취모라 한다.
② 경모는 변형이 어렵고 호르몬의 영향을 받는 특징을 지닌다.
③ 연모에는 모수질이 존재하고 모발의 색이 갈색을 띤다.
④ 연모는 남성이 여성에 비해 빨리 찾아온다.

166 연모에는 모수질이 존재하지 않고 경모에 모수질이 존재한다.

167 큐티클층이 관찰되지 않고 임신 8개월 정도 지나면 모낭에서 탈락되는 모발은?

① 연모 ② 경모
③ 종모 ④ 취모

167 종모: 연모에서 경모화되어 죽을 때까지 가지고 가는 털을 말한다. 경모는 단순히 포괄적 의미로 굵기가 굵은 털을 말함

168 모발의 형태 중 매우 강한 곱슬머리이며 횡단면의 모양이 납작하거나 다양한 모양의 부정형인 모발은?

① 직모 ② 파상모
③ 축모 ④ 경모

해답 164①, 165④, 166③, 167④, 168③

169 다음 설명 중 틀린 것은?

① 모발 형성이 항상 지속적으로 이루어지는 것이 아니라 주기성을 갖는 것을 모주기라 한다.
② 모세혈관으로부터 영양 공급을 받아 새로운 모발이 생성되어 성장하는 단계를 성장기라 한다.
③ 퇴행기는 모낭이 위축되면서 세포분열이 정지되는 단계이다.
④ 모발이 곤봉모양같이 빠지는 단계가 퇴행기이다.

170 모발의 기원이 되는 세포로 모유두로부터 영양공급을 받아 세포분열하는 것은?

① 모모세포 ② 모유두
③ 모낭 ④ 모구

171 모근의 아래부분에 원형으로 부풀려져 있는 부분이며 모세혈관, 모유두, 모모세포 등이 위치하는 곳은?

① 모모세포 ② 모유두
③ 모낭 ④ 모구

172 모근을 둘러싸고 있는 주머니이며 두피 밖으로 나오는 모발을 보호하는 기능과 각질화되어 두피각질과 함께 떨어져나가는 것은?

① 모모세포 ② 모유두
③ 모낭 ④ 모구

169 곤봉모양처럼 빠지는 단계는 휴지기이다.

해답 169④, 170①, 171④, 172③

173 내모근초에 대한 설명 중 틀린 것은?

① 표피의 가장 안쪽인 기저층에 접하고 있다.
② 위에서 아래로 단층의 기와모양으로 겹쳐져 있다.
③ 초표피, 헉슬리층, 헨레층으로 구성되어 있다.
④ 모표피와 더불어 기와모양의 표피가 되어 표피문리를 형성한다.

174 피질세포의 집합체로 모발의 대부분이 85~90%를 차지하며 피질세포와 세포간 결합물질로 구성된 것은?

① 모피질 ② 모표피
③ 모수질 ④ 간충물질

175 모발을 물에 담가두면 길이 1~2%, 직경 15%, 무게 30%정도 증가한다. 그 이유는 모발의 어떤 성질 때문인가?

① 모발의 흡수성 ② 모발의 대전성
③ 모발의 팽윤성 ④ 모발의 고착력

176 모발의 등전점은 얼마인가?

① pH 4.5~5.5 ② pH 5.5~6.5
③ pH 6.5~7.5 ④ pH 7.5~8.5

177 S황유 아미노산인 시스테인 2개가 S을 사이로 결합한 것은?

① 염 결합 ② 시스틴 결합
③ 수소 결합 ④ 펩티드 결합

173 기저층에 접하고 있는 것은 외모근초이다.

해답 173①, 174①, 175③, 176①, 177②

178 단백질에 대한 설명 중 틀린 것은?

① 20여종의 아미노산 중 모발에는 약 18가지 아미노산이 존재한다.
② 단백질의 3차 구조는 알파나선구조와 베타 병풍구조로 되어 있다.
③ 단백질은 그리스어로 'Proteios' 에서 유래되었다.
④ 단백질의 1차 구조는 peptide 결합이다.

179 모발 손상원인에 대한 설명 중 맞는 것은?

① 높은 열이나 빛에 의해 색과 구조가 변하지 않는다.
② 모발 손상의 원인은 크게 화학적 원인과 물리적 원인으로 나눈다.
③ 모발은 270~300℃에서 케라틴 구조의 변형을 유발한다.
④ 모발의 자외선의 영향을 받지 않는다.

180 모발의 화학적 손상이 아닌 것은?

① 마찰에 의한 손상
② 자외선에 의한 손상
③ 퍼머넌트웨이브에 의한 손상
④ 탈색과 염색에 의한 손상

181 백발에 대한 설명 중 틀린 것은?

① 멜라닌 과립이 각화세포로 전달시킬 수 없어 발생한다.
② 백발은 노화현상의 하나이다.
③ 측부두에서 시작, 두정부, 후두부로 진행된다.
④ 유전과 스트레스와는 아무런 상관이 없다.

178 알파나선구조와 베타 병풍구조는 단백질의 2차 구조에 속한다.

179 케라틴 구조의 변형은 180℃에서 일어난다.

해답 178②, 179②, 180①, 181④

182 각질형성세포 중 무핵층이 아닌 것은?

① 과립층 ② 기저층
③ 투명층 ④ 각질층

183 다음 중 면역을 담당하는 세포는?

① 랑게르한스 세포 ② 섬유아세포
③ 대식세포 ④ 비만세포

184 다음 중 피지의 기능이 아닌 것은?

① 세균이나 곰팡이균을 방어하는 기능
② 피부체온을 저하시키는 역할
③ 피부와 모발에 윤기를 부여
④ 수분증발을 억제하여 피부를 촉촉하게 유지

185 피지선이 존재하지 않는 곳은?

① 손 · 발바닥 ② 입술
③ 눈점막 ④ 유두

186 생체 내 여러 분비기간에서 생성되며 혈액과 체액을 통하여 표적세포로 운반되면서 특수한 생리작용을 나타내는 물질을 무엇이라 하는가?

① 혈액 ② 임파액
③ 생식선 ④ 호르몬

182 유핵층 – 기저층, 유극층
무핵층 – 과립층, 투명층, 각질층

183 랑게르한스 세포 – 면역기능담당
대식세포 – 식균작용
비만세포 – 염증마개관여

184 체온의 저하를 막아준다.

해답 182②, 183①, 184②, 185①, 186④

187 뇌의 기저부에 위치하고 있는 시상하부에 분비되는 호르몬은?

① 갑상선 호르몬 ② 뇌하수체호르몬
③ 성선자극호르몬 ④ 부신피질 호르몬

188 남성형 탈모의 원인은?

① 에스트로겐의 과다 생성 때문이다.
② 알레르기, 유전, 자율신경 이상 등이 원인이다.
③ 땀의 과다 분비 때문이다.
④ Testosterone이 5RD의 영향으로 DHT로 바뀌면서 탈모가 일어난다.

189 여성형 탈모의 원인은?

① 피임약과 심한 다이어트로 안드로겐분비가 활성화되어 나타난다.
② 수험생과 스트레스로 인한 증세로 나타난다.
③ 체내 호르몬의 균형이 깨지면서 나타나다.
④ 환경적인 요인보다 유전적인 요인이 크게 좌우한다.

189 여성형 탈모는 유전적인 요인보다 환경적인 요인에 더 크게 좌우한다.

190 탈모반이라고도 하며 머리카락이 원형을 이루면 빠지는 현상을 무엇이라 하는가?

① 소아형 탈모증 ② 원형 탈모증
③ 휴지기 탈모증 ④ 반흔성 탈모증

191 각화된 표피가 제때 떨어지지 못해 모공이 막혀 염증이 생기고 울혈은 없지만 두피가 가렵고 따가움을 느끼는 두피는?

① 지성 두피 ② 복합성 두피
③ 건성 두피 ④ 예민성 두피

해답 187②, 188④, 189④, 190②, 191③

192 지성두피에 대한 설명 중 맞는 것은?

① 표면에 각질이 쌓여 있다.
② 모공이 불순물 없이 깨끗한 상태로 열려 있다.
③ 과다한 피지분비로 두피의 호흡이 원활하지 못하고 기능이 저하된다.
④ 약한 자극에도 따갑거나 발열현상으로 민감하게 반응한다.

193 비듬성 두피에 대한 설명 중 틀린 것은?

① 비듬균의 이상 증식으로 인해 생긴다.
② 관리방법으로 두피의 자극을 최소화하고 두피의 기능을 정상화하는 것이 중요하다.
③ 호르몬의 불균형 유전적요인, 피지선의 과다 분비 등이 원인이다.
④ 비듬 전용 샴푸제를 사용하며 비듬 제거를 위한 스켈링 제품을 사용한다.

193 예민성 두피의 관리방법이다.

194 탈모에 대한 설명으로 틀린 것은?

① 모발의 성장기가 짧아져 기존모에 비해 단축되는 특징을 지닌 탈모를 자연탈모라 한다.
② 건강한 사람의 경우 40~100본 정도가 1일 탈모되는 것은 정상적인 탈모이다.
③ 자연탈모된 모근은 곤봉형의 형태를 띠고 있다.
④ 모발의 색상이 점차적으로 연한 갈색톤으로 변화되는 현상은 이상탈모에 속한다.

194 탈모는 자연탈모와 이상탈모로 나눈다.
자연탈모 – 정상적인 모발의 모주기 기간을 통하여 탈락하는 모발을 말한다.
이상탈모 – 인체의 비정상적인 현상 및 두피 불청결 등과 같은 외부적인 요인 등으로 인하여 모발의 성장주기가 짧아지거나 혹은 성장주기에 변화가 생기어 필요이상으로 탈모량이 늘어나거나 모발이 가늘게 생성되는 현상을 말한다.

195 출산 후 나타나는 휴지기성 탈모증으로 여성탈모의 대표적인 탈모유형은?

① 폐경에 의한 탈모증
② 결발성 탈모증
③ 다이어트에 의한 탈모증
④ 산후 탈모증

해답 192③, 193②, 194①, 195④

196 모근의 파괴에 의해 일어나는 탈모로 상처, 화상 피부염 등에 희한 탈모는?

① 압박성 탈모증 ② 반흔성 탈모
③ 원형 탈모 ④ 매독성 탈모

197 남성형 탈모의 예방법으로 틀린 것은?

① 피지선을 자극하는 자극적인 음식이나 당분의 섭취를 피한다.
② 정기적 관리를 통하여 모발과 두피에 영양공급을 준다.
③ 두피를 지나치게 자극한다.
④ 적당한 운동을 통하여 육체적, 정신적 스트레스를 해소한다.

198 비듬의 종류와 증상으로 틀린 것은?

① 지성비듬인 경우 비타민 A를 섭취해야 효과적이다.
② 혼합성비듬은 오랜 피지산화의 작용에 의해 건성비듬에 비해 쉽게 떨어지지 않는다.
③ 지성비듬은 관리 시 피지 밸런스 조절과 함께 두피세정이 이루어져야 한다.
④ 건성비듬은 수분유실과 함께 과각화현상이 나타나는 유형이다.

199 모근부에 영양공급을 하며 모발이 자랄 수 있도록 도와주는 기능과 더 이상의 탈모현상을 막아주는 것은?

① 발모제 ② 육모제
③ 양모제 ④ 항균제

198 건성비듬 – 비타민 A 섭취
지성비듬 – 비타민 B2, B6 섭취

199 발모제 – 모근부에 영양공급하여 모발이 자라게 하는 제품으로 프로페시아나 미녹시딜과 같은 의약품류에 해당하며 전문의의 처방을 필요로 한다.
양모제 – 모근부에 영양공급하여 모발이 자라도록하기 보다는 가늘어져 있는 연모를 탄력있고 건항한 경모로 발전하도록 도와 주는 화장품류의 의약품에 비해 안전성에서 높은 제품이다.

해답 196②, 197③, 198①, 199②

Chapter 2

QnA 두피모발생리학

01 소포체 외면에 붙어 있으며 단백질 생합성에 필요한 RNA를 함유하고 있는 것은?

① 리소좀　　② 리보솜
③ 핵　　④ 세포

02 세포내의 분비물을 합성 및 농축작용을 하는 곳은?

① 리보좀　　② 중심소체
③ 골지체　　④ 근세포

03 DNA구조는 어떤 형태인가?

① 이중 나선 구조　　② 단중 나선 구조
③ 삼중 나선 구조　　④ 다중 나선 구조

04 성장과 재생을 위한 음식물을 함유하고 있는 세포의 일부를 무엇이라 하는가?

① 세포질　　② 핵
③ 원형질　　④ 분비선

02 골지체는 단백질 합성과 세포내의 합성된 분비물질의 세포내 운반 등의 기능을 맡고 있으며 내형질 세망에서 생산되어 운반해온 물질을 농축하며 배출하는 농축작용을 한다.

해답 1②, 2③, 3①, 4①

05 조직의 4가지 기본조직이 아닌 것은 무엇인가?

① 상피조직 ② 근육조직
③ 신경조직 ④ 골조직

06 기능적으로 비슷한 세포와 세포간질의 집합체를 무엇이라 하는가?

① 조직 ② 기관
③ 계 ④ 선

07 체표면이나 내장의 내강을 덮고 있는 얇은 세포층으로 한 층 또는 여러 층의 세포로 된 판상의 조직은?

① 결합조직 ② 상피조직
③ 근육조직 ④ 신경조직

08 상피조직의 기능이 아닌 것은?

① 소화 ② 분비
③ 흡수 ④ 방어

09 비늘같이 납작한 세포층으로 피부, 구강 등을 덮고 있는 상피는?

① 원추상피 ② 편평상피
③ 입방상피 ④ 이행상피

05 조직 – 상피조직, 결합조직, 근육조직, 신경조직

06 조직이란 인체를 구성하고 있는 세포들이 동일한 기능을 수행해 나가기 위해 비슷한 형태의 세포들이 집단을 이루는 것을 말한다.

08 상피조직의 기능: 보호, 방어, 분비, 흡수, 감각감수, 생식세포생산

해답 5④, 6①, 7②, 8①, 9②

10 내분비선과 외분비선은 어느 조직에 속하는가?

① 상피조직 – 선상피　② 상피조직 – 표면상피
③ 결합조직 – 교원섬유　④ 결합조직 – 탄력섬유

11 우리 몸의 인체에 널리 분포되어 여러 조직과 기관의 틈을 채우고 이들을 연결하는 지지적인 기능을 갖고 있는 조직은?

① 결합조직　② 상피조직
③ 근조직　④ 신경조직

12 결합조직 중 교원섬유를 이루고 있는 물질은?

① 지질　② 엘라스틴
③ 콜라겐　④ 단백질

13 자체 내에 수분을 함유하고 있어 피부층의 보습 역할을 담당하는 섬유 조직은?

① 세망섬유　② 탄력섬유
③ 교원섬유　④ 편평섬유

14 탄력 섬유를 이루고 있는 물질로 탄력을 갖고 있고 굴절성이 강한 것은?

① 지질　② 엘라스틴
③ 단백질　④ 콜라겐

10 상피조직의 선상대는 여러 가지 분비샘을 형성하고 있다. 외분비선은 기름샘, 땀샘 내분비선 호르몬분비를 말한다.

12 교원섬유: 콜라겐, 탄력섬유: 엘라스틴

13 교원섬유는 자체 내에 수분을 함유하여 피부층의 보습역할을 담당하는 섬유조직이다.

해답 10①, 11①, 12③, 13③, 14②

15 인체의 골격계 기능에 대해 올바르게 나열한 것은 무엇인가?

① 보호기능, 조혈작용, 운동기능, 보호기능
② 조혈작용, 저장기능, 응고기능, 보호기능
③ 조혈작용, 분해작용, 지지기능, 보호기능
④ 운동기능, 보호기능, 배설기능, 응고기능

16 골막에 대한 설명 중 틀린 것은 무엇인가?

① 골절시에 뼈를 재생시킨다
② 혈구를 생산하는 곳이다.
③ 뼈를 보호한다.
④ 혈관, 림프관 및 신경을 통과시키는 바탕을 제공한다.

16 혈구를 생산하는 곳은 골수이다.

17 혈구를 생산하는 곳으로 해면뼈의 엉성한 조직과 골수강을 메우는 조직은?

① 골수 ② 골화
③ 골조직 ④ 골막

18 골과 골 사이의 충격을 흡수하는 결합조직은 무엇인가?

① 근섬유 ② 연골
③ 관절 ④ 조직

19 적혈구와 백혈구를 생산하고 형성되는 곳은 어디인가?

① 이자 ② 쓸개
③ 골절 ④ 골수

해답 15①, 16②, 17①, 18②, 19④

20 근육운동에 필요한 에너지 형태는?

① ATP ② ADP
③ DNA ④ RNA

21 평활근과 심근은 어느 신경의 지배를 받는가?

① 자율신경 ② 중추신경
③ 감각신경 ④ 반사신경

22 근육 중 횡문근에 대한 설명 중 옳은 사항은?

① 가로 무늬가 있고 골격근과 심근이 여기에 속한다.
② 불수의근에 속한다.
③ 자율신경의 지배를 받는다.
④ 가로 무늬가 없어 민무늬근이라고 부른다.

23 신체의 운동은 어떻게 해서 이루어지는가?

① 골격근의 수축으로 ② 횡문근의 이완으로
③ 평활근의 수축으로 ④ 심장근의 수축으로

24 신경세포 본체의 집합체를 무엇이라 하는가?

① 교감신경계 ② 중추신경계
③ 말초신경계 ④ 자율신경계

22 횡문근을 골격근, 심근을 말하는 것으로 가로무늬가 있으며 얼굴, 팔, 다리와 같은 신체일부의 의지에 의해 조절된다.

해답 20①, 21①, 22①, 23①, 24②

25 중추신경계에 해당 되는 것은 무엇인가?

① 뇌와 척수를 말한다.
② 메세지 전달 역할
③ 신체의 모든 부분에 포함되어 있다.
④ 수의근 활동을 감소시킨다.

26 두개골 속에 들어있으며 우리 몸에서 가장 많은 혈액을 필요로 하는 기관은?

① 간 ② 뇌
③ 폐 ④ 근육

27 중추신경계는 어떻게 구성되어 있는가?

① 중뇌와 대뇌 ② 뇌와 척수
③ 교감신경과 뇌간 ④ 뇌간과 척수

28 두개골의 약 2/3을 차지하는 가장 큰 부분의 뇌는?

① 간뇌 ② 중뇌
③ 대뇌 ④ 소뇌

29 대뇌의 기능과 관련 없는 것은?

① 인체의 행동과 감정을 조절하는 기능
② 운동신경의 조정 장소
③ 정신기능과 관련
④ 지각, 시각, 청각, 후각 등의 중추기능

25 중추신경계는 신경세포 본체의 집합로서 뇌와 척수를 말한다.

28 대뇌는 두개골의 약 2/3을 차지하는 장 큰 부분이다.

29 운동신경의 조정장소는 중뇌이다.

해답 25①, 26②, 27②, 28③, 29②

30 다음 척수의 기능에 속하는 것은?

① 연수작용 ② 분비조절
③ 굴곡반사 ④ 호흡작용

30 척수의 기능: 굴곡반사, 신전반사

31 제1뇌의 신경에 해당되는 신경은 무엇인가?

① 후각신경 ② 시각신경
③ 안면신경 ④ 외향신경

31 제1신경: 후각신경, 제2신경: 시각신경,
제3신경: 동안신경, 제4신경: 활차신경,
제5신경: 삼차신경, 제6신경: 외향신경,
제7신경: 안면신경,
제8신경: 청각정전신경
제9신경: 설인신경, 제10신경: 미주신경,
제11신경: 부신경, 제12신경: 설하신경

32 혈액의 기능과 관계없는 것은?

① 영양물질, 노폐물, 산소, 탄산가스, 호르몬 등 각종 물질을 운반하는 역할
② 세포환경을 일정하게 유지
③ 체액의 pH조절
④ 병원균으로부터 신체 방어를 못함

32 혈액은 병원균으로부터 신체를 방어한다.

33 혈장에서 피프리노겐을 제외한 나머지 성분을 무엇이라 하는가?

① 혈청 ② 혈장
③ 혈소 ④ 혈액

34 적혈구에 대한 설명 중 틀린 것은?

① 성인의 경우 $1mm^3$ 속에 약 500만개가 들어 있다.
② 산소를 운반한다.
③ 적혈구의 세포막으로는 수분, 염분, 요소 등이 쉽게 투과된다.
④ 적혈구내에는 멜라닌이라는 붉은색의 혈색소가 있어 혈액이 붉어 보인다.

34 적혈구내에는 헤모글로빈이라는 붉은색의 혈색소가 있어 혈액이 붉어 보인다.

해답 30③, 31①, 32④, 33①, 34④

35 정맥 내에 혈액이 중력을 거슬러 올라가는 경우 역류하지 못하도록 하는 것은?

① 심장 ② 판막
③ 동맥 ④ 혈관

36 다음 중 신장의 기능에 해당되는 것은?

① 노폐물 배설 ② 이산화 탄소 제거
③ 영양공급 ④ 물질여과 기능

36 신장의 기능: 노폐물 배설, 혈액성분 유지

37 대부분의 영양물이 흡수 되는 곳은 어디인가?

① 대장 ② 소장
③ 위장 ④ 간

37 소장은 인체내에서 음식물이 본격적으로 소화, 흡수되는 기관이다.

38 티록신 호르몬 과잉시 나타나는 병은?

① 바세도우씨병 ② 정맥수종
③ 크레티니즘 ④ 미나마타이병

39 부갑상샘 호르몬의 기능은?

① 성정 정체 현상
② 칼슘대사에 중요한 조절기능
③ 안드로겐 분비
④ 물과 전해질의 균형 조절기능

해답 35②, 36①, 37②, 38①, 39②

40 남성의 2차 성장기에 영향을 주는 호르몬으로 성적자극, 남성생식기의 발육 등을 맡고 있는 것은?

① 에스트로겐 ② 테스토스테론
③ 아드레날린 ④ 티록신

41 여성호르몬 중 여성의 2차 성징을 발현시키는 호르몬은?

① 프로게스테론 ② 알데스테론
③ 아드레날린 ④ 에스트로겐

41 에스트로겐은 여성의 2차 성징을 나타낸다.

42 갑상선 기능의 조절은?

① 뇌하수체 ② 부신피질
③ 부신수질 ④ 교감신경

43 간장의 기능이 아닌 것은?

① 해독작용 ② 분비작용
③ 알코올분해 ④ 담즙형성

43 간장의 기능: 해독작용, 알코올분해, 담즙형성, 혈구생산기능

44 적혈구 속에 들어있는 혈색소가 적혈구 밖으로 나오는 현상을 무엇이라 하는가?

① 용해 ② 용혈
③ 적혈 ④ 백혈

해답 40②, 41④, 42①, 43②, 44②

45 부교감신경계의 절후섬유의 말단에는 이들 섬유의 흥분에 의하여 어떤 물질이 유리되는가?

① 노르페피네프린 ② 아드레날린
③ 아세틸콜린 ④ 절전섬유

46 혈액의 분포는 정상적인 휴지상태보다 운동을 하면 혈류량 즉 심장박출량은 보통 어느 정도 증가하는가?

① 1~2배 ② 8~10배
③ 15~20배 ④ 4~5배

47 위벽세포에서 염산이 분비된다. 이 염산의 중요한 기능이 아닌 것은?

① 직접 소화효소 구실을 한다.
② 내용물에 따라 살균작용을 한다.
③ 직접 소화효소 구실을 하지 못한다.
④ 펩시노겐을 펩신으로 만든다.

48 순환계가 지니고 있는 혈액용량은 다음 중 주로 어디에 의해 결정 되는가?

① 정맥의 부피 ② 동맥의 부피
③ 심장의 부피 ④ 폐의 부피

49 부종이 나타나는 현상에 대한 옳은 설명은?

① 다량의 조직액 ② 동맥압이 커져서
③ 모세관 혈압이 낮아서 ④ 과잉 혈장단백질로

해답 45①, 46④, 47①, 48①, 49①

50 일반적으로 체내의 혈액저장소라고 하면 다음 중 어디를 지칭하는가?

① 근육 - 혈관 ② 간 - 비장
③ 동맥 - 모세혈관 ④ 위 - 소장

51 혈액과 조직액 사이에서 물질이 확산으로 이루어질 때 이동되지 않는 것은?

① 글루코오스 ② 산소
③ 단백질 ④ 이산화탄소

52 세뇨관에서 물의 재흡수가 이루어질 때 재흡수되는 물의 양은 주로 어느 것의 영향을 받는가?

① 사구체의 여과력 ② 반류설
③ 항이뇨호르몬의 농도 ④ 카페인

53 이자의 α세포에서 분비하는 호르몬이며 혈당량을 상승시키는 것을 다음 중에서 고른 것은?

① 인슐린 ② 글루카곤
③ 소마토스타틴 ④ 프로스타글란딘

54 신경계에 있어 시냅스란 무엇을 뜻하는가?

① 신경세포 ② 신경교
③ 신경세포의 접촉 ④ 신경교의 접촉

해답 50②, 51③, 52③, 53②, 54③

55 림프계 설명 중 옳은 것은?

① 림프계도 혈액순환계처럼 정 · 동맥계가 있다.
② 림프계는 심장과 같은 구조물은 없다.
③ 몸을 방어하는 기능이 없다.
④ 모세혈관을 통해 나온 단백질과 조직액을 순환계로 되돌리는 기능이 없다.

56 신장의 세뇨관에서 물의 재흡수가 일어난다. 이때 어느 것이 중요한 영향을 미치는가?

① 능동수송 ② 염류
③ ADH ④ 확산

57 인체에 있는 많은 감각수용체가 자극을 받으면 계속 뇌로 전달한다. 이때 일어나는 중요한 현상이 아닌 것은?

① 정보들은 뇌에 저장된다.
② 정보들은 뇌에 저장되지 않는다.
③ 뇌로 명령을 유발시켜 적절한 운동을 하게 한다.
④ 척수에서 바로 반작용을 나타낸다.

58 체내에서 미생물이 가장 많이 서식하는 곳은?

① 침 ② 소장
③ 대장 ④ 위

59 순환기 계통에 포함되지 않는 것은?

① 혈액 ② 심장
③ 모세혈관 ④ 세포액

60 혈액이 운반하는 물질과 조직세포에서 생긴 물질을 실제로 교환하는 곳은 어디인가?

① 심장 ② 허파
③ 모세혈관 ④ 신장

해답 55②, 56③, 57②, 58③, 59④, 60③

Chapter 3

QnA 영양학

01 기초대사량(B.M.R)이란 무엇인가?

① 1일 필요한 열량
② 생명유지에 필요한 최소의 열량
③ 영양분의 소화, 흡수과정에 필요한 에너지
④ 생체가 생존하기 위한 열량

02 탄수화물의 최종 분해 산물은 무엇인가?

① 포도당 ② 아미노산
③ 지방 ④ 맥아당

03 다음 중 3대 영양소가 아닌 것은 무엇인가?

① 단백질 ② 탄수화물
③ 무기질 ④ 지방

04 1g당 칼로리가 가장 높은 영양소는?

① 지방 ② 탄수화물
③ 단백질 ④ 비타민

02 탄수화물 → 포도당, 단백질 → 아미노산, 지방 → 글리세린

03 3대 영양소: 탄수화물, 단백질, 지방
5대 영양소: 탄수화물, 단백질, 지방, 무기질, 비타민
6대 영양소: 탄수화물, 단백질, 지방, 무기질, 비타민, 물
7대 영양소: 탄수화물, 단백질, 지방, 무기질, 비타민, 물, 식이섬유

04 단백질 - 4kcal
탄수화물 - 4kcal
지방 - 9kcal

해답 1②, 2①, 3③, 4①

05 영양적으로 균형 잡힌 식사를 하기위한 탄수화물의 적당한 섭취율은?

① 10% ② 30~40%
③ 60~65% ④ 80~85%

06 인체의 기능을 조절하는 영양소는 무엇인가?

① 단백질 ② 비타민
③ 탄수화물 ④ 지방

07 단백질 결핍증이라 볼 수 없는 것은 무엇인가?

① 부종 ② 발육부진
③ 빈혈 ④ 출혈

08 다음 중 주로 단백질 급원이 되는 식품이 아닌 것은?

① 생선 ② 두부
③ 콩제품 ④ 감자

09 다음 중 비타민 D와 관계있는 것은 무엇인가?

① 가시광선 ② 자외선
③ 적외선 ④ 직사광선

06 인체의 생리기능 조절 영양소는 무기질, 비타민이다.

07 단백질 결핍: 발육부진, 체중감소, 빈혈, 부종, 저항력감소를 일으킨다.

08 단백질 식품: 달걀, 우유, 생선, 버터, 소, 돼지고기, 두부, 된장 등

09 비타민 D는 항구루병성 비타민이다. 따라서 자외선은 구루병을 예방한다.

해답 5③, 6②, 7④, 8④, 9②

10 조혈 작용을 하는 비타민은 무엇인가?

① 비타민 A ② 비타민 B
③ 비타민 C ④ 비타민 E

11 다음 중 필수 아미노산이 아닌 것은?

① 라이신 ② 트립토판
③ 발린 ④ 시스테인

12 당질이 체내에서 대사될 때 꼭 필요한 영양소는 무엇인가?

① 비타민 B1 ② 단백질
③ 비타민 D ④ 비타민 B6

13 다음 중 단백질의 역할을 설명한 것으로 옳은 것은?

① 에너지를 발생하지는 않으나 생물의 기능유지에 꼭 필요하다.
② 포만감과 신경 및 혈관을 보호한다.
③ 파괴된 조직을 수선하여 새로운 조직을 형성한다.
④ 탄수화물 대사과정에 중요한 역할을 담당한다.

14 탄수화물은 무엇에 의해 맥아당과 덱스트린으로 분해 되는가?

① 소장에서 장액에 의해
② 구강에서 타액에 의해
③ 위에서 위액에 의해
④ 십이지장에서 췌담즙에 의해

10 비타민B는 당질이 체내에서 대사될 때 꼭 필요한 영양소로 조혈작용을 한다.

11 필수아미노산: 이소로이신, 로이신, 리신, 페닐알라닌, 메티오닌, 트레오닌, 트립토판, 발린

13 단백질은 낡은 세포를 새롭게 하여 보충하고 발육성장하는데 에너지원이 된다.

해답 10②, 11④, 12①, 13③, 14②

15 비타민C의 기능에 대한 설명으로 옳은 것은 무엇인가?

① 세포간 물질을 형성하고 상처치유를 빠르게 한다.
② 상피세포를 보호한다.
③ 자외선에 의해 합성된다.
④ 수용성 이지만 물에 쉽게 녹지 않는다.

16 다음 지용성 비타민의 기능을 연결이 잘못된 것은 무엇인가?

① 비타민 A: 상피세포 보호
② 비타민 C: Ca, P 대사에 관여
③ 비타민 E: 불포화 지방산중 리놀레산을 보호
④ 비타민 K: 혈액응고에 관여

17 마그네슘의 역할로 옳은 설명은?

① 호흡근 조절　② 몸속의 산화작용 촉진
③ 동물의 털의 색 조절　④ 체액의 알카리성 유지

18 무기질 중 체내의 에너지대사와 단백질 생성 및 작용에 관여하는 것은?

① I　② Na
③ Cl　④ Mg

19 요오드(I)를 많이 함유하고 있는 식품은?

① 채소　② 다시마
③ 간　④ 쌀

15 비타민 C는 콜라겐 합성을 도와 상처 치유에도 효과적이다.

16 Ca, P 대사에 관여하는 것은 무기질이다.

19 요오드는 해조류에 풍부하며 알칼리성 식품으로 밥이나 국수 등 산성 식품과 잘 어울린다.

해답 15①, 16②, 17④, 18①, 19②

20 요오드(I)가 체내에서 하는 작용은 무엇인가?

① 체액의 삼투압 조절　　② 티록신을 만든다
③ 소화액의 분비촉진　　④ 신경의 자극을 전달

20 요오드는 체내 대사율을 조절하는 갑상선 호르몬인 티록신의 구성 성분이 되는 필수 무기질 이다.

21 다음 설명 중 틀린 것은?

① 비타민 A – 부족시 피부를 각화시킨다.
② 비타민 B – 부족시 지루성 피부염이나 빈혈이 생긴다.
③ 비타민 C – 세포내의 호흡을 활발하게 하고 혈액순환을 좋게 한다.
④ 비타민 E – 말초혈관을 수축하여 혈행을 좋게 하므로 혈색이 좋은 피부를 만든다.

21 비타민 E는 피부의 노화를 방지하는 항산화 비타민 중의 하나이다.

22 어린이는 성장이 늦어지고 어른은 체중의 손실을 가져올 수 있는 영양소는?

① 지방　　② 아스코르빈산
③ 단백질　　④ 나이아신

22 단백질은 발육과 성장에 관여한다.

23 단백질은 무엇의 화합으로 구성되어 있는가?

① 무기질　　② 아미노산
③ 비타민　　④ 탄수화물

24 지방에 대한 설명으로 옳은 것은?

① 피하근육사이, 내장주위에 저장되어 있어 신체곡선미를 나타내 준다.
② 소장에서 아미노산 형태로 흡수된다.
③ 주식품은 달걀, 우유, 생선이 속한다.
④ 당질로서 곡류, 감자류, 설탕류 등의 주성분이다.

해답 20②, 21④, 22③, 23②, 24①

25 칼슘에 대한 설명으로 옳은 것은?

① 부족 시 뼈와 치아의 쇠퇴 및 발육 불량이 나타난다.
② 근육 및 신경의 자극전도, 삼투압조절에 작용한다.
③ 체내의 삼투압을 조절한다.
④ 인체의 생리기능조절에 중요한 역할을 한다.

26 적혈구속의 헤모글로빈에 함유되어 있고 산소운반에 중요한 구실을 하는 무기질은?

① 나트륨　② 식염
③ 마그네슘　④ 철분

27 피부를 부드럽게 하여 수분을 흡수하는 성질이 있어 공기 속의 습기를 흡수하여 피부에 윤택을 주는 작용을 하는 것은?

① 트레오닌　② 아미노산
③ 포도당　④ 글리세린

28 무기질 중 체내의 에너지대사와 단백질 생성 및 작용에 중요하게 관여하는 것은?

① I　② Na
③ Cl　④ Mg

29 다음 비타민 중에서 어느 비타민이 부족하면 비듬이 많이 생기는가?

① 비타민 B1　② 비타민 A
③ 비타민 D　④ 비타민 E

28 I(요오드)는 티록신를 만들며 체내의 에너지대사와 단백질 생성에 작용한다.

해답 25①, 26④, 27④, 28①, 29②

30 모발의 영양 공급에서 가장 중요한 것은?

① 당분의 공급 ② 단백질의 공급
③ 지방분의 공급 ④ 섬유질의 공급

31 탈모 방지에 좋은 음식으로 짝지은 것이 아닌 것은?

① 콩, 찹쌀 ② 두부, 우유
③ 달걀노른자, 호두 ④ 버섯, 커피

32 두피질환에 관련한 영양에 대한 올바르지 않은 것은?

① 비타민 A의 결핍으로 두피건조와 모공각화증이 유발되어 탈모가 촉진된다.
② 칼슘은 뼈, 근육의 대부분을 구성하며 우리 몸의 항체역할을 한다.
③ 단식, 거식증은 피부건조화와 함께 탈모가 유발된다.
④ 단백질 결핍시 모발의 색이 변하고, 쉽게 부서진다.

33 두피모발과 영양의 상관관계에 대한 설명이 말하는 영양소는?

> 체내칼슘대사 조절에 중요한 인자이며 체내에서 합성가능하며, 작용기전이 스테로이드 호르몬과 유사하다.

① 비타민 D ② 비타민 A
③ 미네랄 ④ 무기질

34 두피모발과 영양의 상관관계에 대한 설명이 말하는 영양소는?

> 모발의 건조를 막아주며 부족하면 모공 각화증을 유발하여 탈모가 촉진된다. 장어, 당근, 달걀노른자, 우유, 소간 등에 많이 함유되어 있다.

① 비타민 D ② 비타민 A
③ 미네랄 ④ 무기질

32 뼈, 근육의 대부분을 구성하며 우리 몸의 항체역할을 하는 것은 단백질이다.

해답 30②, 31④, 32②, 33①, 34②

35 모발과 무기질에 대한 설명으로 틀린 것은?

① 요오드 – 해조류
② 철 – 쇠고기, 새우, 달걀노른자
③ 아연 – 쇠고기, 조개류, 간, 시금치, 콩류
④ 칼륨 – 우유, 해조류

36 아연에 대한 설명으로 가장 알맞은 설명은 무엇인가?

① 흰머리 예방 및 모발의 생장 촉진
② 스트레스 예방
③ 모발건조 예방
④ 비듬방지

37 비타민 D의 설명으로 모발과 관련하여 가장 옳은 것은?

① 탈모후 모발의 재생에 효과적이다.
② 백모현상을 예방한다.
③ 수용성 비타민이다.
④ 열에 강하다.

38 철과 요오드의 설명으로 틀린 것은?

① 철은 조혈작용에 관여 ② 면역기능에 이용
③ 기초신진대사 조절 ④ 골격과 치아형성

39 칼슘과 인의 설명으로 틀린 것은?

① 골격과 치아형성 ② 혈액의 산도 조절
③ 산과 알칼리 균형 유지 ④ 비타민의 작용 촉진

37 비타민 D는 탈모 후 모발의 재생에 효과적이며 두피의 혈액순환을 도와 모발을 윤택하게 한다.

해답 35④, 36①, 37①, 38④, 39③

40 수분이 인체에 미치는 영향으로 틀린 것은?

① 신체의 대사를 도와 영양분을 용해, 소화흡수를 용이하게 함
② 체온조절기능
③ 피부에 수분 부족시 탄력성 저하와 노화촉진
④ 신경과 근육의 흥분

41 지성 및 여드름 피부에 따른 효과적인 미용식으로 맞지 않는 것은?

① 비타민 B_1의 결핍에 의해 발생한다.
② 피지분비를 촉진하는 지방이나 당분섭취를 삼간다.
③ 커피, 담배, 향신료가 강한 음식을 섭취한다.
④ 간, 시금치, 현미 등 비타민 B군이 함유된 식품을 섭취한다.

42 민감성피부에 따른 효과적인 미용식으로 맞지 않는 것은?

① 피부의 저항력을 높여주는 비타민 B와 비타민 P를 섭취한
② 비타민 P는 감귤, 고추, 녹황색 채소 등에 많이 함유
③ 가공식품의 적절한 섭취
④ 알칼리 식품의 적절한 섭취

43 비타민 C의 기능을 설명한 것 중 틀린 것은?

① 멜라닌 색소의 증식 억제 ② 알레르기성 피부에 역효과
③ 모세혈관벽을 강화 ④ 콜라겐 생합성조절에 관여

44 비타민 C의 결핍증을 설명한 것 중 틀린 것은?

① 성장촉진 ② 피부 및 점막의 출혈
③ 색소침착증 ④ 과민증

44 비타민 C의 결핍은 성장저해, 피부점막 출혈, 색소침착, 각화증, 과민증, 괴혈증을 유발한다.

해답 40④, 41③, 42③, 43②, 44①

45 에너지 영양소의 기능을 설명한 것 중 틀린 것은?

① 체온유지, 호흡
② 근육, 골격, 기관, 인체조직구성
③ 신경전도
④ 심장박동을 위한 에너지공급

46 조절 영양소의 기능을 설명한 것 중 틀린 것은?

① 산 · 염기평형　　② 에너지 공급
③ 수분균형　　④ 생리기능조절

47 사람의 혈액에 존재하는 유일한 당질은 무엇인가?

① 포도당　　② 과당
③ 전화당　　④ 맥아당

48 다음의 설명으로 알맞은 것은 무엇인가?

> (　　)은 동물성 전분으로 동물의 간과 근육에 주로 존재한다. 이는 간장에 저장되어 있으며 에너지가 부족할 때 포도당으로 분해되어 혈액 속에 들어가 순환하면서 에너지원으로 공급된다.

① 펙틴　　② 섬유소
③ 글리코겐　　④ 전분

49 당질의 기능으로 틀린 것은?

① 에너지 주요공급원　　② 근육, 골격형성
③ 에너지 저장　　④ 혈당유지

45 에너지영양소(당질, 지방, 단백질): 체온유지, 호흡, 신경전도, 근육수축, 심장박동을 위한 에너지공급에 관여한다.

46 비타민,무기질: 산 · 염기평형, 수분균형,체내대사과정, 혈액응고등 생리기능조절

49 근육, 골격형성은 단백질의 기능이다.

해답 45③, 46②, 47①, 48③, 49②

50 중성지방에 대한 설명으로 틀린 것은?

① 1분자의 글리세롤과 3분자의 지방산으로 구성
② 지방산의 결합에 따라 성질이 결정
③ 신체의 지방질의 95% 정도 차지
④ 1가의 고급알코올과 지방산의 결합물을 말함

50 왁스는 1가의 고급알코올과 지방산의 결합물을 말한다.

51 지방질 섭취에 있어 과잉 섭취시 유발하는 질병으로 틀린 것은?

① 고지혈증 ② 관상동맥경화
③ 심장병 ④ 괴혈병

51 괴혈병은 비타민 C 부족 시 나타난다.

52 다음에 알맞은 말은 무엇인가?

> 단백질의 질은 필수 아미노산의 함량에 따라 좌우된다. 필수 아미노산이 부족한 단백질 식품이더라도 그 필수 아미노산이 풍부한 식품과 섞어 먹으면 영양가가 높아지는데 이를 단백질의 (　　) 라고 한다.

① 불완전 단백질 ② 부분적 불완전 단백질
③ 보충효과(보족효과) ④ 완전단백질

53 칼슘의 기능을 설명한 것으로 틀린 것은?

① 약 99%가 뼈와 치아 등 경조직에 있다.
② 혈액응고에 관여하여 지혈작용을 한다.
③ 심장의 수축력을 강하게 한다.
④ 지용성비타민의 용매

54 신체 내에서 뼈와 치아에 석회화 및 에너지 대사에 작용하며 유전정보를 전달하는 기능을 가진 영양소는 무엇인가?

① 인 ② 마그네슘
③ 철 ④ 요오드

54 염소는 위액중의 염산의 성분으로 산도를 유지하고 펩시노겐을 활성화하여 단백질 소화에 중요한 역할을 한다.

해답 50③, 51②, 52④, 53④, 54①

55 다음의 설명으로 (　　)에 들어갈 말로 맞는 것은?

> (　　)는 철분의 흡수를 촉진하고 헤모글로빈 합성에 도움을 주며 신경계를 조절한다. 또한 철분과 단백질이 결합하여 혈색소를 형성할 때 촉매역할을 한다.

① 구리　　② 불소
③ 요오드　　④ 아연

56 요오드에 대한 설명으로 틀린 것은?

① 갑상선 조직에서 티로신을 합성한다.
② 요오드는 쉽게 흡수 되지 않는 성질이 있다.
③ 땅콩, 양배추, 대두와 함께 먹으면 좋지 않다.
④ 해산물에 많이 들어 있다.

57 필수 지방산의 기능으로 잘못 설명한 것은?

① 생체막의 구성 성분　　② 피지선의 작용 정상화
③ 피부의 저항력 향상　　④ 골연화증 예방

58 비타민 A의 결핍증으로 잘못 설명된 것은?

① 한선과 피지선의 활동 퇴화　　② 표피성장과 색소침착
③ 모발조기 퇴색　　④ 손톱의 갈라짐

59 다음은 어느 영양소의 기능을 설명한 것인가?

> 모세혈관의 혈행촉진, 불포화 지방산의 산화방지. 세포형성촉진, 건조한 피부, 지방부족의 여드름 경향의 피부에 효과, 노화피부의 혈액순환에 효과적이다.

① 비타민 K　　② 비타민 A
③ 비타민 E　　④ 비타민 P

56 요오드는 쉽게 흡수되며 땅콩, 양배추, 대두와 함께 먹으면 흡수가 방해된다.

57 골연화증, 구루병, 골다공증 예방은 비타민 D의 기능이다.

58 표피성장과 색소침착은 비타민 D의 기능이다.

해답 55①, 56②, 57④, 58②, 59③

60 비타민 E 결핍증의 설명으로 틀린 것은?

① 골격의 석회화에 효과 ② 피부노화, 건조화
③ 냉증, 불임, 유산 ④ 근육조직 및 신경체계 손상

61 건조하고 거친 피부에 따른 미용식으로 틀린 설명은?

① 가공식품의 적절한 섭취
② 비타민 A와 E의 충분한 섭취
③ 염분이 다량 함유된 음식 삼가
④ 수분이 많은 과일, 채소, 물의 충분한 섭취

62 비타민의 화학명이 잘못 짝지워진 것은?

① 비타민 A – 레티놀 ② 비타민 C – 아스코르빈산
③ 비타민 E – 토코페롤 ④ 비타민 D – 피리독신

63 다음 (　　)안에 들어갈 말이 차례로 설명된 것은?

> 인체가 물을 마신지 불과 (　　) 후 혈액에 도달하고 1분 후 뇌조직에, 10분 후에는 피부에, (　　) 후에는 간, 심장, 신장에 도달한다.

① 30초, 20분 ② 1분, 30분
③ 3분, 20분 ④ 15분, 30분

64 인체가 하루에 필요로 하는 최소한의 물은 양은 어느 정도인가?

① 1L ② 1.5L
③ 2L ④ 2.5L

60 비타민 K의 기능은 골격의 석회화, 혈액응고제, 타박상에 효과적이다.

62 비타민 D의 화학명은 칼시페롤이다.

64 물은 신장에서 180L의 물이 재생되고 인체가 하루에 필요로 하는 최소한의 물의 양은 2.5L 정도 이다.

해답 60①, 61①, 62④, 63①, 64④

65 세포벽을 구성하는 셀룰로오스를 포함한 물질은 무엇인가?

① 무기질 ② 식이섬유
③ 다당류 ④ 메치오닌

66 식이섬유의 물리적 특성이 아닌 것은?

① 점성 ② 수분보유력
③ 호르몬 분비 촉진 ④ 담즙산의 결합능력

67 식이섬유의 기능에 대한 설명으로 잘못된 것은?

① 변비예방 ② 대장암 발생억제
③ 고지혈증 예방 ④ 혈당상승효과

68 식이섬유의 생체 내 기능에 대한 설명으로 잘못된 것은?

① 변의 양 증가
② 장내 순환 담즙산의 감소
③ 콜레스테롤 흡수 증가
④ 장의 연동운동 촉진

69 섬유질의 질병 예방 효과로 적당하지 않은 것은?

① 비만예방 ② 당뇨예방
③ 아토피예방 ④ 대장암예방

67 식이섬유는 혈당치의 상승억제 효과가 있다.

68 섬유소는 콜레스테롤 흡수를 억제한다.

해답 65②, 66③, 67④, 68③, 69③

70 알코올이 인체에 미치는 영향으로 적당하지 않은 것은?

① 간손상 ② 신경장애
③ 위장장애 ④ 정서안정

71 카페인이 인체에 미치는 영향으로 적당하지 않은 것은?

① 정신적 흥분 감소 ② 수면방해
③ 위장장애 ④ 칼슘 및 철분 흡수저해

72 녹차가 인체에 미치는 영향을 잘못 설명한 것은?

① 항암효과 ② 칼슘흡수
③ 충치예방 ④ 변비개선

73 녹차 성분 중 입 냄새 제거에 도움이 되는 성분은 무엇인가?

① 클로로필과 탄닌 ② 탄닌, 카테킨
③ 베타카로틴 ④ 라이코펜

74 비만의 원인 중 잘못된 음식습관이 아닌 것은?

① 과식과 폭식 ② 불규칙한 식사
③ 간식과 야식 ④ 하루 2.5L 이상의 수분섭취

75 내장지방의 축적을 초래하는 주요 원인이 아닌 것은?

① 과잉의 열량섭취 ② 지나친 유산소 운동
③ 운동부족 ④ 과음, 흡연

71 카페인은 정신적 불안을 촉진시킨다.

75 내장지방의 축적은 과잉열량섭취, 운동부족, 과음, 흡연, 스트레스, 불규칙한 일상생활 등이 주요 원인이다.

해답 70④, 71①, 72②, 73①, 74④, 75②

76 올바른 식사방법으로 잘못된 것은?

① 반찬을 적게 먹는다. ② 조금씩 나누어 먹는다.
③ 잠자기 전에 먹지 않는다. ④ 싱겁게 먹는다.

77 체중조절을 위한 행동요법으로 생활습관을 수정하는 방법이 잘못된 것은?

① 반드시 혼자 식사하도록 한다.
② 배가 부를 때 장을 본다.
③ 인스턴트 식품은 구입하지 않는다.
④ 식사는 일정한 장소에서만 한다.

78 요요현상의 주요 원인이 아닌 것은?

① 기초 대사의 저하
② 열량 흡수력의 저하
③ 식습관의 불변성
④ 단기간 급하게 체중을 감소한 경우에 생기기 쉽다

79 과잉 섭취 시 치아의 에나멜질의 탈회 및 치아 변색을 일으키는 것은 무엇인가?

① 붕소 ② 셀레늄
③ 비소 ④ 불소

80 체내 활성산소를 제거하는 성분이 아닌 것은?

① 베타카로틴 ② SOD
③ 비타민 E ④ 요오드

76 반찬은 싱겁게 하여 풍부하게 먹는 것이 좋다.

78 급격한 체중 감소는 열량 흡수력을 높이고 오히려 체중을 늘게 된다.

80 항산화 역할에는 베타카로틴, SOD, 비타민 A, C, E, 셀레늄, 라이코펜 등이 있다.

해답 76①, 77①, 78②, 79④, 80④

Chapter 4

QnA 두피모발 제품

01 다음 중 동물성 유지가 아닌 것은?

① 쇠기름 ② 돼지기름
③ 라놀린 ④ 올리브유

01 올리브유는 식물성유지다.

02 두발에 양모제 혹은 포마드의 원료로 사용하는 유지는?

① 피마자유 ② 춘유
③ 올리브유 ④ 아몬드유

02 피마자 기름은 주로 머리에 사용하는 기름으로 식물성 포마드의 주요한 원료가 된다.

03 다음 친유성 크림타입에 속하는 화장품은?

① 크린싱밀크 ② 밀크로션
③ 크린싱크림 ④ 크린싱워터

03 친유성크림은 기름안에 물이 분산되어 있는 것으로 크린싱크림이 이에 해당된다. 크린싱밀크는 친수성이다.

04 지방성 피부에 적당한 화장수는?

① 유연화장수 ② 수렴화장수
③ 영양화장수 ④ 바니싱크림

04 지방성피부는 모공이 크기 때문에 수렴화장수로 수축시켜 주어야 한다.

해답 1④, 2①, 3③, 4②

05 다음 중 보습제 역할에 해당되는 것은?

① 피부의 피지량을 줄이는 것이다.
② 피부의 탈수를 방지하는 것이다.
③ 피부를 건조하게 한다.
④ 살균소독을 한다.

06 수분을 끌어당기는 힘을 가진 물질은?

① 페놀 ② 흡습제
③ 붕산 ④ 에틸알콜

07 위치하젤(witch hazel)은 화장품에 사용했을 때 어떤 효과가 있는가?

① 방부제 ② 수렴제
③ 방취제 ④ 유연제

08 과산화수소는 표백효과가 있다. 어느 성분 때문인가?

① 산화제 ② 방부제
③ 방취제 ④ 3분자

09 플라센타 추출물을 화장품에 사용하는 이유는?

① 유연작용 때문에
② 피부 세정을 위하여
③ 피부의 활성화를 위하여
④ 피부 노폐물 제거를 위하여

07 위치하젤은 천연수렴제로 사용한다. 즉, 아스트리젠트 성분으로 사용한다.

해답 5②, 6②, 7②, 8①, 9③

10 아미노산을 화장품에 사용하는 이유는?

① 피부에 유분을 주므로 ② 피부에 수분을 주므로
③ 피부를 부드럽게 하므로 ④ 방부효과가 있으므로

11 로얄젤리가 특히 많이 함유되어 있는 비타민은 무엇인가?

① 비타민 A ② 비타민 B
③ 비타민 C ④ 비타민 D

12 알란토인(Allantoin)을 화장품에 사용할 경우 어떤 작용을 하는가?

① 피부를 치유시킨다. ② 피부의 지방을 제거한다.
③ 냄새를 제거한다. ④ 수분을 부여한다.

13 양모에서 추출한 지방은 무엇인가?

① 라놀린 ② 레시틴
③ 스쿠알렌 ④ 리바이탈

14 알코올에 대한 설명 중 틀린 것은?

① 건성피부는 사용을 금한다.
② 휘발성 액체로 향유, 희석제용 skin 등에 많이 사용한다.
③ 무색의 단맛을 가진 끈끈한 액체로 수분 흡수작용을 한다.
④ 소독작용이 있다.

13 라놀린은 양모에서 추출한 지방으로 피부의 건조방지 및 영양효과가 높다. 동물성으로 알러지를 일으킬 수 있다.

해답 10②, 11②, 12①, 13①, 14③

15 비누의 원료에 해당되는 것은?

① 알코올 ② 수산화칼륨
③ 탄화수소 ④ 지방에스테르

16 상어의 간유에서 추출한 오일로 피부의 건조를 방지하는 것은?

① 레시틴 ② 스쿠알렌
③ 콜라겐 ④ 라놀린

17 알로에는 피부 알레르기를 일으킬 수 있다. 어떤 성분 때문인가?

① 알로인 ② 알부민
③ 오일 ④ 라놀린

18 로얄젤리를 사용했을 때 효과를 줄 수 있는 피부는?

① 피부가 거칠고 지친 건성피부
② 지방성피부
③ 민감성피부
④ 지루성피부

19 피부의 민감성 완화, 소염, 진정작용 및 세포재생 촉진에 효과적인 성분은?

① Allantoin
② MEA
③ Aluminium chlorohydrate
④ Aminomethyl propanol

19 알란토인은 갈라진 피부, 악건성 피부 치료에 효과적이다.

해답 15②, 16②, 17①, 18①, 19①

20 모발컨디셔닝제, 정전기방지제로 사용되는 성분은?

① Cetrimonium chloride ② Butylene glycol
③ BHT ④ Carbomer940

21 무코다당류로 고분자 보습제이며 결합수를 만드는 것은?

① Hyaluronic acid
② Imidazolidinyl urea
③ Lauric acid
④ Maltitol

22 판토텐산(비타민 B_5)의 전구체로 피부와 모발세포를 활성화 하는 것은?

① PEG - 8 ② Panthenol
③ Phenyl dimethicone ④ PPG - 20

23 린스가 갖추어야 할 성질로 맞지 않는 것은?

① 모발을 탄력 있고 부드럽게 하며, 촉촉하게 할 것
② 모발을 정돈하여 주고 빗질이 용이할 것
③ 모발의 때를 제거하고 윤기를 줄 것
④ 모발을 보호하는 작용이 있을 것

24 리보플라빈이라고도 하며 지루성 피부염 등을 예방해 주는 것은?

① 비타민 B_2 ② 비타민 A 팔미테이트
③ 비타민 E 아세테이트 ④ 비오틴

20 세틸트리메칠암모늄 클로라이드는 주로 헤어린스에 주로 쓰이며 모발을 부드럽게 해주고 정전기 방지에 좋다.

22 판토텐산은 피부와 모발세포를 활성화 시키며 샴푸 및 민감성 화장품에 많이 사용된다.

23 모발의 때를 제거하는 것은 샴푸의 기능이다.

24 비타민 B_2(리보플라빈)은 입술주변의 염증, 지루성 피부염등을 예방해준다. 그러나 많이 사용하게 되면 오히려 광과민증을 일으킬 수 있다.

해답 20①, 21①, 22②, 23③, 24①

25 감초추출물로 소염, 항염증, 항알러지작용이 있는 것은?

① 루틴 ② 멘톨
③ 페퍼민트 ④ 글리실리친산

26 비타민 P라고 하며 모세혈관을 튼튼히 하고 수축시키는 작용이 있어 실핏줄이 잘 터지는 피부에 좋은 것은?

① 사포닌 ② 클로로필
③ 하마멜린 ④ 루틴

27 식물성 계면활성제로 유화작용, 세정작용, 기포작용이 있는 것은?

① 사포닌 ② 시코닌
③ 아줄레 ④ 피틴산

28 식물의 씨앗과 곡류를 추출하여 얻은 물질로 탈모예방 및 피부질환 예방에 효과적인 것은?

① 피틴산 ② 클로로필
③ 이노시톨 ④ 하마멜린

29 피부대사촉진, 혈행촉진, 말초혈관확장, 탈모예방, 피로회복에 효과적인 것은?

① 연명초 추출물 ② 인삼 추출물
③ 은행잎 추출물 ④ 알로에 추출물

27 사포닌은 식물성 계면활성제로 유화, 가용화, 세정, 기포, 항염증 작용등이 있다. 대두사포닌, 인삼사포닌이 대표적이다.

28 이노시톨(inositol)은 동물의 성장인자이며 고 에너지물질로 모발촉진효과가 있다.

해답 25④, 26④, 27①, 28③, 29②

30 여드름의 지성피부에 좋으며 항염증, 지혈, 칼슘의 흡수촉진 작용이 있는 것은?

① 생강 추출물 ② 아르니카 추출물
③ 솔잎 추출물 ④ 쇠뜨기 추출물

31 혈행촉진, 기미예방, 발한작용이 있는 것은?

① 자작나무 추출물 ② 주니퍼 추출물
③ 파슬리 추출물 ④ 우엉 추출물

32 비타민 A, B_2가 함유되어 건성피부에 효과적이며 샴푸, 린스 등에 사용되는 오일은?

① 아보카도유 ② 월견초유
③ 아몬드유 ④ 피마자유

33 다음 계면활성제의 설명 중 틀린 것은?

① 음이온성 계면활성제: 정전기억제, 헤어린스, 헤어트리트먼트에 사용
② 음이온성 계면활성제: 세정작용, 비누,샴푸,클린징폼에 사용
③ 양쪽성 계면활성제: 저자극샴푸, 베이비샴푸에 사용
④ 피부자극은 양이온성 〉 양쪽성 〉 음이온성 〉 비이온성 순이다.

34 중금속 제거효과가 있고 주로 모발화장품 분야에 많이 사용되는 것은?

① 뮤신 ② 키토산
③ 콘드로이친 황산 나트륨 ④ 세라마이드

33 계면활성제의 피부자극은 양이온성>음이온성>양쪽성>비이온성 순이다.

해답 30①, 31④, 32①, 33④, 34②

35 산의 성질은 무엇에 의해 생긴 것인가?

① 산소 ② 수소
③ 질소 ④ 염소

36 물질의 성질을 잃지 않는 가장 작은 입자는 무엇인가?

① 분자 ② 원자
③ 원소 ④ 물질

37 원자의 중심 내부를 보면 (   )있으며 그 주변에 (   )를 가진 전자가 돌고 있는 모습을 하고 있다. (   ) 적당한 것은?

① 원자, 원자핵 ② 원자핵, 음전하
③ 음전하, 양전하 ④ 원자핵, 양전하

38 수소의 원자량은?

① 1.0 ② 24.0
③ 12.0 ④ 16.0

39 acid(산)의 성질을 설명한 것 중 틀린 것은?

① 신맛을 낸다.
② 푸른리트머스 종이를 붉게 만든다.
③ 붉은리트머스 종이를 푸르게 만든다.
④ 염산, 황산, 질산, 아세트산 등이 있다.

38 수소: 1.0
마그네슘: 24.0
탄소: 12.0
산소: 16.0

해답 35②, 36①, 37②, 38①, 39③

40 acid(산)의 성분 원소로 필요한 것은?

① 산소 ② 수소
③ 질소 ④ 염산

41 순수한 물의 경우 pH값은?

① 5.5 ② 6
③ 7 ④ 8~9

42 우리 몸의 속은 ( ) 겉은 ( )이다. ( )안에 들어갈 말로 바른 것은?

① 강알칼리성, 약산성 ② 약알칼리성, 약산성
③ 강알칼리성, 강산성 ④ 약알칼리성, 강산성

43 두피의 pH는 어느 정도인가?

① 8 ② 7
③ 4.8 ④ 7.4

44 혈액의 pH는?

① 7.4 ② 5.5
③ 3.5 ④ 6.5

41 순수한 물의 경우 수소 이온 농도는 물 1ℓ 당 0.0000001그램이 포함되어 있다.

43 표피의 투명층 아래는 pH 4.5 부근으로 산성이지만 기저층 아래는 pH가 7.4 부근으로 혈액의 pH와 동일하다.

44 우리 몸은 pH는 7.4 전후의 약알카리성이다. 체액, 혈액, 침 등이 약알칼리성으로 유지될 때 몸의 기능이 원활해지고신진대사가 좋아져 건강한 상태가 된다.

해답 40②, 41③, 42②, 43③, 44①

45 (   )은(는) 어떤 물질에 함유된 수소를 빼앗는 것을 의미한다. 반대로(   )은(는) 어떤 물질에 수소를 결합시키는 것을 의미한다. (   ) 안에 알맞은 것은?

① 환원, 산화　　② 산화, 환원
③ 환원, 산화물　　④ 산, 염기

46 두 개의 탄화수소가 산소 원자에 결합되어 있는 화합물을 무엇이라 하는가?

① 알코올　　② 탄화수소
③ 지방산　　④ 에테르

47 단백질 중에서 생체반응을 촉매하는 것을 무엇이라 하는가?

① 효모　　② 효소
③ 호르몬　　④ 혈액

48 전류를 이용하여 피부에 수용성 성분을 침투시키는 방법은?

① faradic　　③ iontophoresis
② sparying　　④ vibrator

49 자외선 램프를 조사 할 수 없는 경우는?

① 기미피부　　② 여드름피부
③ 건선　　④ 표피살균

49 기미 낀 피부에 자외선을 쬐면 기미를 더욱 악화시킨다.

해답 45②, 46④, 47②, 48③, 49①

50 광물성 오일의 특징으로 틀린 것은?

① 석유 등 광물지에서 추출
② 무색투명하고 냄새가 없음
③ 피부 흡수가 비교적 좋음
④ 실리콘오일

51 헤어토닉의 모근부활작용의 성분으로 좋은 것은?

① 유황 ② 피리독신
③ 살리실산, 레조르신 ④ 히노키치올, 태반추출물

52 헤어토닉의 지루억제 성분으로 좋은 것은?

① 유황, 피리독신 ② 살리실산, 히노키치올
③ 감초추출물, 멘톨 ④ 비타민 E

53 헤어토닉의 성분으로 각질 용해 작용을 하는 성분으로 좋은 것은?

① 살리실산, 레조르신 ② 감초추출물, 멘톨
③ 고추틴크, 장뇌 ④ 여성호르몬, 생약추출물

54 헤어토닉의 성분으로 소염작용에 좋은 성분은?

① 유황 ② 비타민 A
③ 태반추출물 ④ 감초추출물

50 실리콘오일, 미리스틴산 이소프로필은 합성오일이다.

해답 50④, 51④, 52①, 53①, 54④

55 샴푸의 주요 성분 중 퇴색방지제로 사용하는 성분은?

① 폴리올 ② 벤조페논
③ 구연산 ④ 양이온성 고분자

56 샴푸의 성분중 pH조절제로 사용되는 것은?

① 구연산 ② 비듬방지제
③ 벤조페논 ④ 음이온 계면활성제

57 부틸렌글리콜의 설명으로 틀린 것은?

① 화학적인 합성 보습제
② 솔부스열매에서 추출
③ 글리세린에 비해 끈적임이 적음
④ 피부자극이 다소 높음

58 가장 간단한 카르복시산은 무엇인가?

① 포름산 ② 젖산
③ 히드록시산 ④ 글리콜산

59 글리콜산에 대한 설명으로 틀린 것은?

① 사탕수수에서 얻어진다.
② 필링효가가 뛰어나다.
③ 알파 – 히드록시산중 분자량이 작다.
④ 쉰우유에서도 발견된다.

59 젖산은 유산이라고 하며 상한 우유 속에서발견되고 천연보습인자로 피부의 각질층에 존재한다.

해답 55②, 56①, 57②, 58①, 59④

60 시트르산에 대한 설명으로 틀린 것은?

① 구연산이라고도 한다. ② 레몬에도 함유되어 있다.
③ 각질제거 작용이 뛰어나다. ④ pH조절제로 사용된다.

61 방부제가 갖추어야 할 조건으로 틀린 것은?

① 무색 무취에 가까워야 한다.
② pH 등 사용조건에서 효력이 약해야 한다.
③ 적용농도에서 염증이나 민감반응을 일으키지 않아야 한다.
④ 상당기간 동안 작용할 수 있어야 한다.

62 방부제의 조건으로 틀린 설명은?

① 미생물에는 독성을 주지만 인체에는 독성이 없어야 한다.
② 방부제의 양을 최소화 해야 한다.
③ 가급적 여러 번 사용한 것을 재사용하는 것이 좋다.
④ 수용성은 방부효과가 떨어진다.

63 산화방지제로 사용할 수 없는 것은?

① 비타민 C ② BHA
③ 비타민 E ④ AHA

63 천연산화방지제: 비타민 C, 비타민 E
합성산화방지제: BHA, BHT

64 카르복시산과 알코올이 결합하여 만들어지는 것으로 자연계에 많이 존재하는 성분은?

① 시트르산 ② 에스테르
③ 능금산 ④ 주석산

64 식물의 꽃, 과일, 정유의 향기는 에스테르의 냄새에서 기인한다.

해답 60③, 61②, 62③, 63④, 64②

Chapter 5

QnA 두피모발과 아로마

01 아로마테라피의 뜻을 바르게 설명한 것은 어느 것인가?

① 동종요법 ② 허벌메디슨
③ 향기치료 ④ 한의학

01 AROMA = 향기, THERAPY = 치료

02 아로마테라피에 사용되는 재료는 무엇인가?

① 에센셜 오일 ② 향수
③ 방향제 ④ 허브

02 아로마테라피는 허브에서 추출한 에센셜 오일을 사용한다.

03 에센셜 오일을 피부에 적용시키기 위해 농도를 낮추어 사용하는 것을 무엇이라 하는가?

① 분산 ② 용해
③ 분리 ④ 희석

03 에센셜 오일을 식물성 오일에 희석하여 사용한다.

04 에센셜 오일의 사용법으로 알맞지 않은 것은?

① 매뉴얼테크닉 ② 복용
③ 바스 ④ 습포

04 에센셜 오일의 복용은 아직 논란의 여지가 많다.

해답 1③, 2①, 3④, 4②

05 두피모발 관리와 아로마테라피가 크게 연관성이 없는 항목은?

① 고객의 스트레스 완화를 도울 수 있다.
② 고객 관리를 위한 서비스 강화의 한 분야로 활용한다.
③ 오직 부가적인 수입 창출의 목적만이 강조된다.
④ 관리사 스스로의 건강관리에도 유용하다.

05 수입창출이 유일한 목적은 아니다.

06 두피의 비듬을 완화하고자 하는 목적으로 사용될 수 있는 에센셜 오일은?

① 일랑일랑 ② 타임
③ 로즈마리 ④ 티트리

06 티트리는 비듬을 일으키는 yeast에 잘 적용되는 오일이다.

07 에센셜 오일의 취급으로 알맞은 것은?

① 고객 눈에 잘 띄도록 스포라이트를 사용하여 강조한다.
② 샵의 공기정화를 위해 뚜껑을 열어둔다.
③ 대체적으로 원액 사용 시 효과가 더 높다.
④ 자외선이 차단되는 유리병에 보관한다.

07 에센셜 오일은 자외선, 열, 공기에 의하여 손상된다.

08 에센셜 오일 사용 후 고객의 피부에 약한 알레르기 반응이 나타난 경우 어떻게 조치하는 것이 가장 옳은가?

① 응급실로 달려간다.
② 약한 반응이므로 무시한다.
③ 에센셜 오일을 계속 사용하면 적응이 되어 상태가 호전된다.
④ 비누물로 깨끗이 씻어낸다.

08 약한 알레르기 반응은 비누물로 잘 씻고 진정될 때까지 살펴본다.

해답 5③, 6④, 7④, 8④

09 에센셜 오일을 사용하여 고객 관리를 할 때의 지켜야 할 사항으로 알맞은 것은?

① 고객의 피부 상태에 상관없이 동일량의 에센셜 오일을 사용한다.
② 고객보다는 관리사가 선호하는 에센셜 오일을 사용한다.
③ 많은 에센셜 오일을 한번에 블렌딩 한 후 모든 고객에게 사용하는 것이 가장 좋다.
④ 고객의 상태에 따라 직접 블렌딩하여 사용하는 것이 가장 좋다.

09 고객 상태에 맞는 에센셜 오일을 직접 블렌딩하여 사용하는 것이 가장 이상적이다.

10 두피의 혈액순환이 저하되어 생기는 탈모현상에는 어떤 에센셜 오일이 좋은가?

① 라벤더 ② 로즈마리
③ 티트리 ④ 사이프러스

10 로즈마리는 혈액순환을 증가시키는 자극적인 성격을 지니고 있다.

11 라벤더 에센셜 오일의 향기 흡입 시 효과를 가장 바르게 설명한 것은?

① 체력증강 ② 항스트레스
③ 탈모촉진 ④ 비만개선

11 라벤더는 항스트레스 효과의 대표적 에센셜 오일이다.

12 식물성 오일에 관한 설명으로 알맞은 것은?

① 아로마테리피의 효과를 높이기 위해 복용을 목적으로 하는 오일이다.
② 증기증류법으로 추출한다.
③ 식물성 오일 자체에도 많은 영양소가 있어 모발관리에 도움을 준다.
④ 오직 에센셜 오일을 희석하는 목적으로만 사용된다.

12 식물성 오일의 주 목적은 에센셜 오일의 희석이지만, 두피모발의 상태에 따라 필요한 성분이 함유되어 있는 식물성 오일의 선택도 중요하다.

해답 9④, 10②, 11②, 12③

13 에센셜 오일을 원액 사용했을 때 대체적으로 부작용이 적은 것은?

① 로즈마리 ② 유칼립투스
③ 레몬 ④ 라벤더

13 희석하여 사용하는 것이 원칙이지만, 라벤더는 원액 사용시에도 큰 부작용이 없다.

14 두피 매뉴얼테크닉을 위한 에센셜 오일의 희석율로 적당한 것은?

① 1~3% ② 3~5%
③ 5~8% ④ 8~10%

14 경우에 따라 다르기는 하나, 대개의 경우 1~3%내에서 사용한다.

15 약건성 두피 고객에게 단독사용을 권유할 수 있는 식물성 오일로 가장 적당한 것은?

① 코코넛 오일 ② 로즈힙 오일
③ 아몬드 오일 ④ 윗점 오일

15 스위트 아몬드 오일은 단독 사용되지만, 나머지 오일들은 더 흡수력이 좋은 식물성 오일들과 함께 사용 하는 것이 좋다.

16 티트리 에센셜 오일이 사용될 수 있는 경우로 부적합한 것은?

① 비듬 ② 지루성 두피
③ 두피 가려움 ④ 손상 모발

16 티트리가 두피의 환경을 좋게 하기는 하지만, 직접적으로 모발에 영향을 미친다고 보기는 어렵다.

17 에센셜 오일의 추출법과 연관된 내용으로 알맞은 것은?

① 추출되는 에센셜 오일의 양은 종류마다 다르다.
② 추출되는 에센셜 오일의 양이 가격 결정의 요건이 결정된다.
③ 수확하는 시기에 따라 추출량이 달라진다.
④ 추출법은 원산지에 따라 달라진다.

17 추출법은 식물의 종류와 추출부위에 따라 달라진다.

해답 13④, 14①, 15③, 16④, 17④

18 민감성 두피 고객에게 두피용 크림을 만들어 줄 때 어떤 에센셜 오일이 가장 적합한가?

① 로즈마리 ② 티트리
③ 쥬니퍼 베리 ④ 저먼 카모마일

18 저먼 카모마일은 민감성 피부에 안전한 에센셜 오일이다.

19 커트를 하는 도중에 고객의 피부에 상처가 생겼다면 다음 중 어떤 처치가 옳은가?

① 라벤더를 원액으로 발라준다.
② 로즈마리를 원액으로 발라준다.
③ 페퍼민트를 원액으로 발라준다.
④ 레몬을 원액으로 발라준다.

19 라벤더는 비상시에 원액 사용해도 큰 부작용이 없는 오일이다.

20 병상에 있는 환자나 머리 감기에 어려움이 있는 경우에는 어떤 오일을 샴푸에 추가하는 것이 좋은가?

① 타임 ② 로즈마리
③ 저먼 카모마일 ④ 사이프러스

20 사이프러스의 수렴 효과는 피지분비를 줄여서 두피의 더러움을 줄여준다.

21 미용실에서 사용하는 수건의 향균성을 위해 세탁에 사용할만한 에센셜 오일은?

① 쥬니퍼 베리 ② 마조람
③ 레몬 ④ 로즈마리

21 레몬 오일은 향균성 뿐 아니라 리프레쉬한 향기로 수건 사용을 즐겁게 한다.

22 아로마테라피는 주로 어떤 영역에서 활용될 수 있는가?

① 합성향 제조 회사
② 어린이 사탕류에 풍미제로 첨가
③ 현대의학에 반대하는 자연 치료
④ 두피 모발과 화장품 제조회사에서 활용

22 최근 아로마테라피는 두피 모발, 화장품 영역에서 큰 두각을 나타내고 있다.

해답 18④, 19①, 20④, 21③, 22④

23 두피 모발관리에서 아로마테라피의 효과는 주로 무엇에 기인하는가?

① 달콤한 향기 ② 에센셜 오일의 복용
③ 에센셜 오일의구성 화학성분 ④ 블라시보(위약 효과)

23 에센셜 오일을 구성하고 있는 화학적인 성분들은 대단히 다양하며, 각 성분이 나타내는 약리적인 효과를 활용하는 것이 아로마테라피다.

24 스트레스로 인한 원형탈모증 증상이 있는 고객에게 시행하기에 가장 효과적인 아로마테라피 적용법은?

① 흡입법 ② 두피 매뉴얼테크닉
③ 발향 ④ 아로마 목걸이

24 흡입하는 방법도 스트레스 관리에 효과가 있지만 원형탈모증이 시작된 경우에는 좀 더 적극적인 매뉴얼테크닉법이 더 효과적이다.

25 샵의 공기정화와 분위기 개선을 위해 발향하기에 적합하지 않는 에센셜 오일은?

① 라벤더 ② 오렌지
③ 레몬 ④ 일랑일랑

25 일랑일랑은 많은 사람이 붐비는 곳이나 환기가 잘 되지 않고 다른 강한 냄새가 나는 곳에서의 사용은 오히려 두통을 유발할 수 있다.

26 어린이의 샴푸에 사용하기에 가장 적절한 에센셜 오일은?

① 라벤더 ② 타임
③ 페퍼민트 ④ 로즈마리

26 모든 에센셜 오일이 다 특징적인 활용성이 있지만 큰 문제가 없는 어린이의 경우에는 대체적으로 대체적으로 라벤더가 가장 안전하다.

27 업무과로로 인한 어깨 결림이 있는 고객에게 아루마테라피를 활용하려면 어떤 적용법이 가장 좋은가?

① 페퍼민트 흡입
② 라벤더 원액 도포
③ 항통증 오일로 어깨 매뉴얼테크닉
④ 매일 1방울씩 복용

27 어깨 통증이나 스트레스, 탈모 등의 문제 에는 매뉴얼테크닉법이 가장 효과적이다.

해답 23③, 24②, 25④, 26①, 27③

28 식물성 오일의 특성으로 알맞은 것은?

① 휘발성이 강하다.
② 독성이 강하다.
③ 점성이 강하다.
④ 많은 영양소가 함유되어 있다.

28 식물성 오일은 휘발성이 없으며 종류에 따라 약간의 차이가 있기는 하지만 점성이 강하지는 않다. 많은 영양소가 함유되어 있다. 식물성 오일 자체로도 모발관리에 잘 활용할 수 있다.

29 다음 중 에센셜 오일의 블렌딩에 관한 설명으로 틀린 것은?

① 희석율은 중요한 사항이므로 잘 결정하여야 한다.
② 사용하기에 적절한 양만 블렌딩 하는 것이 좋다.
③ 한 증상에는 같은 블렌딩만 사용하는 것이 효과적이다.
④ 두피와 모발의 상태에 맞는 에센셜 오일을 선택한다.

29 에센셜 오일을 장시간 사용할 경우에는 블렌딩에 변화를 주는 것이 좋다.

30 에센셜 오일에 대한 설명으로 틀린 것은?

① 허브에서 추출한 물질이다.
② 에센셜 오일의 가격은 동일하다.
③ 원산지를 확인하는 것이 중요하다.
④ 뚜껑을 잘 닫아서 보관한다.

30 에센셜 오일은 각 종류의 추출량에 따라 가격이 결정된다. 허브가 자라는 환경에 영향을 받으므로 원산지를 확인하는 것이 좋다.

31 두피모발 관리에 있어서 일랑일랑 에센셜 오일의 가장 두드러진 효과는 무엇인가?

① 최음효과 ② 모발 개선 효과
③ 진정 효과 ④ 항스트레스 효과

31 다른 효과도 있기는 하나 두피모발관리에서의 효용성은 모발 개선이다.

32 두피모발 관리에 아로마테라피를 적용하고자 할 때 중요한 사항은 어느 것인가?

① 아로마테라피의 올바른 사용을 위한 학습
② 제품 사용을 통한 경험
③ 주변의 권유에 따라
④ 향기의 선호도를 우선시하여 사용

32 효과적이면서 부작용 없는 아로마테라피 활용을 위한 학습이 중요하다.

해답 28④, 29③, 30②, 31②, 32①

33 두피모발관리에 아로마테라피의 활용이 주는 의미로 알맞지 않은 것은?

① 고객의 두피 문제를 보다 근본적으로 관리할 수 있도록 돕는다.
② 건강한 두피모발을 위한 스트레스 관리를 위해서 활용가치가 높다.
③ 고객 서비스뿐 아니라 수익 창출에도 기여한다.
④ 아로마테라피만이 효과가 있기 때문에 반드시 필요하다.

33 아로마테라피가 효과적이기는 하나 반드시 아로마테라피만이 강요되어서는 안 된다.

34 두피 가려움을 덜어주는 스프레이에 에센셜 오일을 첨가하고자 한다. 가장 적합한 에센셜 오일은?

① 페퍼민트 ② 로즈마리
③ 타임 ④ 유칼립투스

34 근본적인 관리가 필요하지만 페퍼민트를 0.5% 정도의 희석율로 사용하면 가려움을 덜어주는 쿨링(cooling) 효과가 있다.

35 지성 두피에 가장 적합한 에센셜 오일은?

① 스위트 마조람 ② 저먼 카모마일
③ 레몬 ④ 라벤더

35 지성 두피에는 피지분비 억제 효과가 있는 레몬이 적당하다.

36 원형탈모증의 가장 큰 원인은 무엇인가?

① 식습관 ② 스트레스
③ 운동부족 ④ 잦은 염색

36 복합적인 원인들이 있지만 스트레스가 가장 주요 원인이다.

37 에센셜 오일의 추출법 중 뜨거운 열을 이용하는 방법은 무엇인가?

① 압착법 ② 증류법
③ 솔벤트 추출법 ④ 냉침법

37 증류법은 열로 에센스가 들어있는 세포벽을 파괴하는 방법이다.

해답 33④, 34①, 35③, 36②, 37②

38 다음의 설명 중 알맞은 내용은?

① 에센셜 오일의 유통기한은 모두 10년이다.
② 에센셜 오일의 색깔은 다 투명하다.
③ 에센셜 오일의 추출 부위는 모두 다 꽃이다.
④ 에센셜 오일은 피부에 흡수가 잘 된다.

39 다음 중 자외선에 의한 광과민성이 있는 것은 무엇인가?

① 라벤더 ② 티트리
③ 버가못 ④ 타임

40 에센셜 오일의 사용 시 주의해야 할 사항이 아닌 것은?

① 피부자극 ② 향기 선호도
③ 광과민성 ④ 복용량 결정

38 에센셜 오일은 분자량이 작아 피부의 모공과 피지선을 통해 쉽게 흡수된다. 유통 기한은 종류에 따라 다르나 대개 2~5년이다. 추출부위는 다양하며 그에 따라 다양한 색을 나타낸다.

39 버가못은 1% 정도로 희석하여 사용해도 자외선에 의한 광과민성이 나타난다.

40 에센셜 오일의 복용에 관해서는 논란이 있는 상황이다. 피부자극과 광과민성을 유의하며, 같은 조건이라면 향기의 선호도를 고려한다.

해답 38④, 39③, 40④

QnA 고객 상담

01 상담카드 작성 시 신상기록에 관련한 설명으로 틀린 것은?

① 연령 ② 직업과 담당업무
③ 결혼유무(출산) ④ 컴퓨터 사용시간

02 고객 파악에 있어 마른형의 성격으로 맞지 않는 것은?

① 긴장 완화에 중점을 두지 않아도 된다.
② 현실적이고 객관적이다.
③ 자극에 민감하여 신경질적이다.
④ 반대의견을 잘 제시하기 때문에 홈케어 제품 안내 시 정확하고 신뢰감 있는 설명이 필요하다.

03 고객 파악에 있어 근육형의 성격적 특징으로 틀린 것은?

① 강한 자아의식을 지니고 있다.
② 상냥하며 사교적이다.
③ 무뚝뚝하고 고집스럽다.
④ 남성의 경우 대부분 활동적이다.

04 고객 파악에 있어 비만형의 신체적 특징으로 틀린 것은?

① 몸의 전체적인 느낌과 달리 팔 다리는 매우 가늘다.
② 전체적 체형이 둥글고 어깨보다 골반이 크다.
③ 남성의 경우 만성 탈모 현상이 20대 초부터 시작된다.
④ 여성의 경우 나이가 들면서 탈모가 심화된다.

해답 1④, 2①, 3②, 4①

05 두피 & 모발관리 전문가가 갖추어야 할 필수요건으로 맞지 않는 것은?

① 두피와 모발의 전문가적인 분석능력
② 전문관리 제품에 대한 지식과 활용능력
③ 상태별 보다는 주관적인 관리시술과 테크닉
④ 신뢰감을 주는 상담능력

06 두피 관찰과 진단에 있어 잘못 설명한 것은?

① 두피유형은 피지선에서 분비되는 기름의 양과 땀샘에서 분비되는 수분양의 정도에 따라 결정된다.
② 피지 분비량은 성호르몬과는 관계가 매우 적다.
③ 피지 활동이 가장 활발한 시기는 사춘기이다.
④ 피지가 과잉되면 지루화 되며 차츰 나이가 들면서 중성, 건성화되고 노화되어 간다.

07 두피관찰과 진단의 실제에 있어 견진법으로 분석할 수 있는 것으로 옳지 않은 것은?

① 각질(비듬)정도 ② 건조정도
③ 모세혈관상태 ④ 모유두상태

08 두피관찰과 진단의 실제에 있어 촉진법으로 분석할 수 있는 것으로 옳지 않은 것은?

① 각질상태 ② 피지량
③ 모구상태 ④ 탄력, 두께정도

09 문진법으로 정확히 파악할 수 있는 내용이 아닌 것은?

① 식사 ② 생활습관
③ 수면 ④ 두피타입

해답 5③, 6②, 7④, 8③, 9④

10 기본두피관리의 순서로 가장 알맞은 것은?

① 지식습득 – 상담 – 진단 – 프로그램선택 – 관리 – 홈케어지도
② 지식습득 – 프로그램선택 – 상담 – 진단 – 관리 – 홈케어지도
③ 지식습득 – 상담 – 진단 – 프로그램선택 – 홈케어지도
④ 상담 – 진단 – 프로그램선택 – 관리 – 홈케어지도

11 다음 중 관리실의 발전을 위한 가장 좋은 방법은?

① TV 광고　② 신문 광고
③ 옥외 광고　④ 고객 만족

12 관리사의 개인위생과 거리가 먼 것은?

① 밝은 계통의 청결하고 세탁이 편리한 위생복을 착용 한다.
② 손톱은 항상 짧게 하고 단정하게 한다.
③ 외적으로 장신구 및 악세사리를 하여 항상 세련되게 한다.
④ 구강 구취에 신경을 쓴다.

13 고객을 대할 때의 예절과 관계가 없는 것은?

① 전문가로서 고객에게 친절로서 대 한다.
② 전화예절은 관리사의 인격과 관리실의 수준을 높이고 고객이 평을 할 수 있다.
③ 훌륭한 언어를 사용하고 예의 있게 행동 한다.
④ 상대방의 마음을 읽고 고객보다 한발 앞서 얘기하며 손님을 이끌도록 한다.

14 상담 중 두피분석의 목적이 아닌 것은?

① 두피(피부)상태를 결정하여 적절한 트리트먼트를 선택을 위해
② 고객의 나이와 건강상태를 관찰하여 두피(피부)분석의 중요한 요소로 삼기 위해
③ 고객에게 제품을 판매하기 위해
④ 고객의 두피(피부)타입을 알아 올바른 관리를 하기 위해

해답 10①, 11④, 12③, 13④, 14③

15 상담 시 내담자의 마음을 열도록 도와주는 항목이 아닌 것은?

① 경청한다. ② 공감대를 형성한다.
③ 시비를 가려준다. ④ 친밀감을 준다.

16 상담실에 대한 설명 중 적당하지 않은 것은?

① 독립된 공간 ② 화려한 실내장식
③ 온화한 분위기 연출 ④ 조용하고 안락함

17 트리콜로지스트의 자세가 아닌 것은?

① 청결함
② 침착함과 친절한 태도
③ 고객과의 상담능력과 조언
④ 의료영역과 관리영역을 모두 수행할 수 있어야 한다.

18 트리콜로지스트의 복장 및 위생 상태가 바르지 않은 것은?

① 균형잡힌 자세를 취해야 한다.
② 손톱, 머리 상태, 복장을 깨끗하게 하여야 한다.
③ 앉아 있을 때는 의자 뒤에 엉덩이를 붙여서 앉는다.
④ 다리를 꼬고 앉지 말고 높은 굽의 구두를 착용한다.

19 두피관리에 있어서 진단 시의 1차 진단이 아닌 것은?

① 두피,모발 진단기 사용 ② 견진
③ 문진 ④ 촉진

해답 15③, 16②, 17④, 18④, 19①

20 고객카드 작성요령이 아닌 것은?

① 기본적인 인적사항을 기재한다(성명, 직업 등).
② 두피와 관련 과거에 치료받은 사항을 알아본다.
③ 다이어트, 술, 커피, 흡연 등의 사항은 기록하지 않는다.
④ 사용하는 샴푸, 린스, 헤어제품 등을 반드시 체크한다.

21 다음의 문장을 읽고 옳은 것은?

① 모발학은 모발이라는 그리스어 Trikhos에서 이름이 유래되었다.
② 두피관리사는 모발 두피와 모발에 발생한 문제들을 치료하는 학문이다.
③ 모발과 두피는 분리하여 연구하여야 한다.
④ 모발전문가들은 영양학, 화학 등의 연구는 필요하지 않다.

21 모발과 두피는 분리되지 않고 많은 인체 기능시스템과 유관하며 모발전문가들은 영양학, 화학, 인체생리 등의 연구도 필요하다.

22 다음 트리콜로지스트의 역할에 해당하지 않는 것은?

① 인체의 구조　② 영양학
③ 기기학　④ 심리학

22 심리학은 상담자로서의 역할이며 나머지는 두피모발관리사로서의 역할이다.

23 두피모발관리사(트리콜로지스트)로서 갖추어야 할 자세가 아닌 것은?

① 의사의 영역인지 판단하여 필요시 진료를 의뢰한다.
② 고객과 충분한 카운셀링을 한다.
③ 신뢰를 쌓을 충분한 지식을 습득한다.
④ 고객에게 100% 치유가 가능하다는 자신감을 피력한다.

24 탈모 고객에 대한 어드바이스로 적절하지 못한 것은?

① 충분한 수면 시간을 권유한다.
② 샴푸 세정은 오전에 하도록 권유한다.
③ 담배와 술의 자제를 권유한다.
④ 집에서 족욕을 하도록 권유한다.

해답 20③, 21①, 22④, 23④, 24②

25 지성형 탈모고객의 탈모방지와 지연을 위한 방법으로 거리가 먼 것은?

① 균형 잡힌 식생활과 스트레스의 해소한다.
② 두피 타입에 맞는 샴푸제를 선택한다.
③ 영양공급을 위해 동물성 지방을 많이 섭취한다.
④ 모발과 두피를 항상 청결히 한다.

26 다음중 불평 고객에 대한 응대화법으로 부적절한 것은?

① "네, 고객님 제가 처리해드리겠습니다."
② "네, 그러셨군요. 저라도 화가 많이 낳을 것 같습니다."
③ "네, 고객님 무엇이든 보상해드리겠습니다."
④ "고객님, A와 B의 방법이 있는데, 두 방안 중 원하시는 것을 해드리겠습니다."

27 같은 서비스를 A 고객과 B 고객에게 제공했다. A 고객은 친절하다고 받아들였으나 B 고객은 귀찮게 받아 들였다. 서비스의 어떤 특성을 의미하는가?

① 서비스의 무형적 특성
② 서비스의 개별적 특성
③ 서비스의 즉흥적 특성
④ 서비스의 저장할 수 없는 특성

28 고객카드 작성을 위한 상담시 유의해야할 점 중 틀린 것은?

① 유전적 소인은 부계는 물론 반드시 모계도 기록한다.
② 수면 시간은 시간대(언제)보다는 시간의 양(얼마나)에 준한다.
③ 직업은 탈모를 예상하는데 중요한 요인이 된다.
④ 고객의 식생활 중 다이어트 경력을 반드시 체크한다.

29 고객이 집에서도 관리할 수 있게 조언 해주는 것은 어디에 속하는가?

① 진단
② 적절한 프로그램 선택
③ 관리
④ 홈케어지도

해답 25③, 26③, 27②, 28②, 29④

30 상담자의 자세로 올바른 것은?

① 일방적으로 가르친다.
② 상담을 통해 원인을 찾아 방법을 제시한다.
③ 상대방 말에 쉽게 동화한다.
④ 자신의 판단하고 결정짓는다.

31 상담의 목적이 아닌 것은?

① 정보와 지식전달로 고객의 인식이나 태도를 바꾸게 한다.
② 개선된 생활습관을 지니도록 도와준다.
③ 관리사의 지시대로 무조건 따르게 한다.
④ 고객의 잘못된 부분을 스스로 깨닫게 한다.

32 관리사가 피해야 할 언어는?

① 직접적인 표현은 삼가한다.
② 탈모된 부분을 부끄럽게 느끼게 한다.
③ 지나치게 겸손하거나 자만하는 언어는 피한다.
④ 독단적인 언어표현과 편견 섞인 말은 피한다.

33 상담카드 작성 시 필요치 않은 것은?

① 성별 및 결혼 여부 ② 재산정도
③ 직업 ④ 수면측정

34 예의 바름의 근원은 무엇에서 비롯되는가?

① 인격 ② 외모
③ 자태 ④ 기술

해답 30②, 31③, 32②, 33②, 34①

35 관리실 발전을 위한 사항 중 틀린 것은?

① 체계적인 고객중심의 매뉴얼 구성
② 임기응변의 재주
③ 고객만족에 신경 쓴다.
④ 상담내용을 체계적으로 정리한다.

36 상담시 내담자의 마음을 열도록 도와주는 항목이 아닌 것은?

① 신중히 자세히 듣는다.
② 공감대를 형성시켜 준다.
③ 경청한다.
④ 내담자의 잘못을 따진다.

37 상담자의 자질에 해당되지 않는 것은?

① 침착한 성품
② 논리적인 답변
③ 친절한 태도
④ 아름다운 외모

38 발모 효과에 대한 큰 기대를 지니고 있는 고객에 상담법이 아닌 것은?

① 탈모의 원리
② 관리기간
③ 관리비용
④ 관리의 효과 및 한계

39 관리 중 상담자의 역할로 적절하지 않은 것은?

① 정확한 전문 지식 전달
② 비교분석을 통한 상담
③ 효과에 대한 고객의 책임전가
④ 고객의 심리적인 상담

40 관리 종결 후 상담시 주요사항은?

① 지나친 재티켓팅 유도
② 센타에서의 전문적인 관리 유도
③ 불만족시 고객의 책임 전가
④ 새로운 고객 유치

해답 35②, 36④, 37④, 38③, 39③, 40

Appendix
부록

(사)국제두피모발협회 Trichologist 필기시험 안내

1) 시험시간 10분 전에 수험자를 응시번호대로 자리 정돈을 하고, 수검자 유의사항(아래쪽참고)을 숙지시킨다.
2) 필기시험지와 OMR답안지를 배포하고 시험시작을 알린 후 1시간동안 (시험 치르는 동안 퇴실금지) 시험을 치르게 하고, 20분쯤 경과 후에 수험자의 주민등록증과 응시표를 대조한 후 필기시험 답안지의 감독자 확인란에 사인한다.
3) 시험의 종료를 알리고 시험지와 답지를 거두어들인다.

필기수검자 유의사항

1. 수검자는 수검표를 깨끗이 보관하여야 하며 필기시험합격자는 당해 필기시험 합격자 발표일로부터 1년간 필기시험을 면제 받게 되니 계속 보관하셔야 합니다.
2. 장소 및 시간을 미리 확인하시어 착오가 없도록 유의하시기 바랍니다.
3. 수검자는 필기 시험 시 ① 수험표, ② 주민등록증, ③ 검정싸인펜을 지참하여 시험시작 30분 전에 지정된 장소에 입실하여야 합니다.
4. 응시원서를 잘못 기재하여 착오가 발생하였을 때에는 시행기관이 책임지지 않으므로 이로 인하여 발생하는 불이익을 받지 않도록 정확히 기재하여야 합니다.
5. 접수된 원서 및 사진 그리고 수수료는 일체 반환하지 않으므로 유의하시기 바랍니다.
6. 합격자 발표는 시험당일로부터 10일 후이며, 각 지정교육기관이나 협회로 문의하시기 바랍니다. (개별통보 하지 않음)
7. 필기시험 합격자는 실기시험에 응시하기 위하여 현장실습을 확인하여야 하며, 확인서와 함께 실기시험에 응시할 수 있습니다(단, 특별한 경우 감독자의 판단에 의해 허가 할 수 있음).
8. 수검자는 필기/실기 시험을 제한된 시간이내에 마쳤더라도 밖으로의 이탈을 금지합니다.
9. 수검자가 소지한 휴대폰 및 정보통신기기는 시험 기간내에 소지가 불가능하며, 감독관님께서 보관 후 시험을 마친 후 되찾을 수 있습니다.

필기시험구성

유형: 객관식 60문제(A형/B형/C형/D형/E형/F형)

시험기간: 1시간(60분)

합격기준: 70점 이상 합격

두발모발관리사 필기시험 시간표

시간	내용
10:50	입실 & 유의사항 안내
11:00~12:00 (60분)	객관식 60문항

(사)국제두피모발협회 Trichologist 실기시험 안내

1) 실기 준비물을 정돈시키고 학생들의 응시번호대로 착석을 지시한다.
2) 자리에 앉아 서술시험을 치를 준비를 마치고 서술시험 및 두피 진단 시험지를 나누어주고, 20분간 조용한 가운데 시험을 치를 수 있도록 한다.
3) 시험 종료를 알리고 시험지를 거두어들인다.

두피경혈점 파악 및 시술테크닉의 점수는 최저 1점, 최고 10점으로 채점됩니다.

- **목적**: 고객의 두피모발 타입을 분석하고 기기를 활용하여 관리의 효율성을 높이며, 매뉴얼테크닉 및 시술과정의 테크닉을 갖추고 있는지에 대한 테스트
- **실기시험 자격**: 필기시험합격자이며, 현장실습 이수 확인자
- **실기시험 구성**
  1차 서술시험(30점)
  2차 시술테크닉 및 매뉴얼테크닉(70점)
  합격기준: 평균점수 70점 이상 합격
- **예**

시간	내용
10:50	입실 & 유의사항 안내
11:00~12:00 (20분)	서술형
11:30~12:20 (10분)	두피관리 시술테크닉 및 매뉴얼테크닉

채점항목 1) 시술전 개인 준비물 검토 & 채점 항목, 복장 및 위생상태: 두발, 복장단정, 액세서리 미착용

- **목적**: 관리 시술사의 사전 준비 자세 및 위생상태 점검
- **실기시험 실시 전에 준비물 점검**
  준비물: 응시표, 신분증, 필기도구, 관리제품일체(스켈링제, 앰플, 샴푸, 트리트먼트), U형브러시, 드라이, 흰색타월(3장), 스파출라, 탈지면 소독불, 유리관(3개), 분무기, 거치대, 핀셋, 스틱, 쿠션 등
- **용모단정 점검**
  액세서리 미착용 및 두발과 복장 단정 점검
- **시험응시자**: 하얀색 관리사 가운
- **모델**: 상의 흰 면티

채점항목 2) 두피온도 측정 및 고객차트 작성

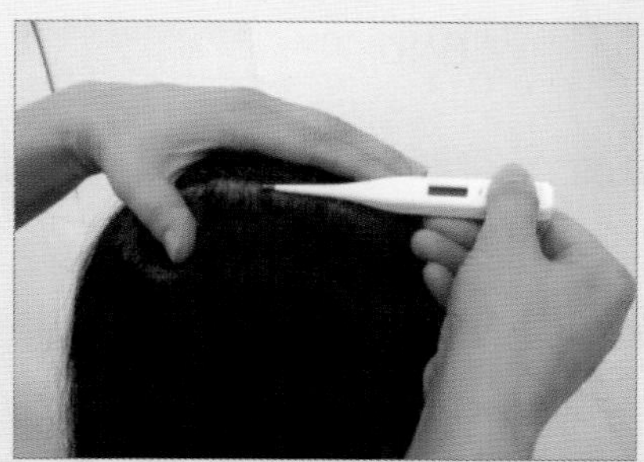

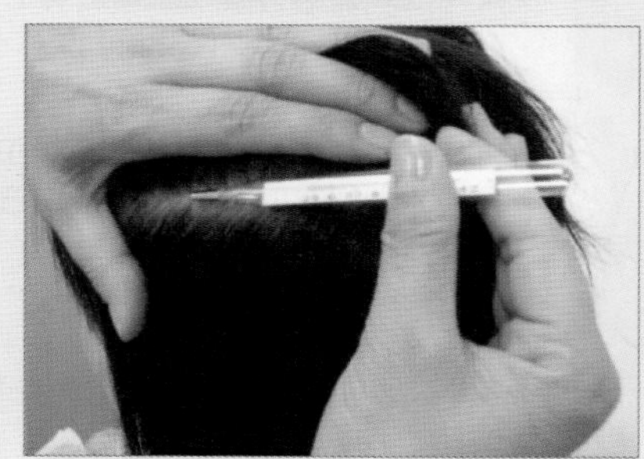

- **목적**: 고객의 두피 상태를 기록하여 고객 두피 타입에 따른 관리를 가능하게 함
- **방법**: 고객의 두피온도를 측정하고 고객의 생활 패턴, 모발 상태, 두피 타입, 건강 상태, 문제 사항 등을 고객카드에 상세히 기록한다.
- **제한시간**: 10분
- 온도계(체온계), 고객카드

채점항목 3) 브러싱 방법 - 백회 방향으로(나무브러쉬 사용)

- **목적**: 올바른 브러싱을 통하여 두피의 혈액 순환을 돕고, 시술 전 고객의 두피 및 머리카락의 정돈을 위함이다.
- **방법**: 고객의 불편하지 않도록 머리카락의 결을 따라 자연스럽게 빗질하고, 정수리를 향하여 올바른 빗질을 하여 두피 및 모근을 자극하여 혈액순환을 개선시키는 자세를 살펴본다.
- **제한시간**: 5분

감독관님이 시작을 알리고 수험자의 브러싱을 살펴본 후 채점을 한다.

채점항목 4) 스케링(deep cleasing) - 섹션뜨기 및 방향과 숙련도

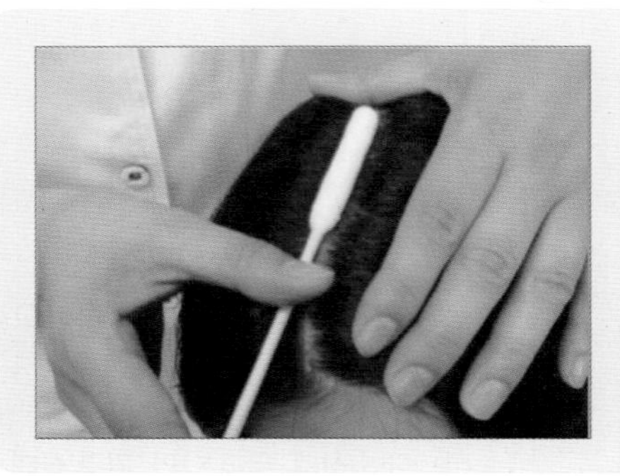

- **목적**: 두피의 노폐물과 오래된 각질제거를 통해 두피에 영양을 공급하기 위함이다.
- **방법**: 5등분으로 섹션을 나누고, 퍼프로 감은 스틱에 스켈링제를 적셔 1cm 간격으로 고르게 두피전체에 도포를 한다.
- **제한시간**: 10분

감독관님이 시작을 알리고 수험자의
스켈링 도포상태를 살펴본 후 채점을 한다.

채점항목 5) 두피 매뉴얼 테크닉 - 정확한 경혈점 메뉴얼테크닉의 연결성, 자세

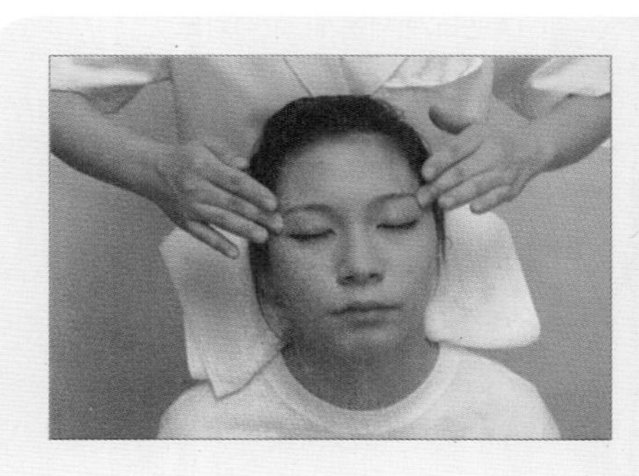

- **목적**: 고객의 안정 및 스트레스 해소 그리고 두피의 혈액순환을 돕고 두피 영양 공급을 더욱 효과적으로 하기 위하여
- **방법**: 승모근부터 시작하여 두피전체의 매뉴얼테크닉을 통하여 수험자의 능숙한 매뉴얼테크닉을 채점한다.
- **제한시간**: 15분

감독관님이 시작을 알리고 수험자의
매뉴얼테크닉을 살펴본 후 채점을 한다.

채점항목 6) 좌식 샴푸 및 마무리 - 샴푸제의 고른 도포 및 깔끔한 마무리(숙련도)

- **목적**: 두피와 모발의 세정을 통하여 고객에게 청량감과 안정감을 주기 위하여
- **방법**: 적당량의 샴푸를 도포하여 두부 전체에 고르게 거품을 일게 하고, 얼굴이나 귀 등에는 샴푸제가 묻어나지 않았는지 살펴본다.
- **제한시간**: 10분

감독관님이 시작을 알리고 수험자의
샴푸 테크닉을 살펴본 후 채점을 한다.

채점항목 7) 드라이 - 타올 드라이와 적외선 또는 이온 드라이기 사용

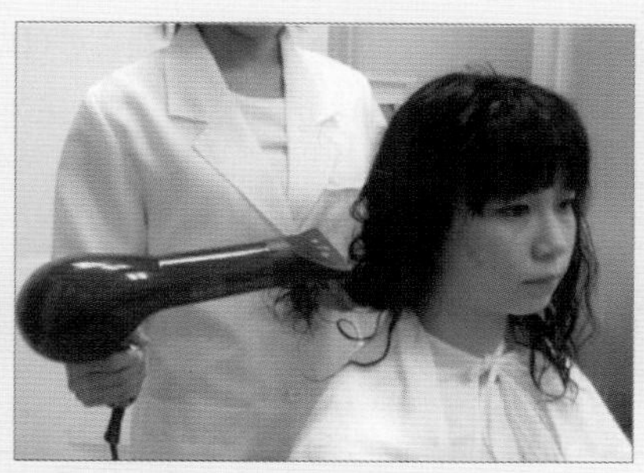

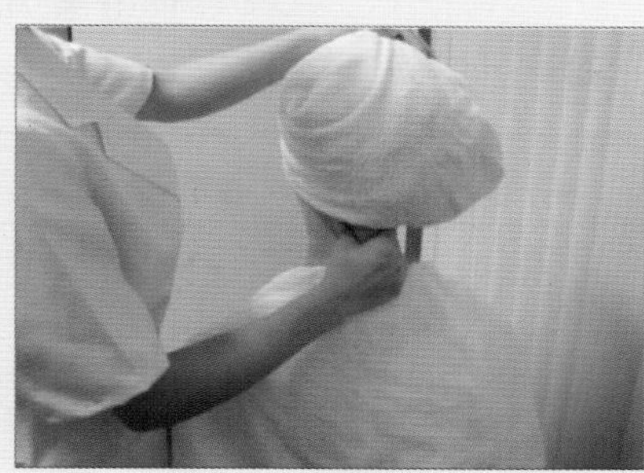

- **목적**: 앰플과 트리트먼트 도포 전 모발을 건조시켜 영양분을 투입시키기 위하여
- **방법**: 타올 드라이를 통하여 적당량의 수분을 덜어내고, 앰플 및 트리트먼트 도포를 위하여 모발을 건조시킨다.
- **제한시간**: 10분

감독관님이 시작을 알리고 수험자의 타올 드라이 및 열드라이테크닉을 살펴본 후 채점을 한다.

채점항목 8) 앰플과 트리트먼트 도포 - 전체 두부의 고른 시술

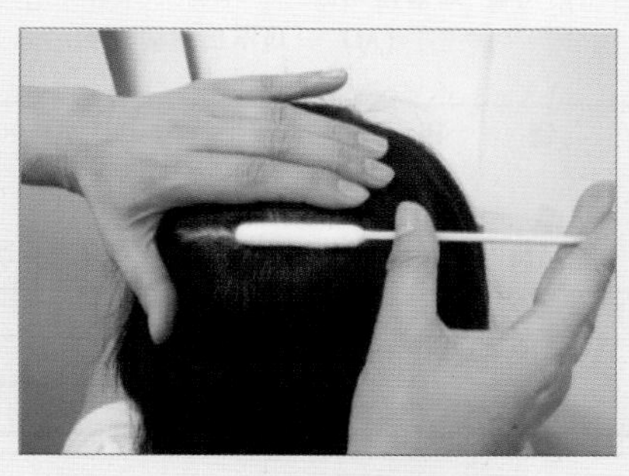

- **목적**: 모유두의 영양 공급으로 모근을 강화시키고 튼튼한 모발육성, 모발성장촉진 그리고 거칠고 가늘어진 모발을 건강한 모발로 회복
- **방법**: 다이아몬드 유형으로 5등분으로 섹션을 나누고, 두피에 앰플을 1cm 간격으로 고르게 도포, 모발에 트리트먼트를 두피전체에 고르게 분사 · 도포를 한다.
- **제한시간**: 5분

감독관님이 시작을 알리고 수험자의 앰플 및 트리트먼트 도포를 살펴본 후 채점을 한다.

(사)국제두피모발협회 자격검정 필기 / 실기시험 수험원서

제 회 자격검정(필기, 실기)을 받고자 다음 사항을 서약하고 이 원서를 제출합니다. 이 원서에 기재한 내용이 사실과 틀리거나 응시가격 기준에 해당하지 아니할 때에는 합격 또는 자격을 취소하여도 아무런 이의를 제기하지 아니 하겠습니다.

[Trichologist 자격검정 2급 시험 응시원서]

☆는 반드시 기입해야 자격증발급되는 의무사항입니다.

KAT 응 시 원 서				① 응 시 시 험
				2급
② 응 시 자 격	KAT TRICHOLOGIST			
③ ☆ 성 명		④ ☆ 생 년 월 일		☆ 사 진 (3cm×4cm)
⑤ ☆영 문 이 름				
⑥ 주 소				
⑦ 전 화 번 호		⑧ ☆ 휴 대 번 호		
⑨ ☆ 이 메 일				
⑩ 추 천 인	소 속		성 명	

본 응시원서에 기재한 사항이 거짓으로 판명된 때에는 시험을 정지 또는 무효로 하여도 이의를 제기하지 아니할 것임을 서약하고 응시원서를 제출합니다. www.trichology.org

서울시 용산구 동자동 30-8 (사) 국제두피모발협회

※ 수험번호

2013 년 월 일 (서명 또는 인)

KAT (사) 국 제 두 피 모 발 협 회 , 한 국 두 피 모 발 관 리 사 협 회 귀하

첨부서류 : 필기시험(없음) , 실기시험(사진2부)

※ 란은 수험자가 기입하지 아니합니다.

(한국두피모발관리사협회인)

- - - - - - - - - - 자르는선 - - - - - - - - (간인) - - - - - - - - - -

수 험 표				☆ 사 진 (3cm×4cm)
KAT ※ 수험번호	(2013년도 (사)국제두피모발협회)			
⑪ ☆ 성 명		⑫ ☆ 생 년 월 일		
⑬ 응시 급수	2급	⑭ 시 험 구 분	Trichologist (2급)	

2013 년 월 일

KAT (사) 국제두피모발협회 장

수험원서 작성방법

- 이 원서는 필기 및 실기를 구분하여 표기하여야 합니다.
- 다음 방법에 따라 작성하시기 바랍니다.

1 사진: 최근 6개월 아내에 촬영한 3×4cm규격의 동일원판의 탈모 상반신 사진을 부착하여야 합니다.

2 모든 내용은 정자로 작성하여야 하며, 특히 숫자는 명확하게 작성하시기 바랍니다.

3 제출일자: 수험원서에 지출일자를 꼭 쓰셔야 합니다.

4 주민등록번호: 주민등록번호를 칸에 맞추어 정확하게 기재하여야 합니다.

5 주소: 주민등록자와 사용가능한 이메일주소를 기재하여야 하며, 우편물 수취가 가능한 주소록 작성하되 통, 반(아파트 경우 동, 호수)까지 기재하여야 합니다.

6 추천인의 소속과 이름이 명확히 기재되어야만 합니다.

7 소지면허증이 있는 경우에는 자격증의 명칭과 교부일을 작성 기재하여야 합니다.

수험원서 작성방법

1 수검자는 수검표를 깨끗이 보관하여야 하며 필기시험합격자는 당해 필기시험 합격자 발표일로부터 1년간 필기시험을 면제 받게 되니 계속 보관하셔야 합니다.

2 장소 및 시간을 미리 확인하시어 착오가 없도록 유의하시기 바랍니다.

3 수검자는 필기 시험시 ① 수험표, ② 주민등록증, ③ 검정사인펜을 지참하여 시험시작 30분 전에 지정된 장소에 입실하여야 합니다.

4 응시원서를 잘못 기재하여 착오가 발생하였을 때에는 시행기관이 책임지지 않으므로 이로 인하여 발생하는 불이익을 받지 않도록 정확히 기재하여야 합니다.

5 접수된 원서 및 사진 그리고 수수료는 일체 반환하지 않으므로 유의하시기 바랍니다.

6 합격자 발표는 시험당일로부터 10일 후이며, 각 지정교육기관이나 협회로 문의하시기 바랍니다(개별 통보하지 않음).

7 필기시험 합격자는 실기시험에 응시하기 위하여 현장실습(40시간)을 이수하여야 하며, 확인서와 함께 실기시험에 응시할 수 있습니다.

8 수검자는 필기/실기 시험을 제한된 시간이내에 마쳤더라도 밖으로의 이탈을 금지합니다.

9 수검자가 소지한 휴대폰 및 정보통신기기는 시험 시간 내에 소지가 불가능하며, 감독관님께 보관 후 시험을 마친 후 되찾을 수 있습니다.

10 실기시험일까지 현재 수험자의 응시자격요건을 충족하지 못한 경우는 필기시험 합격이 무효로 됩니다.

11 접수된 수험원서, 수수료 및 기타 서류는 반환하지 아니합니다.

KAT 1급 Trichologist / 1 차 필기시험 기준

KAT 1급 Trichologist 자격검정 기준 및 목표

Trichologist의 사회적 역할과 필요성이 중요시 되고 있는 현시점에서 보다 현실적이며 산업체에서 요구하는 전문성을 갖춘 두피모발정보관리사를 양성하여, 실질적 업무능력과 컨설턴트 업무를 수행할 수 있도록 교육하여 그에 준한 자격검정 시험을 통해 교육기관, 두피모발관리사협회 및 산업체의 연계성을 통해 보다 더 우수한 인력을 배출하는 데 그 목표가 있다.

출제 및 평가

- 1차 필기 시험

객관식 4지 선다형 100문항 출제

- 교과목별 비율

교과목별 비율			
교과목	출제문항수	교과목	출제문항수
모발과학	15	인체생리학	10
영양학	10	두피모발관리학	15
성분학	10	탈모학	10
아로마테라피	10	임상학	5
전기 및 기기학	5	상담학	10

- 합격점: 100점 만점 60점 이상

[심사방법] 이론 및 실기

- (감독위원은 협회의 규정에 준하는 별도의 심사위원 교육과정을 이수한자 위촉장 수여)
- KAT에서 위촉된 두피모발관리사 자격검정 심사위원에 한하여 감독자격이 주어지며 심사위원은 반드시 KAT의 심사규정을 준수해야 한다. (필기 및 실기 동일)

시험시간

- 100분(4지 선다형 100문항)

출제범위

- KAT 미용상담학 교재

KAT 미용상담학 / 2차 논술시험 기준

평가기준

100점 만점 평균 60점 이상 합격

교과목

모발학, 영양학, 성분 제조학, 아로마테라피, 기기학, 상담학, 탈모학, 임상학, 인체생리학, 두피관리학

출제유형

서술형, 혼합형

출제비율

1 두피모발관리학(모발학, 탈모학, 두피모발관리학, 인체생리학) 50%
2 성분 · 제조학(성분제조학, 아로마테라피, 영양학) 30%
3 임상학(상담, 임상학, 기기학) 20%
(각 과목별 비중에 따라 서술형 및 혼합형으로 출제됨)
100점 만점기준 과락 없이 평균 60점 이상 합격

심사방법

[심사방법] 이론 및 실기
(감독위원은 협회의 규정에 준하는 별도의 심사위원 교육과정을 이수한자 위촉장 수여)

- KAT에서 위촉된 두피모발관리사 자격검정 심사위원에 한하여 감독자격이 주어지며 심사위원은 반드시 KAT의 심사규정을 준수해야 한다.
  단, 심사위원 자격은 KAT 두피모발 인증강사 교육과정에 이수한자로 심사위원으로 인정된 자에 한함.

시험시간

100분(4지 선다형 100문항)

출제범위

2차 논술시험(서술, 혼합형) 60분
* 단 두피모발상담사 인증강사 자격시험은 두피모발상담사 교과목 중 선택하여 1:1 테스트로 함
(1:1 테스트 과정의 목적은 강사들의 능력을 키워주는 과정으로 교육 프로그램을 제시할 수 있어야 함)
(두피모발상담사 자격에 관한 교육향상에 목적을 두고 전문 강사 인력을 양성하기 위함입니다)

출제범위

KAT 두피모발상담학 교재

사단법인 국제두피모발협회
KAT 한국두피모발관리사협회
전화 (02) 525-5875 | www.trichology.org
kat5875@hanmail.net

■ 참고문헌

강신성, 인체생물학, 도서출판 MIP, 2007
국제미용교육포럼학술위원회 편저, 모발학 TRICHOLOGY, 청구문화사, 2004
김광옥 외, 트리콜로지스트를 위한 두피모발관리학, 도서출판 청람, 2006
김명숙, 피부관리학, 현문사, 2001
김민정 외, 모발과학 및 관리학, 도서출판 청람, 2007
김영숙, 두피모발 관리 방법론, 대경, 2008
김영숙 외, 두피모발관리학, 대경, 2009
김한식, 모발 생리학, 현문사, 1997
류은주, 모발학, 광문각, 2002
박영숙 외, 두피모발관리학, 훈민사, 2006
안홍석 외, 미용건강학. 2007. 파외북
유광석, 탈모증별 상담과 실습, 다모출판, 2008
이성옥 외, 두개천골요법을 이용한 두피관리학, 정담미디어, 2005
이은숙 외, 한방피부미용학
이황희 외, 두피?모발 관리 및 탈모의 임상적 치료, 도서출판 청람, 2005
정숙희 외, 트리콜로지스트 스토리북, 훈민사, 2008
조명숙, 모발과학총론, 훈민사, 2002
조성일, 두피 & 탈모관리학, 리그라인, 2004
최근희 외, 모발관리 이론 및 실습, 수문사, 2001
최혜미, 21세기 영양학, 교문사, 2006
하병조, 미용을 위한 영양과 건강, 신광출판사, 2005
한경희 외, 모발과학, 훈민사, 2002
한국두피모발관리사협회, TRICHOLOGIST Level Ⅲ, 도서출판 청람, 2005
한국두피모발관리사협회, 두피모발관리사 2급, 크라운 출판사, 2007
한국두피모발관리사협회, 두피모발관리사 3급, 예림, 2007
한국두피모발연구학회, 트리콜로지스트, 훈민사, 2008
失山和孝(야야마 가츠다카), 모발미용과학, 정문각, 2000
Colbert, Anatomy & Physiology, MDcean for health professionals, 2007
Herlihy, The human body in health and illness, 정담미디어, 2006
(KAT) (사)한국두피모발관리사협회, 두피모발관리사 개론 Ⅱ, 예림, 2005
(KAT) (사)한국두피모발관리사협회, 두피모발관리사 예상문제집, 예림, 2005
(KAT) (사)한국두피모발관리사협회, 트리콜로지스트 Ⅰ, 청람, 2005
Scalp & Hair Treatment와 Alopecia에 대한 인식 및 실태에 관한 연구 2011. 이진희